LLEISIAU O'R LLUDW

Her yr Holocost i'r Cristion

gi

GARETH LLOYD JONES

GWASG GEE

DINBYCH

ISBN 0 7074 0246 8

Cyhoeddir y gyfrol hon gyda chymorth ariannol oddi wrth
Gyngor Celfyddydau Cymru.

Gwerthfawrogir hefyd gefnogaeth Coleg Prifysgol Gogledd
Cymru, Bangor.

Argraffwyr a Chyhoeddwyr:
GWASG GEE, DINBYCH, CLWYD

CYFLWYNEDIG I

GWYNETH

Cynnwys

Rhagair

Rhai blynyddoedd yn ôl newidiodd Adran Efrydiau Beiblaidd, Coleg y Brifysgol, Bangor, ei henw i Adran Efrydiau Crefyddol. O dan arweiniad yr Athro Gwilym H. Jones, cafwyd pwyslais newydd yng nghynnwys y sylabws. Yn lle cyfyngu ei hun i astudiaethau beiblaidd, rhoddwyd cyfle i'r adran ledu ei gorwelion a chynnig cyrsiau y tu allan i faes y Beibl. Y mae'r gyfrol hon yn deillio'n uniongyrchol o'r newid cyfeiriad a gaed yn yr adran.

Dechreuodd y llyfr ei yrfa fel cyfres o ddarlithiau o dan y pennawd 'Yr Eglwys a'r Iddew: O Fonolog i Ddeialog'. Gan fod nifer cynon o fyfyrwyr yn dewis dilyn y cwrs trwy gyfrwng y Gymraeg, bernais mai buddiol fyddai cyhoeddi llyfr ar y pwnc yn benodol iddynt hwy. Ond fe'm hysgogwyd gan fy nghydweithwyr i ysgrifennu ar gyfer cylch ehangach ac agor y maes toreithiog hwn i'r sawl sydd â diddordeb cyffredinol yn y berthynas rhwng Cristion ac Iddew. Felly, ymgais sydd yn y tudalennau canlynol i gyflwyno beth o ffrwyth ysgolheictod diweddar ar bwnc sydd nid yn unig yn gyfoes ond hefyd yn berthnasol i bregethu'r Efengyl ac i ddysgu hanes yr Eglwys

Yr wyf yn drwm fy nyled i amryw am eu cymorth: i Mrs Glenda Carr am ateb llu o fân ymholiadau ynglŷn â'r orgraff; i'r Athro R. Tudur Jones am ddarllen y llawysgrif drwyddo ac awgrymu amryw o welliannau; i Mr Brinli Rees am fynd drwy bob tudalen â chrib mân a chywiro llu o wallau; i Mrs Beti Llewellyn am deipio'r gwaith yn ddiwyd a gofalus. Yn olaf dymunaf ddiolch i Wasg Gee am eu hynawsedd a'u gofal trwy gydol yr amser.

Mai 1994   Gareth Lloyd Jones
                                   Coleg y Brifysgol, Bangor

BYRFODDAU

Defnyddir y talfyriadau arferol i gyfeirio at lyfrau'r Beibl: Gen., Ex., etc

(a) Cyffredinol

adn.	adnod(au)
arg.	argraffiad
C.C.	Cyn Crist
col.	colofn
cyf.	cyfieithiad
cyfr.	cyfrol
cymh.	cymharer
e.e.	er enghraifft
et. al.	ac eraill
gol.	golygydd(ion)
gw.	gweler
h.y.	hynny yw
ibid.	yr un gwaith
l., ll.	llinell(au)
n.	troednodyn
O.C.	Oed Crist
op.cit.	y gwaith a nodwyd uchod
pen.	pennod(au)
Saes.	Saesneg
t., tt.	tudalen(nau)
ym.	a'r adnod(au), tudalen(nau), sy'n dilyn

(b) Llyfrau a Chyfnodolion

BA	British Archaeologist
CCARJ	Central Conference of American Rabbis Journal
CG	Common Ground
CJR	Christian-Jewish Relations
CTh	Casgliad Theodosius
ET	Expository Times
HTR	Harvard Theological Review
HUCA	Hebrew Union College Annual
JAAR	Journal of the American Academy of Religion
JES	Journal of Ecumenical Studies
JQR	Jewish Quarterly Review
JR	Journal of Religion
NovTh	Casgliad Newydd Theodosius
PG	Patrologia Graeca
PL	Patrologia Latina
SIDIC	Service International de Documentation Judéo-Chrétienne

Rhagarweiniad

Mewn eglwys Anglicanaidd yn Llundain beth amser yn ôl cynhaliwyd arddangosfa frawychus o'r enw 'The Auschwitz Exhibition'. Ymgais ydoedd i atgoffa'r genhedlaeth hŷn a dysgu'r ifanc am erchylltra'r Holocost, neu'r *Shoah* fel'i gelwir yn Hebraeg, trwy arddangos lluniau a chreiriau gwersylloedd cadw'r Natsïaid. Y cyfiawnhad dros ei chynnal oedd tuedd y Cristion i anwybyddu'r profiad hallt a ddaeth i ran Iddewon Ewrop yn ystod yr Ail Ryfel Byd pan lofruddiwyd chwe miliwn ohonynt gan Hitler. Er i lawer o Gristnogion blaenllaw y cyfnod rhwng 1933 a 1945 fod yn ymwybodol o bolisi gwrth-Iddewig yr Almaen, ymddengys na theimlasant, ond ar adegau prin efallai, yn anesmwyth ynglŷn ag ef. Ni safasant yn ei erbyn fel un gŵr a'i gondemnio yn enw Crist. Y mae'r to ifanc heddiw yr un mor ddifater. Methant hwy â deall pam y dylai'r Holocost gael ei gadw mewn cof am na allant ddychmygu, yn eu diniweidrwydd, y gallai'r fath gyflafan ddigwydd eilwaith.

Ond peidied neb â thybio mai i bennod gaeëdig yn hanes Ewrop y perthyn gwrth-Iddewiaeth. Nid ffenomen sy'n eiddo i'r gorffennol ac a gladdwyd am byth pan ddienyddiwyd arweinwyr y Natsïaid yn Nüremberg ym 1946 yw erlid Iddewon. Y mae'r hanner cant a mwy o gyhoeddiadau cyfoes sy'n gwadu'r Holocost, gan haeru mai ffug yw'r lluniau arswydus o garcharorion Iddewig y Drydedd Reich, yn tystio fod gwrth-Iddewiaeth yn fyw ac yn iach.[1] Ymron drigain

---

Gw. e.e. A. R. Butz, *The Hoax of the Twentieth Century* (Hist. Review Press 1977); R. Harwood, *Did Six Million Really Die?* (Hist. Review Press 1974).

7

mlynedd ar ôl marw Hitler, y mae mynwentydd a synagogau yn cael eu fandaleiddio ac Iddewon yn dioddef gwawd ac amarch. Er nad yw'r erlid hwn ar yr un raddfa â'r hyn a gyflawnodd y Natsïaid, y mae'n dangos yn ddigon eglur fod atgasedd at yr Iddew'n parhau.

Nid manylu ar gynnwys yr arddangosfa yw'r diben yma, ond yn hytrach ystyried arwyddocâd diwinyddol y ffaith mai mewn eglwys yn hytrach na synagog neu neuadd gyhoeddus y cynhaliwyd hi. Beth oedd bwriad y trefnwyr? A oeddent am i'r ymwelydd ganfod cysylltiad rhwng y grefydd Gristnogol a chreulondeb mileinig Hitler? A oeddent yn ceisio dangos fod agwedd elyniaethus yr Eglwys tuag at yr Iddew ar hyd y canrifoedd wedi bod yn sylfaen ddelfrydol i ddeddfau erchyll y Natsïaid? A fu gan ragfarn wrth-Iddewig pregethwyr hauwdl fel Martin Luther, Awstin Sant a John Chrysostom ddylanwad pell-gyrhaeddol ar genedlaethau o Gristnogion? Oni fyddai tynged Iddewon Ewrop wedi bod yn dra gwahanol pe bai mwy o ddilynwyr Crist ledled y byd wedi gwrthwynebu'n gyhoeddus syniadau anwaraidd Hitler o 1933 ymlaen?

Y mae'r atebion cadarnhaol a roddwyd i gwestiynau fel hyn gan arweinwyr eglwysig ac ysgolheigion blaenllaw ail hanner y ganrif hon yn cymell Cristnogion i ailystyried eu hagwedd tuag at yr Iddew, a rhoi sylw o'r newydd i ddysgeidiaeth draddodiadol yr Eglwys ynglŷn ag Iddewiaeth. Er mwyn ein darbwyllo'n hunain o deilyngdod y fenter, trown yn gyntaf at yr Holocost ei hun a cheisio gweld y goblygiadau sydd ynghlwm wrtho i'r traddodiad Cristnogol. Ceisiwn fesur arwyddocâd y gyflafan o ddau safbwynt sy'n ymblethu i'w gilydd : hanes a diwinyddiaeth. Heb wynebu, a hyd y medrwn, deimlo, erchylltra'r Holocost fel digwyddiad hanesyddol, ni wnawn amgyffred ei ystyr diwinyddol — os yw'n meddu'r fath ystyr.

Yr Arwyddocâd Hanesyddol

Enillwyd Gwobr Heddwch Nobel 1986 gan athro ym mhrifysgol Boston, Elie Wiesel. Cyn y dyfarniad bu cryn ddyfalu pwy fyddai dewis y beirniaid, a chlywyd enwi Bob Geldof a Winnie Mandela fel rhai teilwng o'r anrhydedd. Ond, yn annisgwyl efallai, Wiesel oedd ar y blaen. Fe'i dewiswyd oherwydd ei gyfraniad difesur, fel awdur a darlithydd, i astudiaethau'n ymwneud â'r Holocost. Am ei fod o dras Iddewig, treuliodd Wiesel dros flwyddyn yn garcharor yn Buchenwald; llofruddiwyd ei chwaer a'i rieni yno. Yn wyrthiol arbedwyd ef rhag yr un dynged, ac ers cyrraedd yr Unol Daleithiau ym 1956, bu'n atgoffa'r byd yn barhaus o fodolaeth y gwersylloedd cadw, er ceisio sicrhau na fydd i'r fath beth digwydd byth eto. Y mae wedi darlithio'n gyson ledled y byd, ac wedi cyhoeddi ugain o lyfrau'n ymwneud â'r pwnc.[2] Y mae Wiesel, yn anad neb, wedi'n gorfodi i wynebu realiti hanesyddol yr Holocost.

Eto, Wiesel fyddai'r cyntaf i addef nad yr Holocost oedd yr enghraifft gyntaf o greulondeb tuag at Iddewon. Cafwyd erledigaethau, mawr a bach, o gyfeiriad byd ac eglwys, am rhilwy fil o flynyddoedd. Er nad oedd y gyflafan Natsïaidd yn wahanol mewn un ystyr i unrhyw un arall, dyma'r tro cyntaf yn hanes y gyfathrach rhwng yr Iddew a'i gyd-ddyn i'r erlid fynd y tu hwnt i ddychymyg, ac i'r Iddewon gael eu lladd yn ddiarbed. Gan fod yr erchylltra wedi'i gofnodi ar ffilm ac mewn llyfrau, nid oes angen ailadrodd y manylion.[3] Bodlonwn ar nodi tair agwedd ar natur unigryw'r Holocost fel digwyddiad hanesyddol.

Yn gyntaf, ystyriwn faint y trychineb. Cyn i Adolf Eichmann, un o brif swyddogion Auschwitz, ffoi o'r Almaen ym 1945 rhag mynd o flaen ei well am droseddau rhyfel, fe'i dyfynnir yn dweud, 'Os caf fy nal, chwarddaf wrth neidio i'r bedd am fy mod yn gwybod imi ladd chwe miliwn o Iddewon — ffaith sy'n rhoi boddhad mawr i mi'.[4] Yr oedd llawenydd Eichmann yn deillio o'i argyhoeddiad iddo roi ergyd farwol i Iddewiaeth trwy ddinistrio'i chnewyllyn. O ystyried y rhifau, 'roedd y

---

[2] Ei lyfr mwyaf trawiadol yw *Night, Dawn, Day* (New York 1985), sef cip ar fywyd yn y gwersylloedd cadw, ar ffurf hunangofiant.
[3] Y mae toreth o astudiaethau manwl ar gael. Y gorau o'r rhai diweddaraf yw Martin Gilbert, *The Holocaust: The Jewish Tragedy* (London 1986). Ond cyfrifir gwaith Leon Poliakov, *Harvest of Hate: The Nazi Programme for the Destruction of the Jews of Europe* (New York 1954 a 1986) hefyd yn safonol.
[4] Geiriau tyst yn llys Nüremberg yw y rhain. Gw. *Nazi Conspiracy and Aggression* (Washington: DC 1946), Cyfr. 8, t. 610.

9

fath ddamcaniaeth yn gwbl ddealladwy.[5] Cyn 1939 Dwyrain Ewrop oedd cartref academaidd ac ysbrydol Iddewon y byd; fe'i disgrifir fel 'cronfa ddeallusol' (*intellectual reservoir*) Iddewiaeth y cyfnod. Yr oedd gwledydd fel Pwyl, Hwngari, Latfia a Lithwania, heb sôn am yr Almaen, yn cynnwys cymunedau Iddewig sylweddol iawn o ran maint yn ystod chwarter cyntaf y ganrif hon. Gwreiddiodd Iddewiaeth yn ddwfn yn y rhan yma o'r Cyfandir trwy i amryw o'r gwledydd gynnig lloches i Iddewon alltud Gorllewin Ewrop yn yr Oesoedd Canol. Pan gaewyd y drws arno ym Mhrydain, Ffrainc, Sbaen a Phortwgal rhwng 1290 a 1498, mudodd yr Iddew i'r gogledd-ddwyrain. Ond erbyn 1945 yr oedd 90% o Iddewon Ewrop, rhif sy'n cynnwys 80% o holl rabbiniaid ac athrawon Iddewig y byd, wedi'u llofruddio. Pa ryfedd i Eichmann dybio fod Iddewiaeth wedi diflannu am byth erbyn diwedd y rhyfel. Yn ddiamau, yn ei olwg ef, dyma'r 'ateb terfynol' (*final solution*), a dyfynnu ymadrodd swyddogol Hitler i ddisgrifio'r lladdfa yn y gwersylloedd cadw.

Yn ail, nodwn ddull effeithiol a thrylwyr y Natsïaid o ddifa'r Iddewon. Y mae un esiampl yn ddigon. Rhwng Mawrth 1944 a Ionawr 1945 llofruddiwyd o leiaf 300,000 o Iddewon Hwngari, y rhan fwyaf ohonynt yn Auschwitz. Yn ystod misoedd olaf y cyfnod hwn, gwnaed trefniadau arbennig i ddienyddio deng mil bob diwrnod. Yr oedd y trenau'n cyrraedd a'r ffwrneisi'n tanio nos a dydd i gwblhau'r gwaith cyn i'r Rwsiaid a'r Americanwyr gyrraedd i ryddhau'r carcharorion. Er gwaethaf y bygythiad cynyddol i'r Natsïaid o'r dwyrain a'r gorllewin, ni phallodd y trefniadau unwaith. Efallai nad yw hyn i'w ryfeddu ato pan gofiwn fod rhai o'r Almaenwyr disgleiriaf, yn wyddonwyr, peirianyddion ac ystadegwyr yn gyfrifol am bob cam o'r proses. Gwaith arbenigwyr oedd yr 'ateb terfynol', gwaith dynion a merched trwyadl ac effeithiol.

Er fod y sylwadau uchod yn tanlinellu natur unigryw'r Holocost, o safbwynt hanesyddol, cymhellion y Natsïaid yw'r ystyriaeth bwysicaf. Eu polisi swyddogol hwy oedd difodi'r

[5] Am yr ystadegau a ganlyn gw. Irving Greenberg, 'Cloud of Smoke, Pillar of Fire: Judaism, Christianity and Modernity after the Holocaust' yn Eva Fleischner (gol.), *Auschwitz: Beginning of a New Era?* (New York 1977), tt. 8 ym.

genedl Iddewig yn ei chrynswth trwy ladd pob Iddew yn y Drydedd Reich, ac fel y dengys yr ystadegau, bu bron iddynt lwyddo. Bwriad Hitler, ar ei addefiad ei hun, oedd dileu'r Iddewon oddi ar wyneb y ddaear trwy gyflawni hil-laddiad. O gofio'r erlid a'r poenydio a wnaed yn enw Crist dros y canrifoedd, gellid tybio mai yr un fu amcan yr Eglwys hithau, yn enwedig yn yr Oesoedd Canol. Ond fel y gwelwn yn nes ymlaen, nid dyna'r darlun cywir. Er iddi ystyried Iddewiaeth yn grefydd farw, wedi ei disodli gan Gristnogaeth, nid oedd ym mwriad yr Eglwys ddifodi'r Iddewon fel cenedl. Er iddi eu herlid yn ddidrugaredd ar brydiau, fel cosb am ladd Duw trwy groeshoelio'r Crist, gwrthododd roi sêl ei bendith ar eu llofruddio. Nid yr awdurdodau eglwysig oedd yn gyfrifol am ladd miloedd o Iddewon yn sgïl y Croesgadau, ond tyrfaoedd o werinwyr anystywallt a di-reol o dan arweiniad pregethwyr teithiol. Ar y cyfan, yr oedd y pabau a llawer tywysog ac esgob lleol, yn ôddelgar tuag at yr Iddew ac yn barod i'w amddiffyn rhag ei boenydwyr trwy geisio cyfyngu ar ddylanwad arweinwyr rhagfarnllyd ac annysgedig. Dengys datganiadau'r Fatican yn yr Oesoedd Canol fod yr Eglwys, yn swyddogol beth bynnag, yn cydnabod ac yn parchu hawl yr Iddewon i'w cred a'u haddoliad a'u ffordd o fyw. Gwyddai'r pabau fod yr hawl hon wedi cael ei hamddiffyn gan gyfraith gwlad er dyddiau Cystennin Fawr (tua 313 O.C.). Ond hyd yn oed pe bai'r awdurdodau yn Rhufain yn methu ffrwyno llid y tyrfaoedd a gwarchod yr Iddew rhag erlid, yr oedd ganddynt un ddihangfa sicr i'w chynnig, sef tröedigaeth. Dim ond iddo dderbyn bedydd a throi'n Gristion dilys, fe gâi'r Iddew lonydd parhaol gan ei wrthwynebwyr. Dewisodd miloedd o Iddewon y llwybr hwn. Dros y canrifoedd ordeiniwyd llawer ohonynt yn offeiriaid a chysegrwyd nifer yn esgobion. Cyn diwedd y bymthegfed ganrif, nid oedd eu tras Iddewig o bwys os oeddent wedi troi at Grist yn eu calon a gwadu crefydd eu tadau. Yng ngolwg yr Eglwys, cred, nid hil, oedd yn cyfrif. Ond yn y Drydedd Reich ni fyddai'r Iddew wedi elwa dim trwy dderbyn bedydd, oherwydd dileu cenedl, nid dileu crefydd, oedd bwriad y Natsïaid. Nid casineb mympwyol tyrfa ddilywodraeth a gaed yn Ewrop rhwng 1933 a 1945, ond ymgais fwriadus llywodraeth

11

etholedig yr Almaen i ddifa'r Iddewon, yn ddynion a merhced, hynafgwyr a phlant. Yn y bôn, yr hyn sy'n gwneud yr Holocost yn wahanol i bob trychineb arall yn hanes yr Iddewon yw'r penderfyniad i ddileu hil gyfan. O safbwynt hanes, dyma'r gwahaniaeth sylfaenol hefyd rhyngddo â gollwng y bom atom ar Hiroshima a Nagasaki ym 1945. Er mor alaethus fu dinistrio dwy o ddinasoedd mwyaf Japan a lladd miloedd o bobl diniwed, nid difa pob Japanead trwy'r byd oedd diben yr ymgyrch, ond atal parhad y rhyfel yn y Môr Tawel ar fyrder er mwyn arbed bywydau di-rif ar y ddwy ochr.

Yr Arwyddocâd Diwinyddol

Y mae'r cyhoeddusrwydd a roddwyd i Wiesel wedi dangos i'r byd pa mor anfad yw gwrth-Iddewiaeth, ac wedi cymell y Cristion i ystyried i ba raddau y bu'r Eglwys yn gyfrifol am feithrin y fath agwedd elyniaethus. Yn ystod y chwarter canrif diwethaf, bu trafod brwd ar wreiddiau a natur yr elyniaeth, a'r farn gyffredin yw fod gan yr Eglwys Gristnogol le i edifarhau am ei hagwedd negyddol at yr Iddew, agwedd a fu, i raddau, yn gyfrifol am greulondeb ffiaidd y Natsïaid. Nid oes amheuaeth na cheisiodd Hitler gyfiawnhau ei driniaeth ef o'r Iddewon trwy roi sylw manwl i agwedd yr Eglwys Gristnogol tuag atynt yn y gorffennol. Yn y cyswllt hwn, y mae cymharu deddfau'r Natsïaid â'r deddfau eglwysig a basiwyd gan synodau a chynghorau dros y canrifoedd yn agoriad llygad. Ychydig allan o nifer fawr o engrheifftiau a nodir isod, ond o'u cymharu, gwelir ar unwaith fod y Natsïaid yn defnyddio hen gyfreithiau gwrth-Iddewig i'w dibenion eu hunain.[6] Yr oedd Hitler yn agos iawn i'w le pan ddywedodd ym 1933 wrth ddau esgob Almaenaidd, a oedd wedi mynegi anesmwythyd ynglŷn â'i bolisi at yr Iddewon, mai ei unig ddymuniad ef oedd gwneud yn fwy trylwyr yr hyn y bu'r Eglwys yn ceisio'i wneud ers canrifoedd.[7] Mynnai fod y Natsïaid a'r Cristnogion yn anelu at yr un nod, sef byd heb Iddewon. Er nad oedd hyn yn gywir o safbwynt

---

[6] Am fwy o enghreifftiau gw. Raoul Hilberg, *The Destruction of European Jewry* (London 1961 a New York 1985), Cyfr. 1, tt. 11 ym.
[7] F. Heer, *God's First Love*, cyf. Saes. G. Skelton (London 1970), t. 321.

polisi swyddogol yr Eglwys, y mae'n hawdd gweld sut y daeth Hitler i gasgliad o'r fath.

Deddfau Natsïaidd

25 Ebrill 1933
Ni chaniateir i Iddew ddilyn cwrs gradd yn yr Almaen rhag gorlenwi'r prifysgolion.

25 Gorffennaf 1938
Ni chaniateir i Gristion fynd at feddyg o Iddew.

3 Rhagfyr 1938
Ni chaniateir i'r Iddewon ymddangos yn gyhoeddus ar wyliau'r Natsïaid.

21 Medi 1939
Rhaid i bob Iddew fyw mewn rhan neilltuol o'r ddinas (ghetto).

30 Rhagfyr 1939
Ni chaniateir i Iddewon fwyta mewn 'dining-car' ar drenau'r Almaen.

24 Rhagfyr 1940
Rhaid i bob Iddew dalu treth arbennig i gronfa'r blaid Natsïaidd.

1 Medi 1941
Rhaid i bob Iddew wisgo bathodyn melyn ar ei wisg.

24 Hydref 1941
Ni chaniateir cyfathrach gyfeillgar rhwng Almaenwyr ac Iddewon.

Deddfau Cristnogol

Cyngor Basle 1434
Ni chaniateir i Iddew dderbyn gradd academaidd mewn prifysgol.

Synod Trwlan 629
Ni chaniateir i Gristion fynd at feddyg o Iddew.

Synod Orleans 538
Ni chaniateir i'r Iddewon fod ar y strydoedd yn ystod yr wythnos cyn y Pasg.

Synod Breslau 1267
Rhaid i bob Iddew fyw mewn rhan neilltuol o'r ddinas.

Synod Elfira 306
Ni chaniateir i Iddewon a Christnogion gyd-fwyta.

Synod Gerona 1078
Rhaid i bob Iddew dalu treth i gynnal yr Eglwys Gristnogol.

Pedwerydd Gyngor y Lateran 1215
Rhaid i bob Iddew wisgo bathodyn melyn ar ei wisg.

Synod Vienna 1267
Ni chaniateir i Gristnogion fynychu seremonïau Iddewig.

Erbyn heddiw, y mae llawer o ddiwinyddion blaenllaw, yn enwedig yn yr Almaen a'r Unol Daleithiau, yn argyhoeddedig fod agwedd yr Eglwys at yr Iddew wedi dylanwadu'n sylweddol ar bolisi'r Natsïaid. Ym marn Eliezer Berkovitz, Iddew Americanaidd, ni fyddai'r Holocost wedi digwydd o gwbl onibai i wrth-Iddewiaeth wreiddio mor ddwfn yn y traddodiad Cristnogol. 'There is little doubt' meddai, 'that without the insults, humiliations and degradations heaped by Christianity upon Judaism and the Jewish people through many centuries; without the ceaseless oppression, discrimination, expulsions, pogroms, massacres, practised in Christian lands on the Jews, the Holocost would not have been possible'.[8] Os yw hyn yn wir, y mae'n ofynnol i'r Cristion nid yn unig gymryd yr Holocost o ddifrif fel digwyddiad hanesyddol, ond hefyd ei ystyried o safbwynt diwinyddol. Ceir esiampl o hyn yng ngwaith y Pabydd J-B. Metz sy'n athro diwinyddiaeth yn yr Almaen. 'I mi', meddai, 'nid oes unrhyw wirionedd y medrwn ei amddiffyn, . . . na'r un Duw y gallwn weddïo arno, a'm cefn tuag at Auschwitz'.[9] Y mae Metz yn mynd mor bell â chynghori ei ddisgyblion i amau pob diwinyddiaeth sy'n dal yr un fath ar ôl Auschwitz; os na welant unrhyw wahaniaeth, dylent fod yn wyliadwrus. Yn ei farn ef nid oes modd i'r diwinydd, mwy na'r hanesydd, osgoi her yr Holocost.[10]

Er i ddiwinyddion unigol gymryd yr Holocost o ddifrif, prin yw'r dystiolaeth ei fod yn her i gred y mwyafrif o Gristnogion. Nid yw trychineb mwyaf yr ugeinfed ganrif wedi peri anesmwythyd i'r ffyddloniaid nac effeithio'n sylfaenol ar ddiwinyddiaeth na Phabydd na Phrotestant. Serch hynny, y mae arwyddion fod yr Eglwysi, o leiaf yn ddamcaniaethol, yn cydnabod arwyddocâd yr hyn a ddigwyddodd i'r Iddewon. Rhwng 1945 a 1990 gwnaeth Eglwysi Cristnogol y Gorllewin dros saith-deg o ddatganiadau swyddogol am Iddewiaeth, mwy nag am unrhyw bwnc arall gan gynnwys hen ffefrynnau fel Comiwnyddiaeth, rhyw ac apartheid. Dengys hyn fod llawer o enwadau wedi teimlo'n rhwym o fynegi eu parodrwydd i

[8] Faith after the Holocaust (New York 1973), t. 16.
[9] Dyfynnir gan M. Braybrooke, Time to Meet (London 1990), t. 114.
[10] The Emergent Church (London 1981), t. 28.

ailystyried eu hagwedd at yr Iddewon ac i gyfarwyddo'u haelodau ynglŷn â goblygiadau diwinyddol yr agwedd newydd. Sylwn yma ar argymhellion dau o'r datganiadau pwysicaf a symbylwyd gan yr Holocost.

Ychydig fisoedd ar ôl diwedd yr Ail Ryfel Byd, cyfarfu arweinwyr Eglwysi Efengylaidd yr Almaen yn Stuttgart i wneud 'Datganiad o Euogrwydd'. Ynddo apeliwyd at holl Gristnoigon yr Almaen i gydnabod iddynt fod yn rhannol euog o ddioddefaint yr Iddewon. Ond nid oedd yr alwad hon yn ddigon penodol gan rai o'r cynrychiolwyr, ac o ganlyniad lluniodd yr Efengyleiddwyr ddogfen bellach ym 1950 yn cynnwys y frawddeg ddiamwys hon: 'Oherwydd ein mudandod a'n difaterwch o flaen Duw Trugaredd, yr oeddem ni yn gydgyfrifol am yr anfadwaith a wnaed gan ein cenedl ni yn erbyn yr Iddewon'.[11] Er i'r ymdeimlad hwn o gyfrifoldeh um gamwri'r gorffennol symbylu llywodraeth yr Almaen i wneud iawndal i Iddewon unigol ac i Wladwriaeth Israel, cymhelliad dyngarol, yn hytrach nag awydd ymchwilio i wreiddiau Cristnogol gwrth-Iddewiaeth, oedd y tu cefn i'r datganiad. Ond pan ddaeth Eichmann o flaen ei well yn Jerwsalem ym 1961, sylweddolodd yr Eglwysi Efengylaidd pa mor ddwfn oedd gwreiddiau atgasedd at Iddewon yn naear eu diwylliant Cristnogol. Gwyddent hefyd fod rhagfarn ddiwinyddol, yn seiliedig ar Feibl a thraddodiad, yn anos i'w diwreiddio na hyd yn oed hilyddiaeth giaidd y gwleidyddion. Er mwyn gwyntyllu'r broblem, sefydlwyd gweithgor a fu'n ddiwyd am ddeunaw mlynedd wedyn yn ymdrin â phynciau diwinyddol llosg megis gwrthwynebiad yn Iddewon i'r gred mai Iesu oedd y Meseia, y cyhuddiad fod y genedl Iddewig yn ei chrynswth yn gyfrifol am 'ladd Duw', y gred fod Cristnogaeth wedi disodli Iddewiaeth, dyletswydd yr Eglwys i genhadu ymysg yr Iddewon, ac yn y blaen. Ni ellir honni fod yr Efengyleiddwyr yn unfryd ar y cwestiynau hyn hyd yma, ond o leiaf y maent wedi cydnabod yr anawsterau, a thrwy gyhoeddi gwerslyfr cynhwysfawr y

[11] Gw. A. Brockway et al., The Theology of the Churches and the Jewish People: Statements by the World Council of Churches and its Member Churches (Geneva 1988), t. 47.

15

maent wedi sicrhau fod eu trafodaethau o fewn cyrraedd pob aelod eglwysig.

O'r holl ddatganiadau a wnaed yn ystod y deugain mlynedd diwethaf, efallai mai'r un mwyaf arwyddocaol yw eiddo Eglwys Rhufain. Ar gais y Pab Ioan XXIII, gwnaeth Ail Gyngor y Fatican astudiaeth arbennig o agwedd Cristnogion at Iddewiaeth, ac ar Hydref 28, 1965 ymddangosodd tudalen a hanner ar y pwnc fel rhan o'r ddogfen *Nostra aetate (Yn ein cyfnod ni)* sy'n ymwneud â pherthynas yr Eglwys â chrefyddau eraill. Yr ysgolhaig beiblaidd Cardinal Augustin Bea a gafodd y gwaith o lunio'r adran ar Iddewiaeth, a manteisiodd ef ar ei gylch eang o gyfeillion Iddewig, yn athrawon a rabbiniaid, i'w gynghori.[12] Er mai cyffredinol iawn oedd cynnwys y datganiad, gwnaed yn berffaith eglur fod yr Eglwys Babyddol yn 'dirmygu atgasedd, erledigaeth, ac unrhyw fath o wrth-Iddewiaeth mewn unrhyw gyfnod a chan unrhyw un'.[13] Trwy ddweud hyn yr oedd yr awdurdodau'n diddymu'r llu o benderfyniadau gwrth-Iddewig a wnaed gan gynghorau a synodau eglwysig am dros bymtheg cant o flynyddoedd.

Ond er fod yr adran ar Iddewiaeth yn garreg filltir yn hanes y berthynas rhwng Pabyddion ac Iddewon, ac yn tystio i chwyldro ym meddwl y Fatican, siomwyd llawer gan ei natur lastwraidd. Ofer yw chwilio ynddi am gyfeiriad uniongyrchol at gyfrifoldeb yr Eglwys am ledaeniad gwrth-Iddewiaeth. Ni cheir unrhyw arwydd clir fod yr Eglwys yn teimlo'r angen i ymddiheuro i'r Iddew am iddi ei gam-drin, ac i edifarhau am roi darlun camarweiniol o Iddewiaeth i'r ffyddloniaid yn ei dysgeidiaeth a'i phregethu. Ni cheir ynddi, chwaith, unrhyw gynhesrwydd dyngarol at genedl a ddioddefodd gymaint o dan Hitler. Ar y llaw arall, ac ystyried gwrthwynebiad chwyrn esgobion o wledydd Arabaidd at unrhyw gyfaddawd rhwng y Fatican ac Israel, y mae'n syndod i'r adran ar Iddewiaeth weld golau dydd o gwbl. Hefyd, o'i gymharu â datganiadau pabyddol eraill, y mae hwn yn gam pwysig i'r cyfeiriad iawn. Mor ddiweddar â 1924 rhoddodd Cyngor Taleithiol Eglwys

[12] Y mae Bea'n trafod cefndir y ddogfen yn ei lyfr *The Church and the Jewish People* (London 1966).
[13] *Ibid.*, t. 152.

16

Gatholig yr Iseldiroedd y cyfarwyddyd hwn i'r plwyfi, cyfarwyddyd a fu mewn grym hyd 1970:

Rhaid osgoi cyfathrach ag Iddewon, oherwydd y mae'r genedl hon yn llwyr wadu athrawiaeth croes Crist . . . Rhaid i offeiriaid plwyf ofalu nad yw Cristnogion yn gweithio i Iddewon . . . rhag iddynt beryglu eu heneidiau . . . a rhaid i'r ffyddloniaid ymorol rhag bod mewn angen cymorth a chefnogaeth gan Iddewon.[14]

Erbyn y chwedegau, yr oedd polisi swyddogol Eglwys Rhufain wedi gweddnewid, a hynny am ddau reswm: her yr Holocost i'w diwinyddiaeth ac agwedd chwyldroadol Ail Gyngor y Fatican tuag at yr Iddew.

Pwnc y gyfrol hon yw arwyddocâd diwinyddol yr Holocost i'r Cristion. A bwrw ein bod yn cytuno â J-B. Metz na ddylai diwinyddiaeth Gristnogol fod yr un fath ar ôl Auschwitz, i ba gyfeiriad y dylai fynd? Y mae'r cwestiwn sylfaenol hwn yn ein hannog i ystyried nifer o bynciau perthnasol: y gyfathrach rhwng yr Eglwys a'r Synagog dros y canrifoedd, agwedd y Cristion at Wladwriaeth Israel, diwinyddiaeth draddodiadol yr Eglwys, a'r portread o'r Iddew yn y Testament Newydd.

[14] Fe'i dyfynnir gan L. Swidler, 'Catholic Statements on Jews — A Revolution in Progress', Judaism 3 (1978), t. 229.

17

Dysgu Sarhad: Yr Eglwys Fore
(150 - 600 O.C.)

Afraid dweud fod gwrth-Iddewiaeth lawer iawn hŷn na'r
grefydd Gristnogol. Fel y dengys y Beibl, gellir olrhain atgasedd
y Cenedl-ddyn at yr Iddew i orffennol pell y byd paganaidd.
Nid oedd gan Pharo'r Exodus ronyn o barch at ei gaethion
Hebreig, ac onibai am wroldeb y Frenhines Esther byddai
Iddewon Persia yn y bumed ganrif C.C. wedi eu dienyddio ar
orchymyn y brenin. Ond yr oedd y Rhufeiniaid yn oddefgar
o Iddewiaeth ac yn barod i roi iddi statws 'crefydd gyfreithlon'
(religio licita), sef caniatáu i'w dilynwyr yr hawl i'w defodau
a'u seremonïau eu hunain. Y mae'n wir fod yn rhaid iddynt
dalu treth i gynnal gau-grefyddau yr Ymerodraeth, ond nid
oedd disgwyl iddynt ymuno yn yr addoliad.

Ac eto, ar waetha'r goddefgarwch 'roedd gagendor na ellid
ei bontio rhwng yr Iddewon a'u cymdogion paganaidd. Er nad
oedd y pagan yn yr Ymerodraeth Rufeinig yn teimlo'r ysfa i
erlid yr Iddew, ychydig iawn o gariad oedd ganddo tuag ato,
a hynny am ddau brif reswm. Y cyntaf oedd fod Iddewiaeth
yn gwahardd eilunod. I'r pagan 'roedd hyn gyfystyr ag
annuwiaeth, ac yn ei farn ef ynfydrwydd noeth oedd gwrthod
cydnabod y duwiau, oherwydd pwy a wyddai pa bryd y byddai
angen eu cymorth. Yr ail oedd ymddygiad diserch yr Iddew
tuag at ei gyd-ddyn. Yr oedd yr ymresymiad y tu ôl i ddeddfau
diddiwedd y Pumllyfr yn erchi i'r Iddewon neilltuo oddi wrth

gymdeithas a byw ar wahân i bawb arall, yn ddirgelwch llwyr i'r pagan. Mewn Iddewiaeth diben deddfau ynglŷn â bwydydd arbennig, priodi o fewn y genedl, cadw'r Saboth, ac ati, oedd sicrhau purdeb crefyddol y ffyddloniaid; mynegiant oedd pob un ohonynt, boed fach neu fawr, o ewyllys Duw i'w bobl. Ond i'r sawl a oedd y tu allan i'r grefydd, arwydd oedd y fath gyfreithiau o agwedd wrth-gymdeithasol yr Iddew, neu hyd yn oed o 'gasineb tuag at yr hil ddynol' (*odium generis humani*), chwedl yr hanesydd Rhufeinig Tacitus.

Ymateb y pagan i ymddygiad ynfyd yr Iddew oedd ei sarhau a'i ddifrïo bob cyfle posibl. Y mae'r nifer sylweddol o lyfrau, gan awduron paganaidd, sy'n dwyn y teitl cyffredinol *Yn erbyn yr Iddewon* (*Contra* neu *Adversus Iudaeos*) yn tystio i'r atgasedd a ddeuai i'r wyneb yn gyson. Er na ddatblygodd y casineb yn erlid, yr oedd yn ddigon cryf i gael ei gyfrif gan haneswyr yn ddaear ffrwythlon i agwedd ddihistuiol yr Eglwys Gristnogol wreiddio ynddi. Am resymau cymdeithasol, yr oedd gwrth-Iddewiaeth yn elfen amlwg mewn paganiaeth pan dechreuwyd pregethu Efengyl Crist.[1]

Y Tadau Cynnar

Erbyn canol yr ail ganrif O.C. yr oedd gweithiau ysgrifenedig y Tadau Cristnogol yn dangos atgasedd cynyddol tuag at yr Iddewon. Mewn llai na chan mlynedd ar ôl cwymp y deml, yr oedd yr Eglwys yn prysur ddatblygu traddodiad gwrth-Iddewig a oedd i nodweddu ei dysgeidiaeth am ymron dwy fil o flynyddoedd. Un rheswm am hyn oedd ystyfnigrwydd y Synagog yn gwrthod troi at Grist. Yr oedd y paganiaid yn ymateb yn gadarnhaol i neges yr Efengyl, ond gwrthodai'r Iddewon bob ymdrech i'w cael i dderbyn bedydd. Rheswm arall oedd fod y Synagog yn cystadlu â'r Eglwys am eneidiau'r paganiaid. Er nad oedd gan yr Iddew yr un cymhelliad â'r Cristion i genhadu, yr oedd yn fodlon iawn derbyn y sawl a fynnai droi cefn ar audduwiaeth yr Ymerodraeth Rufeinig. Os

Am wrth-Iddewiaeth baganaidd gw. ymhellach J. N. Sevenster, *The Roots of Pagan Anti-Semitism in the Ancient World* (Leiden 1975); D. Rokeah, *Jews, Pagans and Christians in Conflict* (Leiden 1982); E. Mary Smallwood, *The Jews under Roman Rule* (Leiden 1976).

oedd yr Eglwys am wneud Iddewiaeth yn llai deniadol i'r pagan, ac am brofi mai Cristnogaeth oedd yr unig wir ffydd, yr oedd yn rhaid iddi ddangos fod yr Iddew ar gyfeiliorn a'i grefydd wedi ei diarddel gan Dduw. Y bwriad yn y tudalennau a ganlyn yw gweld sut yr aeth yr Eglwys Fore ati i wneud hyn, a hynny trwy sylwi ar agwedd tri diwinydd blaenllaw o'r cyfnod cynnar at yr Iddewon.

Melito (tua 160 O.C.)

Ym 1932, mewn bwndel o femrynau yng nghasgliad yr hynafieithydd enwog Chester Beatty, darganfuwyd copi o bregeth ar y Pasg. Yn ôl yr arbenigwyr, y mae'n tarddu o'r ail ganrif (tua 165 O.C.), ac fe'i priodolir i Melito, Esgob Sardis, dinas fawr a llewyrchus yng ngorllewin Twrci. Er fod pregethau maith yn nhymor y Pasg wedi nodweddu'r Eglwys o'r dechrau, dyma'r enghraifft gynharaf, hyd yn hyn, o homili arbennig ar gyfer yr ŵyl, ac fel y cyfryw y mae o gryn ddiddordeb i'r sawl sy'n ymchwilio i hanes addoliad. Ond i'n pwrpas ni, agwedd Melito at yr Iddewon sydd o bwys, ac i hyn y rhoddir ystyriaeth wrth drafod y cynnwys. Yn ei hanfod, esboniad mydryddol o Exodus 12, stori'r Pasg Iddewig, ar gyfer cynulleidfa Gristnogol, yw'r homili. Fe'i rhennir yn dair adran, sef adnodau 1-45, 46-71 a 72-105. Gan mai y rhan gyntaf a'r olaf sy'n mynegi safbwynt yr awdur tuag at Iddewiaeth, cyfyngwn ein sylwadau i'r rhain yn unig.

Amcan Melito yn rhan gyntaf ei bregeth yw dangos fod y grefydd Gristnogol yn rhagori ar Iddewiaeth. I gyrraedd ei nod, y mae'n dechrau trwy roi sylw manwl i natur y Pasg Iddewig. Ar yr wyneb, y mae ystyr y digwyddiad sylfaenol a goffeir gan y Pasg yn amlwg. Hanes ydyw am ryddhau caethion o'r Aifft. Wedi aberthu oen, achubir y genedl a threchir y Pharo. Ond i'r Cristion y mae iddo ystyr dirgel, oherwydd Crist yw'r gwir oen Pasg a'r Eglwys yw Israel Duw. O'i dehongli'n gywir y mae Gŵyl y Pasg yn arwydd fod Cristnogaeth wedi disodli Iddewiaeth; y mae'n sumbol o ragoriaeth un grefydd ar y llall. Ond nid yw Melito'n ei gyfyngu ei hun i'r Pasg. Yn ei farn ef y mae rhagoriaeth y Cristion i'w ganfod hefyd yn y ffaith fod yr Eglwys wedi cymryd lle y genedl Iddewig a'i holl freiniau, fod yr Efengyl wedi cyflawni Cyfraith Moses a bod aberth Crist wedi diddymu seremonïau'r deml. I bwysleisio hyn gwna Melito ddefnydd cyson o dermau cyferbyniol megis hen a newydd, patrwm a sylwedd, dameg a dehongliad, Cyfraith ac Efengyl. Iddewiaeth oedd y patrwm neu'r glasbrint, Cristnogaeth oedd y realiti neu'r sylwedd yn cyfateb i'r patrwm. Yr oedd y patrwm o fudd nes dyfod y sylwedd, ac yr oedd i'r Gyfraith ei gwerth nes cyhoeddi'r Efengyl. Ond bellach y mae Iddewiaeth wedi colli ei lle yng nghynllun Duw, a'r Eglwys wedi disodli'r Synagog. Sylwn ar y pwyslais digamsyniol ar ragoriaeth yr Efengyl yn llinellau olaf yr adran :

> Unwaith 'roedd lladd y ddafad yn werthfawr,
> ond yn awr y mae'n ddiwerth oherwydd bywyd yr Arglwydd;
> yr oedd marw'r ddafad yn werthfawr,
> ond yn awr y mae'n ddiwerth oherwydd achubiaeth yr Arglwydd;
> yr oedd gwaed y ddafad yn werthfawr,
> ond yn awr y mae'n ddiwerth oherwydd ysbryd yr Arglwydd;
> yr oedd oen mud yn werthfawr,
> ond yn awr y mae'n ddiwerth oherwydd y Mab difai;
> yr oedd y deml ddaearol yn werthfawr,
> ond yn awr y mae'n ddiwerth oherwydd y Crist dyrchafedig;
> yr oedd y Jerwsalem ddaearol yn werthfawr,
> ond yn awr y mae'n ddiwerth oherwydd y Jerwsalem nefol;
> yr oedd yr etifeddiaeth gyfyng yn werthfawr,
> ond yn awr y mae'n ddiwerth oherwydd y gras diderfyn.[2]

Yng ngolwg Melito yr oedd costrelau Iddewiaeth yn sych ac yn wag, a'r genedl etholedig wedi ei disodli gan Eglwys Crist.

Ond er mor wrth-Iddewig yw'r adran gyntaf, y mae'n addfwyn a goddefol o'i chymharu â'r olaf, oherwydd cyn terfynu y mae Melito'n ymosod yn chwyrn ar yr Iddewon am groeshoelio Crist. Y mae'r adnodau a ganlyn yn nodweddiadol o'r cynnwys a'r arddull :

> Pa drosedd ryfedd a gyflawnaist, O Israel?
> Amherchaist yr un a'th anrhydeddodd di;
> Gwaradwyddaist yr un a'th ogoneddodd di;

[2] S. G. Hall (gol.), *Melito of Sardis: On Pascha and Fragments* (Oxford 1979), t. 23, ll. 280-293.

gwedaist yr un a'th gydnabu di;
diarddelaist yr un a'th arddelodd di;
lleddaist yr un a roes fywyd i ti.
Beth a wnaethost, Israel? Onid yw'n ysgrifenedig,
'Paid â thywallt gwaed dieuog
rhag i ti ddioddef marwolaeth enbyd'?
Meddai Israel, 'Llofruddiais yr Arglwydd.
Pam? Am fod yn rhaid iddo farw'.
Camsyniad, Israel, yw cynnig esgus mor gyfrwys
am ladd yr Arglwydd.
Rhaid oedd iddo ddioddef, ond nid trwot ti;
rhaid oedd ei ddiarddel, ond nid gennyt ti;
rhaid oedd ei farnu, ond nid gennyt ti;
rhaid oedd ei grogi, ond nid gennyt ti.[3]

Yr oedd Israel yn rhy ddall i weld Duw yng Nghrist ac yn rhy
ystyfnig i gredu mai Iesu o Nasareth oedd y Meseia :

Gwrandewch a gwelwch, dylwythau'r cenhedloedd!
Bu llofruddiaeth ddigyffelyb yng nghanol Jerwsalem,
    yn ninas y gyfraith,
    yn ninas yr Hebreaid,
    yn ninas y proffwydi,
    yn y ddinas a gyfrifid yn gyfiawn.
A phwy a lofruddiwyd? Pwy yw y llofrudd?[4]

Ei ateb yw mai Duw a lofruddiwyd ac mai Israel oedd y
llofrudd. Wrth gwrs, yr oedd yr Eglwys wedi dysgu o'r dechrau
mai'r Iddewon, nid y Rhufeiniaid, oedd yn gyfrifol am y
Croeshoeliad. Onid oedd Peilat wedi golchi ei ddwylo o'r fath
anfadwaith? Ond cyn Melito nid oedd neb wedi cyhuddo'r
Iddew o'r trosedd eithaf, sef duwladdiad. Y mae awduron y
Testament Newydd yn barnu'r Iddewon am ladd Iesu o
Nasareth, nid am ladd Duw.[5] Wrth bwysleisio mai'r Arglwydd
Dduw a lofruddiwyd ar Galfaria, y mae Melito yn torri tir
newydd ac wedi ennill iddo'i hun yr enw 'bardd cyntaf
duwladdiad'.[6]

[3] *Ibid.*, t. 41, 11. 519-535.
[4] *Ibid.*, t. 53, 11. 693-699.
[5] Y cyfeiriadau agosaf at dduwladdiad yn y Testament Newydd yw
Ioan 5:18; 10:31-39.
[6] E. Werner, 'Melito of Sardes: The First Poet of Deicide', *HUCA* 37
(1966), tt. 191-210.

22

Dyna'n fras gynnwys y ddwy ran bwysicaf o'r bregeth. Sylwer ar y cysylltiad agos sydd rhyngddynt. Yn y gyntaf rhoddir pwyslais digamsyniol ar y gred fod Cristnogaeth wedi disodli Iddewiaeth a bod Duw wedi cefnu ar ei bobl. Y brif neges yw fod yr Iddewon wedi colli eu statws fel cenedl etholedig ac wedi eu condemnio i dywyllwch tragwyddol. Yn y rhan olaf rhoddir yr esboniad am hyn. Trwy wrthod Crist fe wrthododd yr Iddew ei Dduw, ac aeth rhagddo i gyflawni trosedd anfaddeuol a haeddai'r gosb eithaf. Wedi llofruddio'r Arglwydd, pa ryfedd iddo gael ei ddiarddel ac i'r Cristion gymryd ei le.

Sut y mae egluro gwrth-Iddewiaeth eithafol Melito? Nid oes un ateb syml i'r fath gwestiwn, ond yn hytrach amryw o ffactorau y dylid eu hystyried. Sylwn ar dri yn unig.[7] Y cyntaf yw dyddiad y Pasg. Yn ôl Eglwys y Dwyrain, hynny yw Eglwys Asia Leiaf, fe ddylai'i Cristion gadw'r Pasg ar yr un diwrnod â'r Iddew, sef y pedwerydd ar ddeg o Nisan, y mis yn y calendr Iddewig sy'n cyfateb i Ebrill, pa ddydd bynnag o'r wythnos fyddai hwnnw. Ond mynnai Eglwys y Gorllewin fod Gŵyl y Pasg i'w chadw ar y Sul, y Sul ar ôl llcuad newydd cyhydnos y Gwanwyn. Arweiniodd hyn i anghydfod dybryd rhwng y ddwy garfan, ac ym meddwl yr hanesydd cynnar Ewsebius, dyma'r cwestiwn mwyaf llosg i wynebu'r Eglwys yn Asia Leiaf. Cyhuddodd Cristnogion y Gorllewin eu brodyr yn y Dwyrain o iddeweiddio, hynny yw, llithro'n ôl i Iddewiaeth. Yn eu barn hwy, 'roedd arfer y 'Cwartodecimanyddion' (y Pedweryddarddegwyr) o ddathlu'r ŵyl ar yr un diwrnod â'r Iddewon yn cymylu'r gwahaniaeth rhwng y Pasg Iddewig a'r Pasg Cristnogol. Dull y dwyreinwyr o'u hamddiffyn eu hunain oedd pwysleisio'r gagendor rhyngddynt hwy ac Iddewiaeth. Mewn unrhyw drafodaeth manteisiai'u harweinwyr ar bob cyfle i gyferbynnu'r hen â'r newydd, yr Eglwys ag Israel, yr Efengyl â'r Gyfraith, mewn ymgais i wadu'r cyhuddiad o heresi. Yn ôl Ewsebius, dyna safbwynt Melito. Os felly, y mae'n bosibl esbonio'i gondemniad llym o Iddewiaeth fel ymgais i amddiffyn

---

[7] Am ymdriniaeth lawn â'r bregeth gw. S. G. Wilson, 'Melito and Israel' yn S. G. Wilson (gol.), *Anti-Judaism in Early Christianity: 2 Separation and Polemic* (Waterloo 1986), tt. 81-102.

23

ei ddaliadau a phrofi nad oedd y Cwartodecimanyddion yn Iddeweiddwyr.[8]

Y mae'r ail ffactor yn ymwneud â'r gymuned Iddewig yn Sardis. Er na wyddom lawer amdanynt yn y cyfnod cynnar, nid oes amheuaeth nad oedd Iddewon wedi ymsefydlu yn y ddinas erbyn y bumed ganrif cyn Crist. Ond yn ddiweddar taflwyd cryn dipyn o oleuni ar eu ffordd o fyw. Ym 1962 darganfuwyd olion synagog enfawr yn Sardis yn dyddio o tua 200 O.C., y synagog fwyaf y gwyddom amdani, hyd yma, yn yr hen fyd. Yr oedd yr addoldy yn rhan o glwstwr o adeiladau a ddefnyddid i ateb gofynion cymdeithasol yn ogystal â gofynion crefyddol y gymuned Iddewig. Ond nid ei maint yn unig sy'n gwneud y synagog yn destun sylw. Y mae'n amlwg ei bod unwaith yn adeilad ysblennydd, gyda phileri marmor a lloriau o frithwaith lliwgar. Y mae ei lleoliad hefyd, ynghanol stryd fawr y ddinas ac nid fel y mwyafrif o synagogau mewn congl ddiarffordd, yn arwyddocaol. Y mae tystiolaeth newydd yr archaeolegwyr yn arwain i'r casgliad anochel fod Iddewon Sardis yn bobl o bwys. Yn ei ddehongliad ef o'r darganfyddiadau, gwêl D. G. Mitten ddarlun o gymuned Iddewig falch, ffyniannus ac uchel ei pharch, cymuned flaenllaw ym mywyd y ddinas a byd masnach, ac yn ddigon dylanwadol i adeiladu a chynnal yr addoldy enfawr hwn ar safle mor anghyffredin.[9] Nid pobl yr ymylon oedd Iddewon Sardis ond dinasyddion cefnog a blaenllaw a chanddynt lais ym mhenderfyniadau'r cyngor. Amcangyfrifir fod rhwng pum a deng mil ohonynt yn byw yn y ddinas yn ystod yr ail ganrif O.C., sef deg y cant o'r boblogaeth. Yr awgrym yw fod Melito'n ystyried cymuned Iddewig mor llewyrchus a bywiog yn rhwystr i ledu'r Efengyl ac yn fygythiad i ddathliadau'r Eglwys. Y mae'n bosibl fod y Synagog yn denu Cristnogion a'u cymell i dderbyn enwaediad.

[8] Gw. ymhellach S. G. Wilson, 'Passover, Easter and Anti-Judaism: Melito of Sardis and Others' yn J. Neusner ac E. S. Frerichs (gol.), *To see Ourselves as Others See Us': Christians, Jews, "Others" in Late Antiquity* (Chico: California 1985), tt. 337-355.
[9] 'A New Look at Ancient Sardis', *BA* 29:2 (1966) t. 65. Y gwaith safonol ar arwyddocâd y darganfyddiadau yn Sardis yw G. M. A. Hanfmann, *Sardis from Prehistoric to Roman Times: Results of the Archaeological Exploration of Sardis 1958-1975* (Cambridge: Mass. 1983).

Ym marn yr esgob, yr unig ffordd i atal yr Iddeweiddwyr oedd pardduo'r Synagog yn ddidrugaredd. Trwy wyntyllu eu trosedd ac edliw iddynt eu hetifeddiaeth fel cenedl etholedig Duw, gobeithiai dorri crib yr Iddewon unwaith am byth, a chadw ei gynulleidfa. Ymgais fwriadus oedd yr homili i hybu gwrth-Iddewiaeth ymysg Cristnogion y Dwyrain.

Yr ystyriaeth olaf o dan sylw yw natur yr Eglwys yn Sardis yn ystod yr ail ganrif. Ar wahân i bregeth Melito, yr unig dystiolaeth sydd gennym ynglŷn â Christnogaeth yn Sardis yw Llyfr Datguddiad Ioan. Yn y llyfr hwnnw y mae'r awdur yn beirniadu'r Eglwys am fod mor ddiffaith: 'Gwn am dy weithredoedd, a bod gennyt enw dy fod yn fyw er mai marw ydwyt. Bydd effro, a chryfhau'r hyn sydd ar ôl gennyt, sydd ar ddarfod amdano, oherwydd ni chefais dy weithredoedd yn gyfiawn yng ngolwg fy Nuw i' (3 : 1 2). Un rhwnlad ar yi a'lnodau hyn yw fod Eglwys Sardis wedi methu â gwrthsefyll temtasiynau paganiaeth ac wedi gwadu Crist trwy arddel gaugrefyddau; er ei bod yn fyw mewn enw, mewn gwirionedd y mae'n farw. Ond ar y llaw arall, gallai beirniadaeth Ioan gyfeirio at duedd ymysg Cristnogion Sardis i iddeweiddio, i droi at Iddewiaeth trwy fynychu'r synagog. Nid oes unrhyw dystiolaeth mewn llên nac archaeoleg fod Eglwys Sardis yn y cyfnod hwn yn gref ac egnïol; y mae'r olion cynharaf o adeilad eglwysig yn dyddio o tua 350 O.C. O'u cymharu â'r Iddewon, cwmni bychan a disylw oedd Cristnogion Sardis, heb ganddo fawr o ddylanwad ar fywyd y ddinas cyn dechrau'r bedwaredd ganrif. I wynebu her Iddewiaeth, yr oedd ar yr Eglwys angen arweiniad cryf a phendant. Dyna gymwynas Melito. Yn ei bregeth pwysleisiodd ef fod yr Eglwys wedi disodli Israel oherwydd trosedd anfaddeuol y croeshoeliad. Er fod Crist-nogaeth yn ymddangos yn wan, y gwrthwyneb oedd yn wir, oherwydd bellach yr Eglwys, nid Israel, oedd cymuned gyfamodol yr Arglwydd. Felly, ym marn rhai, nid cystwyo'r Iddewon oedd diben gwreiddiol yr homili, ond ysbrydoli cynulleidfa fechan o Gristnogion yn byw yng nghysgod y Synagog a'u hannog i beidio â diffygio. Ni ellir beio Melito

25

fod eraill ar ei ôl wedi defnyddio'i bregeth i hybu gwrth-Iddewiaeth.[10]

Y mae'n wir mai 'Israel' yw'r enw a ddefnyddir yn gyson trwy'r bregeth, ac nad oes unrhyw awgrym uniongyrchol fod Melito'n cyfeirio at Iddewon Sardis ac yn eu beio hwy am gamweddau eu tadau. Ond y mae'n anodd credu y byddai cynulleidfaoedd Cristnogol, ar ôl gwrando neu ddarllen yr homili, yn anwybyddu disgynyddion lleiddiaid Duw a'r rheini'n byw yn eu plith. Wedi'r cwbl, fel esgob a diwinydd, yr oedd gan Melito gryn ddylanwad ac awdurdod yn Eglwys y Dwyrain. A pheth arall, yr oedd ei ddawn farddonol o gymorth iddo draddodi ei neges mewn dull dramatig a chofiadwy. Fel y gŵyr pawb sy'n gyfarwydd â llyfr emynau, y mae diwinyddiaeth sy'n odli yn fwy trawiadol a'i neges yn fwy pell-gyrhaeddol.

Ioan Chrysostom (347 - 407 O.C.)

Mewn un ystyr, y mae disgrifio Cristnogaeth fel 'crefydd y bedwaredd ganrif' yn gywir.[11] Hon oedd canrif cynghorau enwog Nicea (325) a Chaergystennin (381), a alwyd i ddiffinio'r Ffydd a phuro'r Eglwys o heresi. Dyma oes aur y Tadau, diwinyddion praff a gwarchodwyr uniongrededd. Dyma'r pryd y dechreuodd yr ymerawdwyr noddi Cristnogaeth a diarddel paganiaeth. Bedyddiwyd Cystennin Fawr ar ei wely angau yn 337, ac yn 380, o dan Theodosius I, sefydlwyd Cristnogaeth yn grefydd swyddogol yr Ymerodraeth Rufeinig, gyda'r ymerawdwr yn ben arni. Pentyrrwyd rhagorfreintiau ar yr Eglwys a gwnaed pob ymdrech i ddifreinio'r hen grefyddau. O edrych yn ôl, felly, hawdd gweld pam y cyfrifir y bedwaredd ganrif yn gyfnod allweddol yng ngwareiddiad Cristnogol Ewrop. Ond nid felly yr ymddangosai i'r ffyddloniaid ar y pryd.

---

[10] Dyma safbwynt R. S. MacLennan, *Early Christian Texts on Jews and Judaism* (Atlanta 1990), t. 116.
[11] Dyna ddisgrifiad J. Neusner, *Judaism in the Matrix of Christianity* (Philadelphia 1986), tt. 15-25. Hefyd yn *Judaism and Christianity in the Age of Constantine* (London 1987), t. 17, dywed Neusner, 'We know the fourth century as the decisive age in the begininng of the West as Christian. But to the people of the time, the outcome was uncertain'.

Nid oes unrhyw arwydd fod arweinwyr Cristnogol ail hanner y ganrif yn ymwybodol eu bod yn sefyll ar drothwy cyfnod hir o heddwch a ffyniant yn hanes yr Eglwys. Os rhywbeth, y gwrthwyneb oedd yn wir, a hynny am un rheswm : agwedd wrthwynebus yr Ymerawdwr Jwlianus y Gwrthgiliwr at y grefydd Gristnogol.

Er mai am ddwy flynedd gwta y teyrnasodd Jwlianus (361-363), bu bron iddo ddad-wneud cyfraniad sylweddol ei ragflaenwyr i ffyniant y Ffydd.[12] Ei fwriad oedd ailsefydlu'r crefyddau paganaidd trwy danseilio Cristnogaeth, ac aeth ati'n ddiymdroi i wneud hynny mewn gair a gweithred. Yn ei lyfr dylanwadol *Yn erbyn y Galileaid (Contra Galilaeos)* cyhuddodd Gristnogaeth o fod yn llygriad o gyfraith Moses; nid oedd yn ddim mwy na phlentyn anghyfreithlon Iddewiaeth.[13] Ond er fod syniadau Jwlianus yn atgas i Gristnogion, ei weithredoedd oedd y bygythiad pennaf. Uniaethodd yr ymerawdwr ei hun â'r paganiaid trwy fynychu eu temlau a cheisio adfer eu haberthau a'u hoffeiriadaeth. Gwaharddodd Gristnogion rhag dysgu mewn ysgolion, a lladrataodd arian a thiroedd yr eglwysi. Ond ei weithred fwyaf arwyddocaol, ac o'r safbwynt Cristnogol y fwyaf brawychus, oedd ei orchymyn i ailgodi'r deml yn Jerwsalem a throsglwyddo'r ddinas i'r Iddewon. Dechreuwyd ar y gwaith yn ffyddiog, ond yn fuan ar ôl gosod y sylfeini bu farw'r ymerawdwr ac aeth y cynllun i'r gwellt.

Er gwaethaf ei gynnig haelionus, peidiwn â meddwl fod Jwlianus yn ochri â'r Iddew. Nid cariad at Iddewon a'i hysgogodd i ailadeiladu'r deml, ond casineb at Gristnogaeth. Yr oedd yn ddigon o ddiwinydd i wybod fod menter o'r fath yn llawn sumboliaeth beryglus i'r Cristion ac yn ymosodiad deifiol ar ddilysrwydd y Ffydd. Yn ei dyb ef, dyma un ffordd

---

[12] Am fraslun o deyrnasiad Jwlianus ynghyd â'r llyfryddiaeth ddiweddaraf gw. W. H. C. Frend, *The Rise of Christianity* (London 1984), tt. 593-613. Ceir ymdriniaeth ag arwyddocâd teyrnasiad Jwlianus i'r Eglwys Gristnogol yn R. L. Wilken, 'The Jews and Christian Apologetics after Theodosius I *Cunctos Populos'*, *HTR* 73 (1980), tt. 451-471; D. Levenson, 'Julian's Attempt to Rebuild the Temple: an inventory of Ancient and Mediaeval Sources', yn H. W. Attridge *et al.* (gol.), *Of Scribes and Scrolls* (London 1990), tt. 261-279.

[13] Am destun y *Contra Galilaeos* gw. W. C. Wright, *The Works of the Emperor Julian* (Loeb Classical Library, Cambridge: Mass. 1923).

sicr o atal grym cynyddol y Cristnogion a chyfyngu ar eu dylanwad. Y mae'n amlwg oddi wrth eu gweithiau fod y Tadau'n fyw iawn i'r perygl a wynebai'r Eglwys mewn teml adferedig, oherwydd yn yr hanner canrif ar ôl marw Jwlianus cafodd hanes ei ymdrech i ailsefydlu Iddewiaeth yn Jerwsalem ei adrodd a'i ailadrodd gan res o ddiwinyddion enwog. Er na fu'r ymgais yn llwyddiant, yr oedd beiddgarwch yr ymerawdwr yn poeni'r arweinwyr Cristnogol am o leiaf ddau reswm.

Y cyntaf, a'r pwysicaf, oedd y bygythiad i wirionedd a pharhad Cristnogaeth. Onid oedd Iesu wedi rhag-weld dinistr y deml tua deugain mlynedd cyn y digwydd, ac wedi darogan na fyddai byth yn cael ei hailgodi? Meddai wrth ei ddisgyblion, 'Yn wir, 'rwy'n dweud wrthych, ni adewir yma faen ar faen; ni bydd yr un heb ei fwrw i lawr' (Mt. 24 : 2). Pan wireddwyd y broffwydoliaeth yn 70 O.C., pan wrthododd Duw ei genedl etholedig, llanwodd yr Eglwys y bwlch. Ym meddwl y Tadau, daeth Cristnogaeth i fod pan fu farw Iddewiaeth. Pe adferid y deml, sumbol o ddilysrwydd y grefydd Iddewig, oni fyddai'n arwydd fod y Cyfamod Newydd yn ddianghenraid? Yn ychwanegol at hynny, yr oedd proffwydoliaeth Iesu am gwymp y deml yn tystio i'w dduwdod; yr oedd yn arwydd pendant i'r Tadau mai ef oedd y Meseia — craidd y ddadl ffyrnicaf rhwng Iddew a Christion. Oni fyddai gweithred Jwlianus yn gwrthbrofi dysgeidiaeth yr Eglwys ac yn rhoi buddugoliaeth i'r Iddew?

Yr ail reswm dros bryder y diwinyddion oedd yr atyniad mewn Iddewiaeth fuddugoliaethus i rai Cristnogion. Yr oedd Iddeweiddwyr, sef Cristnogion a gadwai Gyfraith Moses yn ogystal â Chyfraith Crist, i'w cael ym mhob dinas lle 'roedd nifer sylweddol o Iddewon. Am eu bod yn gweld gwerth parhaol mewn Iddewiaeth, yr oedd y rhain wedi bod yn ddraen yn ystlys y Tadau am genedlaethau. Yr ydym eisoes wedi sylwi ar y posibilrwydd eu bod wedi codi gwrychyn Melito. Mynnent fynychu'r synagog ar y Saboth, a chadw gwyliau a deddfau bwyd yr Iddewon. Iddynt hwy, byddai codi teml newydd yn Jerwsalem yn arwydd digamsyniol o ddilysrwydd y grefydd Iddewig. Byddai'n cadarnhau eu cred y dylid arddel y Synagog ac yn cyfiawnhau cadw deddfau'r Pumllyfr. I'r Tadau golygai

28

hyn fod gan Iddewiaeth y gallu i danseilio Cristnogaeth. Gyda chymorth yr ymerawdwr, gallai Iddewiaeth ddangos ei bod yn grefydd fyw, ar waethaf tri chan mlynedd o alltudiaeth, crefydd a fedrai ddenu Iddeweiddwyr ati'n lluoedd. Nid rhyfedd, felly, fod y dasg o amddiffyn Cristnogaeth yn hanner olaf y bedwaredd ganrif yn golygu ymosod yn llym ar Iddewiaeth. Ceir enghraifft o hyn ym mhregethu Ioan Chrysostom.

Ganed Chrysostom yn Antioch, un o ddinasoedd enwocaf yr hen fyd. Yn ystod ei lencyndod, rhoddodd ei fryd ar fod yn gyfreithiwr, ac yn ôl pob hanes, yr oedd gyrfa ddisglair o'i flaen. Ond er iddo ragori ar bawb yn ei ddosbarth, pylodd atyniad y gyfraith, ac ar gais ei fam a'i gyfeillion derbyniodd fedydd. Yna treuliodd flynyddoedd maith fel mynach a meudwy er mwyn ei drwytho'i hun yn yr Ysgrythurau ac yn llywmmu'r grefydd Gristnogol. Yn 386 fe'i hordeiniwyd yn offeiriad a'i osod i ofalu am blwyf mawr yn ei ddinas enedigol. Cafodd ei ddyrchafu'n Esgob neu Batriarch Caergystennin yn 398, swydd a ddaliodd am weddill ei oes. Yr oedd yn awdur toreithiog ac yn hyddysg mewn athrawiaeth, moeseg a litwrgi, yn ogystal â'r Ysgrythur. Hyd heddiw, nid oes yr un diwinydd a edmygir yn fwy ac a ddyfynnir yn amlach yn Eglwys Uniongred y Dwyrain na Sant Ioan Chrysostom.

Ystyr y gair 'Chrysostom' yw 'tafod aur', llysenw a lynodd wrth Ioan oherwydd ei areithiau cofiadwy. Ar wahân i unrhyw ddawn gynhenid, fe ddysgodd huodledd trwy fynychu cwrs rhethreg yn ysgol yr athro enwog Libanius. O gofio mai dyma'i gefndir cynnar, nid rhyfedd iddo gael ei gyfrif yn un o hoelion wyth ei gyfnod a'i enwi'n nawdd sant pregethwyr.

Er fod toreth o lyfrau yn dwyn enw Chrysostom, â chyfrol o'i bregethau yn unig y mae a wnelom yma. Rhwng hydref 386 a gwanwyn 387 traddododd wyth pregeth o'i bulpud yn Antioch yn cystwyo'r Iddewon. Dengys ei atgasedd tuag atynt trwy eu condemnio'n ddidrugaredd am bob trosedd o dan haul. Yn eu gwanc a'u hanlladrwydd nid ydynt fymryn gwell na phaganiaid. Lloches lladron a llofruddion yw eu cartrefi, lle

29

y maent yn byw fel moch mewn glythineb a medd-dod (I.4.1).[14] Gwae'r sawl sy'n ymddiried mewn meddyg o Iddew oherwydd ofergoeledd yw sail ei feddyginiaeth, a'i unig fwriad yw gwneud yr elw eithaf o bob anhwylder. Gwell i'r claf wrthod cyffur a marw, gan wybod yr ystyrir ei farwolaeth yn ferthyrdod, na cheisio gwellhad gan Iddew (VIII: 5.6; 8.4). Ond y trosedd mwyaf oedd y croeshoeliad. Os oedd yr anghrediniaeth a gondemnir yn Efengyl Ioan 1:11, 'Daeth i'w gartref ei hun, ac ni dderbyniodd ei bobl ei hun mohono', yn bechod, yr oedd lladd Crist yn gamwedd anfaddeuol. Yn y cyswllt hwn, sylwer fod Chrysostom yn defnyddio'r gair 'duwladdiad' (*theoktonia*) yn benodol (I:7.5). Yr oedd y dial yn ddiderfyn am groeshoelio Duw yn y cnawd. Pa ryfedd i'r Arglwydd wrthod ei genedl etholedig a'i gwasgaru trwy'r byd. Dyletswydd y Cristion yw casáu'r Iddewon â chas perffaith, fel y mae Duw'n eu casáu.

Er iddo gondemnio'r Iddewon yn ddidrugaredd am bob math o droseddau honedig, prif gŵyn Chrysostom yw fod addoliad y Synagog yn llwgr, yn ddim gwell na syrcas y pagan. Wedi'r cwbl, beth yw synagog ond theatr, puteindy, ogof lladron, a chartref cythreuliaid? (I:3.1; 6.2) 'Ac onid yw cartref cythreuliaid yn cynnwys annuwioldeb, er nad oes yno ddelw o'r duw? Yma ymgynnull llofruddion Crist, yma dirmygir y groes, yma ceblir Duw, yma diystyrir y Tad, yma difenwir y Mab ac yma gwrthodir gras yr Ysbryd' (I:6.3). Ym marn Chrysostom, y mae'r Hen Destament yn dyst fod Duw ei hun wedi diddymu'r grefydd Iddewig:

> Dyma wnaeth Duw: rhoddodd hawl i'r Iddewon aberthu, ond gyda chaniatâd i wneud hynny yn Jerwsalem yn unig ac nid yn unman arall trwy'r byd. Wedi iddynt aberthu am gyfnod byr, dinistriodd Duw y ddinas. Pam? . . . Trwy ddinistrio'u dinas, arweiniodd Duw yr Iddewon oddi wrth yr arfer o wneud aberth, ar waetha'u hanfodlonrwydd . . . Er fod y byd cyfan yn agored i'r Iddewon, ni chânt aberthu yno. Gwaherddir hwy rhag mynd i Jerwsalem er mai yno'n unig y mae ganddynt yr hawl i aberthu . . . Wrth ddinistrio'r ddinas, dinistriodd Duw eu holl ffordd o fyw. (IV:6.7-9)

[14] Daw'r dyfyniadau a ganlyn o gyf. Saes. P. W. Harkins, *Saint John Chrysostom: Discourses against Judaizing Christians,* The Fathers of the Church, Cyfr. 68 (Washington 1979).

Y mae ymresymu fel hyn yn arwain Chrysostom i'r casgliad anochel fod addoliad Iddewig yn farw er cwymp y deml.

Beth sydd i gyfrif am y fath ffyrnigrwydd angerddol yn erbyn yr Iddewon? Mewn gair: gofal bugeiliol. Bwriad Chrysostom oedd condemnio'r rhai hynny ymysg ei blwyfolion a oedd yn mynnu ymhel ag Iddewiaeth trwy fynychu'r synagogau, yn enwedig ar y gwyliau Iddewig. Wedi crybwyll gwyliau'r hydref a oedd ar y trothwy, megis Tabernaclau, y Flwyddyn Newydd a'r Dyddiau Penyd, meddai: 'Y mae llawer yn ein plith yn honni eu bod o'r un meddwl â ninnau. Ac eto, fe â rhai ohonynt i wylio'r rhialtwch ac eraill i ymuno â'r Iddewon yn eu gwyliau a'u hymprydiau. Fy nymuniad i yw puro'r Eglwys o'r fath arfer llygredig y funud hon' (I : 1.5). Ategir amcan yr awdur gan deitl y gwaith. Er mai *Pregethau yn erbyn Iddewon (Logoi kata Ioudaiôn* yn y Groeg gwreiddiol) yw'r cyfieithiad llythrennol, yi ystyr yw 'Pregethau yn erbyn Iddeweiddwyr', yn Saesneg *Discourses against Judaizing Christians,* hynny yw, Cristnogion a oedd yn barod i gyfadd-awdu eu cred yn wyneb atyniadau'r Synagog. Amcangyfrifir fod tua 25,000 o Iddewon yn byw yn Antioch yn ystod y bedwaredd ganrif, ac os yw haeriad Chrysostom yn wir, y mae'n amlwg eu bod yn dylanwadu'n drwm ar nifer sylweddol o'u cymdogion Cristnogol.[15] Yr unig ffordd i'r pregethwr warchod ei braidd a'u darbwyllo na ellid cyplysu ffydd yn Iesu fel Meseia gydag addoliad y Synagog, oedd pardduo Iddewiaeth. Yn y cyswllt hwn, sylwer ar ei gyfeiriadau mynych at ymgais aflwyddiannus Jwlianus i ailgodi'r deml. Yn ei lyfrau a'i esboniadau dywedodd y stori o leiaf wyth gwaith, ac fe'i hadroddodd yn llawn o'i bulpud yn Antioch (V : 11.4-10). Wrth gynnwys yr hanes yn ei bregethau yn erbyn Iddeweiddwyr, ceisiai brofi rhagoriaeth y grefydd Gristnogol. Dangosid fod Duw wedi diarddel Iddewiaeth unwaith am byth pan ddinistriwyd y deml.

Ceisiwyd esbonio arddull ymfflamychol y pregethwr trwy nodi iddo dderbyn hyfforddiant mewn rhethreg yn ystod ei

---

[15] Ceir darlun o'r gymuned Iddewig yn Antioch yn W. A. Meeks a R. L. Wilken, *Jews and Christians in Antioch in the First Four Centuries of the Common Era* (Missoula: Montana 1978), tt. 1-36.

yrfa academaidd. Un o nodweddion amlycaf yr arddull rethregol oedd gormodiaith. Er mwyn cyrraedd ei nod, a chael y dylanwad arfaethedig ar ei wrandawyr, defnyddiai'r siaradwr iaith flodeuog ac eithafol i fynegi ei syniadau. Dadleua rhai mai gormodiaith fwriadus y rhethregwyr paganaidd sydd i'w chanfod ym mhregethau Chrysostom, ac y dylid cymryd hyn i ystyriaeth wrth eu darllen. Ni fwriadai'r awdur i neb roi ystyr llythrennol i'w eiriau a'i gyffelybiaethau.[16] Ond ni all unrhyw esboniad, pa mor deilwng bynnag y bo, gyfiawnhau cynnwys a mynegiant y pregethau. Y mae'n wir mai annerch y ffyddloniaid i geisio'u hargyhoeddi o wacter Iddewiaeth oedd Chrysostom. Gwir hefyd ei fod yn siaradwr caboledig a wyddai sut i ddefnyddio gwyddor perswâd ei oes i gael ei faen i'r wal. Ond nid yw ei gondemniad cïaidd o Iddewiaeth yn llai bygythiol o'i ddraddodi mewn cyswllt bugeiliol, na'i ddull o areithio'n llai niweidiol o fod yn draddodiadol a chelfydd. Nid oes amheuaeth i Iddewon Antioch ddioddef o ganlyniad i agwedd elyniaethus un a fu'n llais dylanwadol ym mywyd y ddinas am ddeuddeng mlynedd. Y mae'n anodd credu mai cyd-ddigwyddiad oedd yr erlid gwrth-Iddewig cyntaf yn Antioch yn 415, prin ddeunaw mlynedd ar ôl i Chrysostom symud i Gaergystennin, a chau pob synagog yn y ddinas.

Mewn un ystyr, y mae Chrysostom yn esiampl eithafol o wrth-Iddewiaeth Gristnogol y bedwaredd ganrif. 'The sermons of John Chrysostom are easily the most violent and tasteless of the anti-Judaic literature of the period', yw dyfarniad Rosemary Ruether.[17] Ac eto, agwedd ddigon tebyg a welir yng ngweithiau dau esgob blaenllaw arall o'r un cyfnod, sef Cyril o Alexandria ac Emrys o Filan.[18] Os oedd agwedd Chrysostom yn eithafol, nid oedd yn unigryw. Meddai M. Simon, 'Every time the subject of the Jews crops up in the Christian writings of the period Chrysostom's attitude and methods reappear'.[19]

---

[16] Am arwyddocâd rhethreg ym mhregethau Chrysostom gw. R. L. Wilken, *John Chrysostom and the Jews* (Los Angeles 1984).
[17] *Faith and Fratricide: The Theological Roots of Anti-Semitism* (New York 1974), t. 173.
[18] Gw. ymhellach M. Simon, *Verus Israel*, cyf. Saes. H. McKeating (Oxford 1986), tt. 224-227.
[19] *Op.cit.*, t. 222.

Awstin (354 - 430 O.C.)

O'r holl Dadau cynnar, Awstin Sant, Esgob Hipo, Gogledd Affrica, yw awdurdod pennaf Eglwys y Gorllewin. Cafodd y diwinydd duwiol hwn, gyda'i ymdeimlad dwfn o rym pechod, ei sicrwydd o rad ras Duw, a'i ddysgeidiaeth am natur lwgr dynolryw, ddylanwad difesur ar y grefydd Gristnogol. Fe'i dyfynnir yn helaeth gan geidwadwyr a diwygwyr, gan Babydd a Phrotestant fel ei gilydd.

Wrth ystyried Iddewiaeth, y mae Awstin, fel y buasem yn disgwyl, yn adleisio dadleuon ei ragflaenwyr a'i gyfoedion. Pan fo'n ailadrodd hanes y Croeshoeliad, y mae'n anwybyddu ffeithiau hanesyddol yn llwyr er mwyn difrïo'r Iddewon. Nid yw'n dweud gair am gyfraniad Rhufain i'r trychineb, ond y mae'n barod iawn i gollfarnu Iddewon ei gyfnod ei hun am iddynt hwy 'yn eu rhieni' roi Crist i farwolaeth, cymal sy'n awgrymu fod pob Iddew wedi etifeddu'r bai am y Croeshoeliad oddi wrth ei gyndadau.[20] Am anfadwaith Golgotha, tynged y ffoadur a'r crwydryn sy'n aros yr Iddew am byth; nid oes ganddo le i ddisgwyl dim byd gwell. Y mae'n bryd, hefyd, iddo gydnabod rhagoriaeth y grefydd Gristnogol, a derbyn fod y Cyfamod Newydd wedi disodli Cyfraith Moses, a'r Eglwys wedi cymryd lle'r Synagog.

Ond er iddo ddysgu atgasedd, gan bwysleisio rhagoriaeth y Cristion, y mae Awstin yn dangos agwedd arall at yr Iddewon, agwedd fwy cadarnhaol nag agwedd ei gyd-ddiwinyddion ac un a ddylanwadodd yn drwm ar yr Eglwys Gristnogol am bymtheg can mlynedd. Yr oedd Awstin, fel Melito a Chrysostom, yn ymwybodol o'r cymunedau Iddewig llewyrchus o'i gwmpas yng Ngogledd Affrica. Yr oedd Iddewon wedi hen ymsefydlu yn ei esgobaeth, ac nid oes lle i amau nad oedd y Synagog yn Hipo, fel yn Sardis ac Antioch, yn denu Iddeweiddwyr ac yn bygwth sefydlogrwydd yr Eglwys. Serch hynny, nid yr ochr gymdeithasol i'r berthynas rhwng Iddew a Christion sy'n poeni Awstin, ond yr ochr ddiwinyddol. Cwestiwn yn ymwneud â threfn a natur yr iachawdwriaeth a gaed yng

---

[20] Y mae'n dweud hyn ddwywaith yn ei *Ateb i'r Iddewon* (*Tractatus adversus Judaeos*) VII:10 a VIII:11. Gw. y cyf. Saes. yn The Fathers of the Church, Cyfr. 27 (Washington 1975), tt. 405 a 407.

Nghrist sy'n dwyn ei sylw, a'i arwain i ystyried yr Iddewon mewn goleuni gwahanol i'w ragflaenwyr. Os yw'r Meseia wedi dod ym mherson Iesu o Nasareth, pam nad yw'r Iddewon wedi derbyn bedydd? Os yw'r Testament Newydd wedi cyflawni'r Hen, onid yw bodolaeth barhaol y grefydd a'r genedl Iddewig yn awgrymu methiant yng nghynllun Duw? A yw'r ffaith fod Iddewiaeth nid yn unig yn parhau ond yn ffynnu, yn golygu fod ganddi orchwyl arbennig i'w chyflawni? Yr oedd angen ateb i'r fath gwestiynau a fyddai'n esbonio parhad yr Iddewon ac yn cyfiawnhau agwedd oddefgar yr Eglwys tuag atynt.

Y mae ateb Awstin yn troi o gwmpas dau bwynt. Y cyntaf yw'r dallineb ysbrydol sy'n rhwystro'r Iddewon rhag deall eu Hysgrythur eu hunain. 'Nid ydynt yn credu yr hyn a ddywedwn am nad ydynt yn deall yr hyn a ddarllenant'. Pe baent yn deall yr hyn a ddarllenant yn eu Beibl, y mae Awstin yn argyhoeddedig 'na fyddent mor ddall, mor glaf, i beidio â gweld yn yr Arglwydd Grist y goleuni a'r iachawdwriaeth' y sonnir amdanynt yn Eseia 49 :6.[21] Y dallineb a'r anwybodaeth hon oedd achos y Croeshoeliad, ac o'r herwydd, ni ellir eu cyhuddo o ladd Duw :

> Fe'i croeshoeliasant mewn anwybodaeth. Ond yna credasant ynddo a maddeuwyd eu camwedd. Am dywallt gwaed Duw rhoddwyd maddeuant i'r *llofruddion*. Nid wyf yn dweud *duwleiddiaid*, oherwydd 'pe buasent wedi ei [h]adnabod, ni fuasent wedi croeshoelio Arglwydd y gogoniant' (1 Cor. 2 :8). Maddeuwyd iddynt am ladd y diniwed.[22]

Yn wahanol i Melito a Chrysostom, y mae Awstin yn gwrthod sôn am dduwladdiad. Am i'r Iddewon fethu ag adnabod Duw yng Nghrist cyn ei groeshoelio, y maent yn ddieuog o'r trosedd pennaf.

Yr ail bwynt i'w nodi yn agwedd Awstin yw ei gred fod gan yr Iddewon, ar waethaf eu dallineb, ran allweddol yng nghynllun Duw, am ddau reswm. Y cyntaf yw eu swydd fel ceidwaid yr Ysgrythur i'r Cristion. Er mai Israel a dderbyniodd yr Hen Destament, ni all yr Iddew amgyffred ei neges oherwydd ei anghrediniaeth. Dim ond yr Eglwys sy'n deall

[21] *Ibid.*, 1 :2, t. 392.
[22] *Esboniad ar y Salmau (Ennarationes in Psalmos)* yn PL, Cyfr. 36, col. 791, Salm 65:5 (yn y Fwlgat).

gwir ystyr yr Ysgrythurau Hebraeg ac yn gwerthfawrogi'r ffaith eu bod yn cynnwys proffwydoliaeth am deyrnas Crist. Yn wyneb cyhuddiad y pagan fod Cristnogaeth yn fudiad diweddar heb wreiddiau yn y gorffennol, ac felly islaw sylw, yr oedd geiriau'r proffwydi'n hanfodol i'r Cristion; 'roeddent yn profi hynafiaeth ei grefydd. Rhoddwyd yr Ysgrythur i'r Iddew, nid er mwyn ei iachawdwriaeth ef ei hun, ond i ddatguddio i'r byd fwriad Duw yng Nghrist. Swydd yr Iddew, felly, yw gwarchod yr Hen Destament er budd y Cristion. Yng ngeiriau Awstin : 'Y mae'r Iddew'n cario'r Ysgrythur er mwyn i'r Cristion gredu. Yr Iddewon yw ein llyfrgellwyr; y maent fel caethweision yn cludo llyfrau eu meistr'.[23] Yr Iddew sy'n cadw'r archifau er mwyn hwyluso ymchwil y Cristion.

Ond y mae diben arall, ac os rhywbeth un pwysicach, i'r Iddew, sef tyst i wirionedd Cristnogaeth. Am groeshoelio Crist fe'i cosbwyd gan Dduw, na yn cl buen a'i drallod tystia'n huawdl i'r dynged sy'n aros anghredinwyr. I'r pagan sy'n sarhau'r Efengyl, neu'r Cristion sy'n bygwth gwrthgilio, neges Awstin yw : edrych ar yr Iddew a chymer sylw o'i gyflwr truenus; dyna fydd dy dynged dithau os bwri Grist o'r neilltu. Y mae cosb yr Iddew — ei alltudiaeth fythol o'i famwlad, ei anfanteision cymdeithasol a chasineb ei gymdogion — yn rhybudd hynod werthfawr i'r sawl sy'n amau gwirionedd y Ffydd. Y mae ei drallod ef yn dyst diamwys i fuddugoliaeth Crist. 'Tystion ydynt', meddai Awstin am yr Iddewon, 'i'w hanwiredd eu hunain ac i'n gwirionedd ni'.[24] Felly, mewn un ystyr y mae lle i ddiolch am eu dallineb, oherwydd onibai am eu diffyg ffydd yng Nghrist byddai'r Eglwys yn amddifad o'r dystiolaeth rymusaf i ddilysrwydd ei neges. Gellir mynd ymhellach ar yr un trywydd a gweld mantais arall i'r Cristion yn ystyfnigrwydd yr Iddew. Ym meddwl Awstin, petai'r Iddewon heb groeshoelio Iesu o Nasareth, ni fyddai Duw wedi gallu cymodi'r byd ag ef ei hun a byddai drws trugaredd wedi aros am byth yn gaeëdig. Iddo ef, yn ogystal ag i Dadau cynnar eraill, y mae trosedd yr Iddew yn 'drosedd bendithiol' (*felix culpa*) am iddo hwyluso'r ffordd i achub dynolryw a'i

---

[23] *Ibid.*, col. 666, Salm 66:9 (yn y Fwlgat).
[24] *Ibid.*, col. 705, Salm 58:22 (yn y Fwlgat).

rhyddhau o rwymau pechod.[25] Yng ngeiriau Sant Paul, arwr mawr Awstin, 'Am iddynt hwy droseddu y mae iachawdwriaeth wedi dod i'r Cenhedloedd' (Rhuf. 11 : 11).

Er i Awstin bwysleisio cyfraniad allweddol yr Iddew i ffyniant Cristnogaeth, a sôn droeon am ei 'genhadaeth' fel tyst i'r byd paganaidd, nid yw hyn yn golygu ei fod yn parchu'r Iddewon fel cenedl. Yn nhraddodiad Melito a Chrysostom, y mae'n barod iawn i'w difrïo ac i gefnogi pob ymdrech i wneud bywyd yn anodd iddynt trwy annog yr awdurdodau i'w cadw'n wasaidd a digysur. Eu tynged yw crwydro'r ddaear heb neb i'w coleddu am iddynt golli'r hawl i wlad a chartref parhaol. Ond ar waethaf ei erwindeb, y mae Awstin yn rhagori ar ei ragflaenwyr mewn un pwynt sylfaenol : parhad y genedl. Gellir cosbi'r Iddewon trwy gyfyngu ar eu hiawnderau a'u cadw yn eu lle, ond nid ydynt i ddioddef unrhyw niwed corfforol. Y maent yn rhy werthfawr i'w herlid a'u lladd. Ewyllys yr Arglwydd yw fod yr 'Iddew crwydrol' i barhau tra pery'r ddaear, er mwyn tystio i wirionedd y datguddiad a gaed yng Nghrist. Y mae'n ddyletswydd, felly, ar y wladwriaeth a'r Eglwys i'w amddiffyn rhag llid mympwyol ei elynion.

Dyna, yn fras iawn, agwedd Awstin at yr Iddewon, agwedd a oedd, mewn un ystyr, yn unigryw ymysg y Tadau cynnar. Ond cyn troi at bwnc arall, sylwn ar sail feiblaidd ochr negyddol ei ddysgeidiaeth. Yn ôl ei ddehongliad ef, y mae'r Hen Destament yn rhagfynegi cosb yr Iddew a gwobr y Cristion. Y mae pob melltith a gwae yn perthyn i'r Iddewon, ond pob addewid a bendith yn perthyn i ddilynwyr Crist. Er enghraifft, gwêl ragfynegiad o rawd y ddwy grefydd yn y cyfeiriad at Jacob ac Esau yn Genesis 25 : 23. Pan ofynnodd Rebeca i'r Arglwydd esbonio aflonyddwch yr efeilliaid yn ei chroth, yr ateb oedd :

Dwy genedl sydd yn dy groth,
a gwahenir dau lwyth o'th fru,
bydd y naill yn gryfach na'r llall,
a'r hynaf yn gwasanaethu'r ieuengaf.

[25] Am y syniad o 'drosedd bendithiol' yn niwinyddiaeth y Tadau gw. G. B. Ladner, *The Idea of Reform* (Cambridge: Mass. 1959), t. 146.

Yn ôl Awstin, cyfeiria'r 'hynaf' at yr Iddewon a'r 'ieuengaf' at yr Eglwys, esboniad sydd, iddo ef, yn cadarnhau statws israddol yr Iddew ac yn cyfiawnhau agwedd ddilornus y Cristion tuag ato. Yn Genesis 29 : 17 disgrifir y gwahaniaeth rhwng dwy ferch Laban fel hyn : 'Yr oedd llygaid Lea yn bŵl, ond yr oedd Rachel yn osgeiddig a phrydferth', argoel eglur, ym marn Awstin, o ddallineb y Synagog a pherffeithrwydd yr Eglwys.

Y mae Salm 59 : 11, o'i darllen gydag un llygad ar yr ystyr ysbrydol, yn cefnogi dymuniad Awstin i warchod yr Iddew rhag niwed oherwydd ei bwysigrwydd i'r Cristion :

Paid â'u lladd rhag i'm pobl anghofio;
gwasgar hwy â'th nerth a darostwng hwy,
O Arglwydd, ein tarian.

O ran ystyr llythrennol yr adnod, apêl sydd gan y bardd am i'r Arglwydd ei achub rhag ei elynion, ond gwêl Awstin gyfeiriad ynddi at dynged yr Iddewon. Nid oes neb i ladd yr Iddew rhag i'w dystiolaeth i farn Duw ar y di-gred fynd yn angof gan Gristnogion ac i'r proffwydoliaethau am Grist y mae'n eu gwarchod yn ei Ysgrythur ddiflannu.[26] Defnyddir y stori adnabyddus yn Genesis 4 : 8-15 yn yr un modd i gyfiawnhau amddiffyn yr Iddew rhag niwed, ar yr un llaw, a'i gondemnio i fywyd adfydus y crwydryn ar y llall :

A dywedodd Cain wrth Abel ei frawd, 'Gad inni fynd i'r maes'. A phan oeddent yn y maes, troes Cain ar Abel ei frawd a'i ladd. Yna dywedodd yr Arglwydd wrth Cain, 'Ble mae dy frawd Abel?' Meddai yntau, 'Ni wn i. Ai fi yw ceidwad fy mrawd?' A dywedodd Duw, 'Beth wyt wedi ei wneud? Y mae llef gwaed dy frawd yn gweiddi arnaf o'r pridd. Yn awr, melltigedig fyddi gan y pridd a agorodd ei safn i dderbyn gwaed dy frawd o'th law. Pan fyddi'n trin y pridd, ni fydd mwyach yn rhoi ei ffrwyth iti; ffoadur a chrwydryn fyddi ar y ddaear.' Yna meddai Cain wrth yr Arglwydd, 'Y mae fy nghosb yn ormod i'w dwyn. Dyma ti heddiw yn fy ngyrru ymaith o'r tir, ac fe'm cuddir o'th ŵydd; ffoadur a chrwydryn fyddaf ar y ddaear, a bydd pwy bynnag a ddaw ar fy nhraws yn fy lladd'. Dywedodd yr Arglwydd

[26] *Dinas Duw* 18:46. Gw. y cyf. Saes. yn Everyman's Library (London 1945), Cyfr. 2, t. 221.

wrtho, 'Nid felly; os bydd i rywun ladd Cain dielir arno seithwaith'. A gosododd yr Arglwydd nod ar Cain rhag i neb a ddôi ar ei draws ei ladd.

Yn ei ysgrif *Yn erbyn Ffawstus y Manichead* y mae Awstin yn rhoi sylw manwl i'r stori hon ac yn ei dehongli mewn ystyr ysbrydol, sef yr unig wir ddehongliad yn ei farn ef. Lladdwyd Abel, y brawd ieuengaf, gan yr hynaf; felly hefyd lladdwyd Crist, arweinydd y genedl ieuengaf, gan y genedl hynaf, sef yr Iddewon. Celwydd oedd ateb Cain i'r Arglwydd; twyllwyr hefyd yw'r Iddewon pan ddywedant na welant y Meseia yn Iesu o Nasareth. Yn union fel y cyhuddodd gwaed Abel ei frawd Cain o'r ddaear, y mae gwaed Crist yn cyhuddo'r Iddewon. Fel y melltithiodd y pridd Cain, felly y mae'r Eglwys yn melltithio'r Iddewon anghrediniol. Fel y cosbwyd Cain trwy ei alltudio o bresenoldeb Duw, felly hefyd yr Iddewon; ffoaduriaid ydynt am byth. Yn union fel nad oedd cosb Cain yn cynnwys marwolaeth, nid oes neb i niweidio'r Iddew; y mae ganddo swydd fel tyst i'r Cristion. Fel yr oedd nod Cain yn ei amddiffyn ef rhag llofruddiaeth, felly y mae enwaediad, 'nod y gyfraith', yn amddiffyn yr Iddew; nid oes gan neb hawl i ladd unrhyw un â'r nod hwn ar ei gorff. Er fod yr Iddew, fel Cain, o dan felltith, y mae hefyd, fel Cain, yng ngofal Duw.[27]

Y mae syniadau Awstin am natur a phwrpas Iddewiaeth mewn cymdeithas Gristnogol yn haeddu sylw am iddynt ddylanwadu mor drwm ar agwedd y Cristion at yr Iddew ar hyd yr Oesoedd Canol. O'r bumed ganrif ymlaen ymddangosodd ei ddau argymhelliad pennaf, y dylid cadw'r Iddewon i lawr ond ar yr un pryd eu gwarchod rhag llofruddiaeth, yn gyson yn natganiadau swyddogol yr Eglwys. Ceir achos i sylwi arnynt eto yn nes ymlaen.

Yr Eglwys Filwriaethus

Yng ngweithiau Melito, Chrysostom ac Awstin, ceir tystiolaeth eglur i'r atgasedd tuag at yr Iddew sy'n britho diwinyddiaeth

---

[27] *Yn erbyn Ffawstus y Manichead (Contra Faustum)* XII:9-12. Gw. y cyf. Saes. yn M. Dods (gol.), *The Works of Aurelius Augustine* (Edinburgh 1872), Cyfr. 5, tt. 209-212. Am ymdriniaeth ddiddorol â nod Cain gw. Ruth Mellinkoff, *The Mark of Cain* (Berkeley: California 1981).

yr Eglwys Fore. Nid eithriadau mo'r tri hyn, ond enghreifftiau nodweddiadol o agwedd wrth-Iddewig y Tadau, agwedd a luniwyd gan ddwy ffaith sylfaenol. Y gyntaf oedd y bygythiad i genhadaeth yr Eglwys oddi wrth Synagog gref ag egnïol. Yr oedd gallu Iddewiaeth i ddenu paganiaid a Christnogion yn poeni'r Tadau ac yn eu symbylu i bregethu gwrth-Iddewiaeth er mwyn gwarchod y ffyddloniaid. Yr ail oedd y bygythiad i wirionedd y grefydd Gristnogol oddi wrth Iddewiaeth ffyniannus. Os oedd bwriad Duw yng Nghrist i sefyll, a'r byd i weld rhagoriaeth y Cristion, nid oedd gan yr Iddew ddewis ond byw o dan ormes. Yr oedd ei diwinyddiaeth yn gwthio'r Eglwys i'w erlid bob cyfle a gai. Ceir adlais o agwedd negyddol y Tadau yn y cyfreithiau a basiwyd gan Gynghorau eglwysig yn nechrau'r bedwaredd ganrif i orfodi Iddew a Christion i fyw ar wahân. Yr un rhagfarn ddiwinyddol sydd y tu cefn i anogaeth llawer o esgobion i longi i ddial ar gymun- Iddewig.

Ond yn ystod y bedwaredd ganrif a'r bumed darganfu'r Eglwys arf mwy nerthol yn erbyn yr Iddewon na'i Chynghorau a malais ambell esgob. Ar ôl marw'r Ymerawdwr Jwlianus yn 363 cryfhaodd y berthynas rhwng yr Eglwys a'r wladwriaeth a oedd wedi dechrau blaguro o dan Gystennin Fawr a'i fab Constantius hanner canrif ynghynt. I ymladd heresïau, galwodd y diwinyddion ar y gwleidyddion am gymorth. Gan fod pob ymerawdwr o hyn ymlaen yn Gristion o argyhoeddiad, a Christnogaeth yn prysur ennill tir yn erbyn y gau grefyddau ac ar fin cael ei sefydlu'n grefydd swyddogol yr ymerodraeth, ni fu'r cymorth yn hir yn ymddangos. Rhoddodd yr ymerawdwr sêl ei fendith ar nifer o gyfreithiau'n diogelu Cristnogaeth trwy ddeddfu yn erbyn gaudduwiaeth. Wrth ddiddymu pob geugred a fygythiai'r Ffydd, yr oedd y wladwriaeth yn cefnogi ymgais yr Eglwys i warchod ei huniongrededd. Ond nid paganiaid a hereticiaid yn unig oedd yn poeni'r diwinyddion. Fel y gwelsom eisoes, cyfrifid yr Iddewon hwythau'n fygythiad i Gristnogaeth, ac o'r herwydd nid yw'n syn i'r Tadau bwyso ar yr ymerawdwyr i'w hystyried yn ofalus. Y deddfau gwlad hynny a oedd yn ymwneud ag Iddewiaeth, ac a ddaeth i rym o ganlyniad i briodas yr Eglwys a'r wladwriaeth, sy'n cael sylw yma.

39

Hyd yn weddol ddiweddar, y duedd ymhlith haneswyr oedd beio'r ymerawdwyr Cristnogol cynnar am adfyd yr Iddewon. Cyhuddwyd pob un ohonynt o Gystennin Fawr ymlaen, ac eithrio Jwlianus, o ategu polisi gwrth-Iddewig yr Eglwys a sicrhau fod atgasedd diwinyddol y Tadau yn troi'n atgasedd cymdeithasol y werin. Yr oedd y dystiolaeth i ddirywiad cynyddol yn agwedd y wladwriaeth at yr Iddew i'w chael mewn dau gasgliad o gyfreithiau'r ymerodraeth a wnaed o fewn canrif i'w gilydd, sef *Casgliad Theodosius (Codex Theodosianus)* a gyhoeddwyd yn 438 O.C. a *Casgliad Jwstinian (Codex Justinianus)* a luniwyd yn 534 O.C. I'n diben ni, y casgliad cyntaf sydd o ddiddordeb am ei fod yn cynnwys pump a deugain o gyfreithiau ynglŷn â'r Iddewon a basiwyd gan yr ymerodraeth rhwng 313 a 438 O.C. Fel y gwelwn, tystia nifer ohonynt i agwedd lawdrwm Rhufain.[28]

Y mae un yn ymwneud â chaethwasanaeth, pwnc llosg yn y frwydr rhwng y wladwriaeth a'r Iddewon :

> Petai unrhyw Iddew'n prynu caethwas o sect neu genedl arall, rhaid trosglwyddo'r caethwas hwnnw i'r trysorlys ar unwaith. Petai'r Iddew'n prynu caethwas ac yn ei enwaedu, fe'i cosbir nid yn unig trwy golli'r caethwas ond hefyd trwy ddioddef dienyddiad. Petai Iddew'n meiddio prynu caethion yn perthyn i'r Ffydd Gristnogol, cymerer pob un sydd yn ei feddiant oddi arno ar unwaith.
>
> Constantius, 13 Awst 339. (*CTh* 16 :9.2; Linder 11)

Y mae'n amlwg oddi wrth y gwaharddiad i enwaedu nad ysbryd dyngarol a symbylodd y gyfraith hon, cyfraith sy'n ymddangos lawer gwaith rhwng 313 a 438. Nid dileu caethwasanaeth oedd y diben, ond atal yr Iddewon rhag lluosogi. Yn y bôn ymgais ydoedd i rwystro twf Iddewiaeth trwy wahardd iddynt genhadu, oherwydd cyn gynted ag y deuai'n eiddo i Iddew byddai'r caethwas yn cael ei enwaedu a'i wneud yn un o'r teulu er mwyn iddo fedru cyflawni ei orchwylion. Yn fuan iawn cafodd y gwaharddiad hwn effaith andwyol

---

[28] Am y cyfreithiau a nodir isod gw. C. Pharr, *The Theodosian Code and Novels and the Sirmondian Constitutions* (New York 1952 a 1969); A. Linder, *The Jews in Roman Imperial Legislation* (Detroit 1987).

ar fywyd cymdeithasol yr Iddewon. Mewn economi a ddibynnai gymaint ar lafur caethiwed, yr oedd yr Iddew o dan anfantais o'i gymharu â'r Cristion. Pa obaith oedd gan amaethwr Iddewig i gystadlu â'i gymdogion Cristnogol ac yntau'n amddifad o weithwyr? Yn raddol bu'n rhaid i'r Iddew adael y tir a chanolbwyntio ar fyd masnach ac arian.

Y mae cyfraith arall yn gwahardd Iddewon rhag dal swyddi cyfrifol yn y gwasanaeth sifil :

> O hyn allan ni chaiff neb sy'n perthyn i'r ofergoel Iddewig ganiatâd i weithio yng ngwasanaeth sifil yr ymerodraeth.
> Theodosius II, 10 Mawrth 418. (*CTh* 16 :8.24; Linder 45)

Diben y ddeddf hon oedd sicrhau na fyddai'r un Iddew yn dal swydd o awdurdod yn y gymdeithas, megis barnwr, cyfreithiwr neu reolwr carchar. Yr oedd un debyg iddi'n ei rwystro rhag dringo i'r rhengoedd uchaf ym y gwasanaeth milwrol hefyd. Sciliwyd y ddwy ar yr egwyddor na ddylai Iddew fyth fod mewn swydd a roddai iddo awdurdod dros Gristnogion. Nid oedd caniatáu i 'elynion Duw' weithredu deddfau'r ymerodraeth a'u trwyddedu i farnu a chosbi aelodau o Eglwys Crist yn ddim llai na sarhad ar y Ffydd. Yr un egwyddor oedd y tu cefn i wrthod Iddew'r hawl i gadw caethion Cristnogol ac i ferch o Gristion briodi Iddew. Yn wleidyddol ac yn gymdeithasol yr oedd yr Iddewon yn cael eu difreinio a'u gwthio o'r neilltu.

Ond nid cynnal statws isel yr Iddew mewn cymdeithas oedd unig ddiben y deddfau; ymyrrai'r ymerodraeth â'i fywyd crefyddol hefyd. Yn y cyswllt hwn, tröedigaeth a chenhadaeth sy'n cael y gofod mwyaf. Yr oedd llwydd cenhadol yr Iddewon yn achosi pryder i'r Tadau, pryder a adlewyrchir yn fuan iawn yn neddf gwlad. Gwelsom eisoes fod gwahardd Iddewon rhag cadw caethion yn ddull anuniongyrchol o'u hatal rhag cenhadu a chynyddu fel crefydd. Ond y mae rhai cyfreithiau'n llawer mwy penodol ac yn datgan fod y gosb eithaf yn aros y sawl a feiddia genhadu ymhlith Cristnogion :

> Dienyddir pwy bynnag sy'n hudo caeth neu rydd, yn erbyn ei ewyllys neu trwy fygwth cosb, oddi wrth Gristnogaeth at sect neu addoliad halogedig.
> Theodosius II, 31 Ionawr 438. (*NovTh* 3 :3; Linder 54)

Yr oedd yn drosedd hefyd i Iddewon geisio atal un o'u cenedl rhag troi at Grist:

> Ar ôl pasio'r gyfraith hon, os bydd yr Iddewon, gan gynnwys eu henuriaid a'u patriarchiaid, yn meiddio llabyddio neu amharu mewn unrhyw fodd gwallgof arall (a chlywn fod hyn yn digwydd) ar y sawl a wadodd eu sect farwol ac addoli Duw, hysbyswn hwy y bydd yr ymosodwr a phawb a fo gydag ef yn cael eu llosgi.
> Cystennin Fawr, 18 Hydref 315.   (*CTh* 16 :8.1; Linder 8)

Ond nid yr Iddewon yn unig oedd mewn perygl. Yr oedd gwrthgilwyr ymysg Cristnogion hwythau yn mentro'n ddybryd wrth droi at Iddewiaeth:

> Os gellir profi fod rhywun wedi troi oddi wrth Gristnogaeth at Iddewiaeth ac ymuno â'u cynulleidfaoedd halogedig, gorchmynnwn fod ei eiddo'n mynd i feddiant y trysorlys.
> Constantius II, 3 Gorffennaf 357.   (*CTh* 16 :8.7; Linder 12)

Ymgais bellach i atal cynnydd Iddewiaeth oedd deddfu yn erbyn codi synagogau newydd:

> Rhaid i'r cyfreithiau diweddar ynglŷn â'r Iddewon a'u synagogau barhau mewn grym. Ni chaniateir iddynt adeiladu synagogau newydd, ond ni raid iddynt ofni y dygir yr hen rai oddi arnynt.
> Theodosius II, 8 Mehefin 423.   (*CTh* 16 :8.27; Linder 49)

Ailgyhoeddwyd y gyfraith hon droeon yn y cyfnod cynnar ac yn yr Oesoedd Canol.

O ystyried cynnwys a mynegiant cyfreithiau gwrth-Iddewig *Casgliad Theodosius,* hawdd deall pam y bu haneswyr yn mynnu fod Iddewon yr Ymerodraeth Rufeinig yn byw o dan ormes parhaus. Y dybiaeth gyffredin oedd fod y wladwriaeth, law yn llaw â'r Eglwys, yn gwasgu fwyfwy arnynt ac yn sicrhau fod eu cyflwr yn mynd o ddrwg i waeth. Y canlyniad fu ysgrifennu hanes Iddewiaeth ar ôl 70 O.C. yn y cywair lleddf a methu gweld ynddo unrhyw arwydd o ffyniant neu gynnydd.[29]

---

[29] Cyhuddir H. Graetz, er enghraifft, awdur y clasur *Hanes yr Iddewon* a gyhoeddwyd gyntaf yn yr Almaen rhwng 1853 a 1875 o fod yn rhy ddagreuol. Yn ôl S. W. Baron y mae'n ysgrifennu beunydd yn 'the lachrymose mode'. Ymhlith ysgolheigion Cristnogol y mae J. W. Parkes, *The Conflict of the Church and the Synagogue* (New York 1934), J. E. Seaver, *Persecution of the Jews in the Roman Empire 300-439,* (Lawrence 1952) a Rosemary Ruether, *Faith and Fratricide* (gw. uchod n. 17), yn rhoi'r un pwyslais.

Erbyn heddiw, y mae cyfraniad archaeoleg, ynghyd ag astudiaeth fanylach o'r cyfreithiau, yn ein hannog i ddod i gasgliad gwahanol.[30] Y mae olion synagogau mawr a chyfoethog yn awgrymu fod y grefydd Iddewig yn llwyddo, os nad yn ennill tir, yn y cyfnod cynnar. Dengys bodolaeth cymunedau ffyniannus o Iddewon ym mhob rhan o'r ymerodraeth fod y cyfreithiau wedi cael llawer llai o effaith ar fywyd yr Iddew nag y tybid unwaith, ffaith a ategir gan yr angen parhaus i'w hail-gyhoeddi. Y mae gofyn hefyd cadw mewn cof yr elfen gadarnhaol yn y deddfau, elfen sy'n dangos fod yr ymerawdwyr yn parchu'r Iddewon a'u bod yn barod i warchod eu hawliau, ar waetha'r diwinyddion. Daw'r agwedd hon i'r golwg yn yr enghreifftiau canlynol:

Y mae digon o dystiolaeth nad oes unrhyw gyfraith yn gwahardd sect yr Iddewon. Am hynny, yr ydym yn [*...*] ddifawr lod eu cynulliadau'n cael eu rhwystro mewn ambell fan. Felly, disgwylir i'ch Mawrhydi, ar ôl derbyn y gorchymyn hwn, wneud yr hyn sy'n angenrheidiol i ffrwyno brynti'r rhai hynny sydd, yn enw'r grefydd Gristnogol, yn meiddio ymddwyn yn anghyfreithlon a cheisio dinistrio ac ysbeilio synagogau.
Theodosius I, 29 Medi 393.   (*CTh* 16:8.9; Linder 21)

Y mae'r sawl sy'n dilorni'r Hybarch Batriarchiaid yn gyhoeddus i'w gosbi.
Arcadius, 24 Ebrill 396.   (*CTh* 16:8.11; Linder 24)

Y mae Eich Mawrhydi i orchymyn i'r llywodraethwyr ymgynnull er mwyn iddynt ddysgu a deall fod yn rhaid iddynt wrthwynebu pawb sy'n ymosod ar Iddewon a sicrhau fod eu synagogau yn cael y llonydd arferol.
Arcadius, 17 Mehefin 397.   (*CTh* 16:8.12; Linder 25)

Gorchmynnwn nad yw'r un Iddew i gael ei orfodi i wneud unrhyw waith na'i alw [i dystio mewn llys] ar y Saboth neu ar unrhyw ddiwrnod arall sy'n gysegredig i'r Iddewon.
Theodosius II, 26 Gorffennaf 409.   (*CTh* 2:8.26; Linder 40)

---

[30] Gw. J. Cohen, 'Roman Imperial Policy toward the Jews from Constantine until the end of the Palestinian Patriarchate (ca. 429)' yn *Byzantine Studies* 3:1 (1976), tt. 1-29; B. S. Bachrach, 'The Jewish Community of the Later Roman Empire as seen in the *Codex Theodosianus*', yn J. Neusner a E. S. Frerichs (gol.), *op.cit.*, tt. 399-421.

Yr ydym am i'r Iddewon wybod . . . i ni ddeddfu fod yn rhaid i'r sawl sy'n troseddu'n ddi-hid yn eu herbyn dan gochl parchus Cristnogaeth ymatal rhag eu niweidio a'u herlid; ac o hyn allan nid oes neb i feddiannu na llosgi eu synagogau.
Theodosius II, 9 Ebrill 423.   (*CTh* 16 :8.26; Linder 48)

Er mor llym y deddfau yn erbyn cadw caethion a chenhadu, ymddengys fod awdurdodau sifil y bedwaredd ganrif a'r bumed yn awyddus i weld Iddewiaeth yn goroesi a hefyd yn ffynnu. Y mae Theodosius I yn atgoffa'i ddeiliaid iddi gael ei chyfrif yn 'grefydd gyfreithlon' ganrifoedd ynghynt gan Iwlius Cesar, a bod yr Iddewon felly'n rhydd i addoli fel y mynnont. Cosbir pawb sy'n amharchu eu harweinwyr ac yn ysbeilio'u synagogau. Fel y mae'r Sul a dydd gŵyl yn gysegredig i'r Cristion, felly mae'r Saboth a gwyliau megis y Pasg a Tabernaclau yn ddyddiau o orffwys i'r Iddew. Daw hawliau crefyddol yr Iddewon o dan adain yr ymerodraeth.

Ar sail y cyfreithiau hyn, a llawer o rai tebyg iddynt, anodd yw credu fod y wladwriaeth yn barod i ddilyn yr Eglwys yn ddifeddwl a gwneud bywyd yn faich i'r Iddew. Ond sut y mae esbonio'r fath oddefgarwch? Pam y mae ymerawdwyr Cristnogol a oedd yn cefnogi'r Eglwys ym mhopeth arall, yn gwrthod ei chais i ormesu'r Iddewon? Pam y maent mor sensitif i anghenion yr Iddew? Un ateb yw parch Rhufain at draddodiad, a'i hagwedd geidwadol at hen gyfreithiau sefydledig — yn y cyswllt hwn y gyfraith yn gwarchod statws arbennig Iddewiaeth. Y mae A. H. M. Jones yn rhyfeddu fod yr ymerawdwyr, a'r mwyafrif ohonynt yn rhannu'r agwedd boblogaidd, mor gymedrol yn eu cyfreithiau. Ymddengys fod eu parch at gyfreithiau a basiwyd eisoes yn lliwio eu hagwedd. Ers amser Cesar, sicrhawyd yr Iddewon y caent ymarfer eu crefydd, ac yr oedd y llywodraeth yn osgoi diddymu'r fraint hynafol hon.[31]

Ym 1964 yr ysgrifennwyd y geiriau hyn, ond yr oedd Jean Juster wedi gwyntyllu'r ddamcaniaeth hon hanner canrif ynghynt ac wedi ei gwrthod. Yn ei farn ef, pe bai cyfreithwyr Cristnogol Rhufain yn parchu deddfau eu rhagflaenwyr i'r fath raddau, byddent wedi gorfod gwarchod paganiaeth yn ogystal

[31] *The Later Roman Empire* (Oxford 1964), Cyfr. 2, tt. 948-49.

ag Iddewiaeth. Ond nid oes croeso i'r pagan yng *Nghasgliad Theodosius,* er gwaethaf goddefgarwch y gorffennol. Yn ôl Juster, y rheswm dros gymedroldeb yr ymerawdwyr yw'r syniad fod yr Iddew'n dyst i wirionedd Cristnogaeth, syniad sy'n dod i'r brig yn Awstin, ond sy'n ymddangos hefyd mewn awduron cynharach ac sy'n seiliedig ar Rhufeiniaid 11 : 17-24.[32] Cofiwn fod y syniad hwn yn cynnwys pwyslais digamsyniol ar barhad yr Iddewon, ac i sicrhau hyn rhaid wrth y breiniau a'r nodded a geir yng nghyfreithiau'r ymerodraeth. Ond ym meddwl y Tadau nid parhad ei genedl yn unig sy'n rhoi gwerth i'r Iddew fel tyst, y mae ei *gyflwr* hefyd yn cadarnhau gwirionedd yr Efengyl. Os yw cymdeithas am gynnwys yr Iddew, rhaid iddi ofalu ei gadw i lawr am fod y syniad o dystio i'r gwirionedd yn golygu adfyd yn ogystal â pharhad. Ond prin yw'r dystiolaeth am erlid a gorthrwm yn neddfau Rhufain. Or rhynubath, y mae'i ymerawdwyr am i'r Iddewon fyw'n ddiboen, a hyd yn oed ffynnu. Y mae rhagorfaint a nodded yn fwy amlwg na chosb yng *Nghasgliad Theodosius.*

Y mae un esboniad pellach ar agwedd gymedrol y wladwriaeth sy'n haeddu sylw. Awgryma B. S. Bachrach mai ymateb i lwyddiant a chryfder Iddewiaeth y mae'r ymerawdwyr wrth beidio â deddfu yn ei herbyn.[33] Y mae'r cloddio diweddar yn y Dwyrain Canol wedi profi fod yr Iddewon yn byw mewn cymunedau llewyrchus a chanddynt gryn ddylanwad yn y gymdeithas. Yr oedd gan lawer ohonynt ran allweddol yn economi'r ymerodraeth ac ym myd masnach; pe baent yn diflannu, byddai'r golled ariannol i'w cymdogion yn sylweddol. Er mai lleiafrif bychan iawn oeddent o fewn yr Ymerodraeth Rufeinig a heb unrhyw rym gwleidyddol, ni thalai i neb anwybyddu eu gwytnwch o dan ormes a'u gallu i wrthsefyll gorthrwm. Y mae'n wir iddynt golli dau wrthryfel ar ddechrau'r cyfnod Cristnogol, ond gwyddai Rhufain nad â chwarae bach y trechwyd y Selotiaid. Tybed a oedd yr ymerawdwyr yn gwrthod cefnogi polisi negyddol y Tadau am iddynt weld gwerth economaidd a chymdeithasol yr Iddew ac am na fynnent gael gwrthryfel arall ar eu dwylo? Os dyma'r eglurhad

---

[32] *Les Juifs dans l'Empire Romain* (Paris 1914), Cyfr. 1, tt. 227-229.
[33] *Op.cit.,* tt. 407 ym.

cywir, gellir esbonio'r cyfreithiau hynny sy'n wrth-Iddewig fel ymdrech i amddiffyn Cristnogion oddi wrth genedl gref, ffyddiog ac ymosodol, ac esbonio hefyd pam y mae y fath gyfreithiau yn y lleiafrif yng *Nghasgliad Theodosius*.

Y Pab Grigor Fawr (540 - 604 O.C.)

Yn ystod y canrifoedd cynnar, nid oedd polisi'r pab tuag at Iddewiaeth yn ennyn llawer o ddiddordeb. Y Cynghorau eglwysig a'r ymeradwyr, gyda'u deddfau a'u datganiadau, oedd yn dylanwadu'n bennaf ar y werin, nid Esgob Rhufain. Os byddai pab yn ddiwinydd ac yn ysgrifennwr, tueddai i adlewyrchu meddwl ei gyfnod a dyfynnu'r Tadau wrth ymdrin ag Iddewiaeth, ac o'r herwydd nid oes unrhyw nodwedd arbennig i'w chanfod yng ngweithiau'r pabau cynnar. Ond fel y cynyddai grym ac awdurdod y babaeth yn ystod y chweched ganrif, rhoddwyd mwy o sylw i syniadau arweinydd ysbrydol Eglwys y Gorllewin.

Y pab cyntaf i ddadlennu ei agwedd at Iddewiaeth oedd Grigor Fawr, cyfrinydd a dreuliodd ran helaeth o'i oes mewn mynachlog cyn esgyn i gadair Sant Pedr yn 590. Ef oedd pensaer mawr pabaeth yr Oesoedd Canol, y cenhadwr a anfonodd Awstin Fynach i Gaer-gaint i efengyleiddio'r Saeson, yr ysgolhaig a'r diwinydd yn nhraddodiad y Tadau cynnar a ysgrifennodd amryw o lyfrau. Yr oedd Grigor hefyd yn llythyrwr diflino. Deliai â phroblemau bugeiliol trwy ysgrifennu'n faith ac yn aml at esgobion ac offeiriaid yr oedd arnynt angen cerydd neu gymorth. Y mae tuag wyth gant a hanner o'i lythyrau ar gael, ac mewn dau ddwsin ohonynt ceir cyfeiriad penodol at Iddewon. Yr ohebiaeth hon yw ein prif ffynhonnell wrth geisio deall agwedd Grigor at Iddewiaeth yn yr Eidal, Sbaen a Ffrainc, tair gwlad lle 'roedd cymunedau Iddewig sylweddol wedi sefydlu ymhell cyn ei gyfnod ef. Yn Sbaen yr oedd yr Iddewon yn cael eu herlid gan y Fisigothiaid, ac yn Ffrainc ceisiodd brenin ac esgob eu gorfodi i droi at Grist trwy beri iddynt ddewis rhwng bedydd ac alltudiaeth.

Yr hyn sy'n taro'r darllenwr yn llythyrau Grigor yw ei

ddyngarwch tuag at yr Iddewon a'i ofal cyson amdanynt.[34] Yn fuan yn ei deyrnasiad clywodd fod bedydd gorfodol yn cael ei arddel yn Ffrainc ac ysgrifennodd ar unwaith at esgobion Arles a Marseilles yn gorchymyn iddynt atal yr arferiad. Nid fod Grigor yn erbyn cenhadu; yr oedd ei frwdfrydedd dros ledaenu'r Efengyl yn amlwg. Ond ni allai ategu gorfodaeth i chwyddo rhengoedd Crist. Rhaid denu'r Iddew trwy gariad ac esiampl yn hytrach na'i orfodi. Pe baent yn gwrthod bedydd, yr oedd yr Iddewon yn rhydd i arfer eu crefydd a'u seremonïau eu hunain. Nid oedd gan neb, boed frenin neu esgob, hawl i'w rhwystro rhag addoli fel y mynnent nac i feddiannu eu synagogau. Ond yr hyn sydd wedi sicrhau lle parhaol i Grigor yn hanes yr Eglwys fel pab goddefgar yw'r cymal canlynol yn un o'i lythyrau :

Yn unʼon fal ... ... 'r Iddewon yn eu cymunedau groesi'r terfynau a osododd y gyfraith arnynyt, felly hefyd ni ddylent ddioddef mewn unrhyw ffordd trwy amarch i'w hiawnderau.[35]

Y mae'r frawddeg hon, a adnabyddir wrth y ddau air cyntaf yn y Lladin gwreiddiol, *Sicut Judaeis,* yn dangos fod Grigor yn parchu'r hawliau a roddwyd i'r Iddewon yng nghyfreithiau'r ymerodraeth; *Casgliad Theodosius* yw sail ei ymateb iddynt. Yn yr Oesoedd Canol defnyddiwyd y geiriau hyn gan amryw o babau fel rhagarweiniad i o leiaf ugain bwl o blaid yr Iddewon. Polisi dyngarol Grigor, sy'n adlewyrchu syniadau Awstin a Sant Paul, a oedd yn gyfrifol i raddau helaeth iawn am agwedd oddefol yr awdurdodau yn Rhufain tuag at yr Iddewon o'r seithfed ganrif hyd y bymthegfed.

Ond y mae ochr arall i bersonoliaeth Grigor Fawr. Er iddo barchu hawliau cyfreithiol yr Iddewon yn ei lythyrau, a dangos pob goddefgarwch tuag atynt yn ei swydd fel pen bugail yr

[34] Am agwedd Grigor Fawr at yr Iddewon gw. J. W. Parkes, *op.cit.,* tt. 210-221; S. W. Baron, *A Social and Religious History of the Jews* (Philadelphia 1957), Cyfr. 3, tt. 27-33; B. S. Bachrach, *Early Mediaeval Jewish Policy in Western Europe* (Minneapolis 1977), tt. 35-39; E. Synan, *The Popes and the Jews in the Middle Ages* (New York 1965), tt. 35-50.
[35] Daw'r frawddeg hon o lythyr y pab at Esgob Palermo a gyhuddwyd gan yr Iddewon o feddiannu eu synagogau. Gw. S. Katz, 'Pope Gregory the Great and the Jews', *JQR* 24 (1933), t. 120.

Eglwys, yn ei ysgrifau diwinyddol dadlenna agwedd dra gwahanol. Yn ei draethodau ar gyfriniaeth a'i esboniadau ysgrythurol, ni cheir ronyn o gydymdeimlad â'r Iddewon, nac unrhyw arwydd ei fod yn gweld gwerth mewn Iddewiaeth. Y mae'n atgeu cred y Tadau cynnar fod yr Eglwys wedi disodli'r Synagog, ac fe wna ddefnydd helaeth o'r un eirfa ddifriol â'i ragflaenwyr mewn byd ac eglwys i ddisgrifio'r Iddew a'i grefydd. Y mae geiriau sarhaus megis, 'anfadrwydd, ffolineb, ffieidd-dra, ofergoel, trais', ar flaen ei dafod bob tro y cyfeiria at Iddewiaeth. Wrth esbonio'r Ysgrythur, y mae'n rhoi blaenoriaeth i'r ystyr ysbrydol yn ôl esiampl Origen ac Awstin. Y mae hyn yn ei arwain yn anochel i ddifenwi Iddewiaeth gan fod i bob adnod ystyr cudd, yn ogystal â'r ystyr llythrennol, a bod yr ystyr cudd bron yn ddieithriad yn wrth-Iddewig. Cymerwn un enghraifft, o'i esboniad enwog ar Lyfr Job o'r enw *Moralia*. Dechreuodd helbul Job pan ddaeth 'y Caldeaid yn dair mintai' o'r diffeithwch a chipio'i gamelod (1 : 17). Pwy yw'r tair mintai sy'n amharu ar ddyn mor gyfiawn ond y Sadwceaid a'r Phariseaid a'r Ysgrifenyddion? Pwy yw'r camelod ond y genedl Iddewig a arweiniwyd ar gyfeiliorn gan y tair mintai? Sut y gwyddom mai'r Iddewon yw'r camelod? Am fod y camel yn cnoi cil ond heb fforchi'r ewin. Y mae cnoi cil yn lanwaith, fel y mae Cyfraith yr Arglwydd, y myfyria'r Iddew ynddi, yn lân. Ond y mae'r camel heb fforchi'r ewin, ffaith sy'n dangos na fedr yr Iddew wahaniaethu rhwng y gwir a'r gau yn yr hyn a ddarllena; y mae'n ddall i'r gwirionedd yn ei Ysgrythur ei hun. Ni allai esboniad mor eithafol wneud dim ond niwed i'r berthynas rhwng Iddew a Christion.[36]

Y mae'n anodd cysoni cyfeiriadau brathog Grigor at yr Iddewon â dyngarwch amlwg ei lythyrau. Ymddengys fod ei ymddygiad tuag atynt yn hollol groes i'w ddiwinyddiaeth a'i deimladau personol. Gellir dadlau, fel y gwna Katz, fod ei agwedd wrthwynebus yn adlewyrchu dysgeidiaeth yr Eglwys am yr Iddewon yn hytrach na'i farn ef ei hun, a'i fod yn y bôn yn oddefgar tuag atynt ar waetha'i gondemniad o'u

---

[36] *Moralia* 3 : 1 yn *PL*, Cyfr. 75, col. 636.

crefydd.[37] Ond nid oes gwadu fod casineb yn dod i'r wyneb yn gyson, ac anodd peidio â chredu i ddaliadau diwinyddol un o'r pabau enwocaf ddylanwadu'n adfydus ar agwedd yr Eglwys at Iddewiaeth.

Casgliadau

Er fod agwedd sarhaus y pagan tuag at yr Iddew i'w chanfod yn eglur yn llên y cyfnod cynnar, y mae gwahaniaeth sylfaenol rhwng gwrth-Iddewiaeth baganaidd a gwrth-Iddewiaeth Gristnogol. Tra oedd atgasedd y pagan yn ymddangos yn achlysurol, yn gyfyngedig i ardaloedd arbennig, a heb gefnogaeth swyddogol yr awdurdodau nac unrhyw sail ddamcaniaethol, yr oedd atgasedd y Cristion, o leiaf er dechrau'r bedwaredd ganrif, yn arhosol, yn fyd-eang, yn derbyn cefnogaeth Rhufain ac yn seiliedig ar egwyddorion diwinyddol. Nid ymateb i amgylchiadau hanesyddol a chymdeithasol ydoedd gwrth-Iddewiaeth y Cristion; yr oedd ei atgasedd ef yn aros, boed ef ei hun yn cymysgu ag Iddewon neu beidio. Nid oedd dysgeidiaeth yr Eglwys yn dibynnu ar fodolaeth cymunedau Iddewig, na hyd yn oed ar eu hymddygiad; i'r diwinyddion yr egwyddor fod Duw wedi gwrthod ei bobl oedd o bwys.

Yn ei bregeth ar y Pasg, cyhuddodd Melito'r Iddewon o 'lofruddio Duw', cyhuddiad sydd wedi atseinio dros y canrifoedd. Dysgodd hefyd fod yr Eglwys wedi disodli'r Synagog, ac nad oedd lle mwyach i'r Iddew yng nghynllun Duw. Ychwanegodd Chrysostom at y malais trwy ddifrïo Iddewiaeth yn y modd llymaf, ac ystyried y Synagog yn lloches Satan. Er fod Awstin yn condemnio Iddewon pob oes am iddynt 'yn eu rhieni' groeshoelio Crist, mynnai eu gwarchod rhag niwed corfforol — apêl a ddylanwadodd ar bolisi swyddogol yr Eglwys o'r bumed ganrif ymlaen.

Sail gwrth-Iddewiaeth y Tadau oedd eu dehongliad hwy o ddisgrifiad awdurdodol y Beibl o gymeriad a hanes yr Iddew. Ond rhoi'r pwyslais dyladwy ar yr ystyr ysbrydol, tystia'r Ysgrythur Hebraeg mai cenedl wrthnysig fu Israel o'r dechrau,

---

[37] *Op.cit.*, t. 119.

yn gwrthod arweiniad Duw ac yn anwybyddu ei ddeddfau. O'r herwydd, collodd ffafr ei Harglwydd a chymerwyd ei lle gan yr Israel Newydd. A dilyn dull y Tadau o esbonio'r Hen Destament, gwelid ynddo broffwydoliaeth am 'ddwy genedl', cenedl bechadurus, sef Israel yn byw o dan felltith, a chenedl ffyddlon, sef yr Eglwys, yn mwynhau rhagorfreintiau'r etholedig. Yr oedd y proffwydoliaethau barn yn cyfeirio at yr Iddew, ond y gobaith Meseianaidd yn eiddo'r Cristion. Erbyn heddiw, nid oes yr un ysgolhaig gwerth ei halen yn esbonio'r Beibl fel hyn. Serch hynny, cafodd egwyddor esboniadol y Tadau ddylanwad trwm ar y meddwl Cristnogol hyd at yr ugeinfed ganrif. Y mae i'w chael, er enghraifft, yn yr adnodau canlynol o'r argraffiad o'r Beibl Cymraeg a oedd ym mhob cartref a phulpud cyn 1988. Ar ddechrau pob pennod ceir crynodeb o'i chynnwys, crynodeb sy'n hawlio sylw'r darllenydd ac yn amlinellu'r esboniad priodol o'r amryw adrannau. Trown at Lyfr Eseia gan restru'n gyntaf destunau melltith ac yn ail destunau bendith.

| ADNOD | PENNAWD |

1. Testunau Melltith

29:15
Gwae y rhai a ddyfn-geisiant i guddio eu cyngor oddi wrth yr Arglwydd.

Rhagrith yr Iddewon.

57:3
Nesewch yma, meibion yr hudoles, had y godinebus a'r butain.

Duw yn argyhoeddi yr Iddewon am eu puteinaidd ddelw-addoliaeth.

59:2
Eithr eich anwireddau chwi a ysgarodd rhyngoch chwi a'ch Duw.

Pechodau yr Iddewon.

65:2
Estynnais fy llaw ar hyd y dydd at bobl wrthryfelgar.

Gwrthod yr Iddewon am eu hanghrediniaeth a'u delw-addoliaeth a'u rhagrith.

ADNOD	PENNAWD

2. Testunau Bendith

41:8

Eithr ti, Israel, fy ngwas ydwyt ti, Jacob yr hwn a etholais, had Abraham fy anwylyd.

Duw yn ymliw â'i bobl ynghylch ei drugareddau i'w eglwys.

43:1

Fel hyn y dywed yr Arglwydd dy Greawdwr di, Jacob, a'th Luniwr di, Israel, Nac ofna; canys gwaredais di; gelwais di erbyn dy enw; eiddof fi ydwyt.

Yr Arglwydd yn cysuro ei eglwys â'i addewidion.

49:13

Yr Arglwydd a gysurodd ei bobl, ac a drugarha wrth ei drueiniaid.

Bod cariad Duw tuag at ei eglwys yn dragwyddol.

60:14

A meibion dy gystuddwyr a ddeuant atat yn ostyngedig . . . ac a'th alwant yn Ddinas yr Arglwydd.

Gogoniant yr eglwys pan ddelo y cenhedloedd yn dra aml ati.

Dengys y penawdau hyn, sy'n ymddangos gyntaf yn eu diwyg Cymreig ym Meibl William Morgan, pa mor ddwfn y gwreiddiodd dull esboniadol y Tadau yn y traddodiad Cristnogol. Camddefnyddir yr Ysgrythur i ddysgu sarhad ac i gadarnhau agwedd elyniaethus yr Eglwys tuag at yr Iddewon.

Ysgogwyd y Tadau gan y bygythiad cynyddol i Gristnogaeth oddi wrth Iddewiaeth gref a hyderus i bwyso ar yr ymeradwyr am gyfreithiau pwrpasol i sicrhau goruchafiaeth yr Eglwys. Diau iddynt gael ymateb ffafriol i ryw fesur, oherwydd yr oedd i'r gwaharddiadau rhag cadw caethion, rhag dal swyddi cyfrifol a rhag dringo yn rhengoedd y fyddin, oblygiadau adfydus a phell-gyrhaeddol. Ond ymddengys nad oedd y wladwriaeth mor barod ag y tybid unwaith i gydsynio â dymuniadau'r Eglwys. Prin yw'r dystiolaeth fod cyflwr yr Iddewon wedi gwaethygu'n sylweddol rhwng 313 a 438 o ganlyniad i bolisi'r ymerawdwyr. Y mae ailadrodd, droeon mewn canrif, hynny o gyfreithiau gwrth-Iddewig a oedd ar gael, yn dangos pa mor aneffeithiol oeddent. Yr oedd yr Iddewon yn dal i gadw caethion er gwaethaf cyfraith gwlad. Ond y mae'r angen am ailbwysleisio hawliau'r Iddew dros yr un cyfnod yn dangos fod y wladwriaeth yn benderfynol o ffrwyno sarhad y diwinyddion a chyfyngu ar greulondeb y tyrfaoedd. Yn y cyfnod cynnar, yr oedd gwrth-Iddewiaeth yng ngwledydd Cred yn deillio oddi wrth yr arweinwyr crefyddol nid oddi wrth yr ymerawdwyr nac oddi wrth y werin. Diwinyddiaeth yr Eglwys Fore, nid polisi'r llywodraeth, oedd prif ffynhonnell y darlun poblogaidd o'r Iddew fel gelyn y Cristion. Y mae lle i ddiolch ddarfod i Grigor Fawr ategu agwedd gadarnhaol yr ymerodraeth tuag at yr Iddew trwy barchu ei ddeddfau a gwrthod ildio i'w ddiwinyddiaeth ragfarnllyd ei hun, na rhoi penrhyddid i syniadau gwrthun rhai o'i ragflaenwyr.

PENNOD 2

Cysgod y Groes: Yr Oesoedd Canol
(1050 - 1500 O.C.)

Ai y cyfun roedd y cyfnod rhwng 600 a 1050 yn un gweddol
hapus a digyffro i'r Iddewon. Er fod gelyniaeth barhaus rhwng
yr Eglwys a'r Synagog, yr oedd dy berthynas rhwng Iddewon
cyffredin a'u cymdogion Cristnogol yn dda. Y mae'n wir na
ddeuai hawddfyd fyth i'w rhan, ond ni chawsant chwaith eu
herlid yn ddidrugaredd. At ei gilydd, 'roedd y pabau'n oddefgar
tuag atynt, a phrin yw'r dystiolaeth yn ystod ail hanner y
mileniwm cyntaf fod Iddewon y Gorllewin yn cael eu hymlid
gan dyrfaoedd direol yn enw Crist. Am wahanol resymau, yr
oedd yr Eglwys a'r wladwriaeth yn barod i'w gwarchod rhag
niwed. Os oedd diwinyddiaeth y Cristion yn eu gormesu, 'roedd
hefyd yn sicrhau iddynt yr hawl i fodoli'n gymuned ar wahân
o fewn cymdeithas. Yn hyn o beth cafodd polisi Awstin a
Grigor Fawr yr effaith ddisgwyliedig. Yr oedd deddf gwlad
hithau'n amddiffyn yr Iddewon ac yn parchu eu rhyddid
crefyddol, nid am fod parhad y genedl o dragwyddol bwys yng
nghynllun Duw, ond am fod yr Iddew o werth economaidd i'r
wladwriaeth. Er fod y cymysgedd hwn o ormes a goddefgarwch
yn diogelu'r Iddew mewn cyfnod heddychlon, mewn argyfwng
deuai atgasedd yr oesau i'r wyneb gyda chanlyniadau erchyll.
Cyfnod felly oedd degawd olaf yr unfed ganrif ar ddeg.

53

Rhyfeloedd y Groes

Blwyddyn nodedig yn hanes y gyfathrach rhwng Iddew a Christion oedd 1096. Hon oedd blwyddyn y Groesgad gyntaf, a dechrau cyfnod o erlid ffyrnig a ddaeth ar warthaf yr Iddewon yn gwbl ddisymwth. Wrth ystyried cefndir y Croesgadau y mae tair ffactor yn haeddu sylw. Y gyntaf yw'r diwygiad crefyddol a gyplysir â sylfaenu Abaty Cluny yn Ffrainc yn 910. Ymgais oedd hwn i buro'r Eglwys trwy roi'r pwyslais dyladwy ar le addoliad a'r bywyd ysbrydol ym mywyd y Cristion. Y canlyniad fu i gysegrleoedd a chreiriau'r saint ennill mwy o barch, ac yn raddol daeth pererindota i Balesteina'n fwy poblogaidd. Yn ôl yr ystadegau, bu Cristnogion o'r Gorllewin ar dros gant o bererindodau i grud eu cred yn ystod yr unfed ganrif ar ddeg; chwe phererindod yn unig a wnaed yn yr wythfed ganrif. Yr ail ffactor yw gelyniaeth gynyddol Islam tuag at Gristnogaeth. Ym 1008 syrthiodd Eglwys y Bedd yn Jerwsalem i ddwylo'r Mwslimiaid, ac erbyn 1071 'roedd y ddinas gyfan yn eu meddiant. Rhoddodd hyn derfyn disyfyd ar bererindodau Cristnogol, a bu'n rhwystr rhag diwygio'r Eglwys. Ond nid yr Eglwys yn unig oedd ar ei cholled. Gwnaeth agwedd elyniaethus Islam niwed dybryd hefyd i economi Gorllewin Ewrop. Gan mai'r Mwslim a reolai'r gwledydd y tu draw i Gaergystennin, gallai wahardd masnachwyr Cristnogol rhag teithio i farchnadoedd y dwyrain. Aeth llawer busnes proffidiol i'r wal am fod ffyrdd masnach Asia'n gaeëdig i farsiandïwyr y gorllewin. Y ffactor olaf i'w nodi yw trais yr oes. Y mae croniclau cyfoes yn dangos cyfnod mor wyllt yn hanes Ewrop oedd yr unfed ganrif ar ddeg. Yr oedd y lleidr, y llofrudd a'r herwgipiwr yn eu helfen, a methiant llwyr fu ymgais yr awdurdodau i gadw trefn. Awgryma rhai haneswyr mai ymdrech swyddogol gan yr Eglwys a'r wladwriaeth i ffrwyno ffyrnigrwydd cynhenid y cyfnod a'i sianelu i ddibenion mwy buddiol oedd Rhyfeloedd y Groes.[1]

[1] Gw. R. Chazan, *European Jewry and the First Crusade* (London 1987), tt. 50 ym.

Daeth yr alwad i ryfel o ddau gyfeiriad y tu fewn i'r Eglwys: y pab a'r pregethwyr teithiol. Ym mis Tachwedd 1095 aeth y Pab Wrban II i Ffrainc i annerch Cyngor Clermont. Mewn araith danbaid galwodd ar Gristnogion y gorllewin i achub mannau cysegredig Palesteina o grafangau'r di-gred. Yr oedd yn ddyletswydd ar dlawd a chyfoethog fynd. Dylent atal rhag rheibio'i gilydd ac ymuno mewn brwydr werth chweil. Breuddwyd y pab oedd gweld byddinoedd disgybledig, a fyddai'n atebol i'r awdurdodau eglwysig, yn croesi Ewrop yn ddiymdroi ac ymgasglu yng Nghaergystennin. Eu gorchwyl fyddai adennill Jerwsalem oddi ar y Mwslim a'i hadfer yn ganolfan pererindod Gristnogol. Cafodd yr ymgyrch gefnogaeth frwd pendefigion a masnachwyr — y naill yn gobeithio meddiannu mwy o dir, a'r lleill yn gweld y ffyrdd yn agored iddynt unwaith yn rhagor.

Er i'r esgobion gefnogi'r pab o'u pulpudau a galw ar y ffyddloniaid i ryfel, y mynaich a'r brodyr teithiol oedd y pregethwyr mwyaf effeithiol, dynion annysgedig a dilywodraeth a grwydrai o ardal i ardal yn annog pob person abl i ymuno yn y Groesgad. Yr enwocaf ohonynt oedd Pedr Feudwy, Ffrancwr tanbaid a brwdfrydig. Yn ôl pob hanes, byddai hwn yn gwneud ati i edrych yn aflêr a gwyllt trwy deithio ar gefn asyn, yn garpiog ei ddillad ac yn droednoeth. Ond er gwaetha'i olwg, yr oedd rhyw gyfaredd yn perthyn i'r meudwy nodedig hwn. Ple bynnag yr âi byddai'n sicr o wrandawiad astud, a chyn symud ymlaen byddai wedi ysbrydoli arweinwyr lleol i ddilyn ei esiampl. Mewn ychydig fisoedd yr oedd wedi casglu byddin o tua phymtheng mil ar y ffin rhwng Ffrainc a'r Almaen.

Gyda chroes yn y naill law a chleddyf yn y llall, yr oedd Milwyr y Groes yn barod i farchogaeth ar draws Ewrop i achub y mannau cysegredig ac i ddial ar elynion Crist. Ond ymddengys nad oedd byddinoedd Pedr Feudwy a'i debyg ar ormod o frys i adael yr Almaen; yr oedd ganddynt waith i'w wneud gartref cyn troi tua'r dwyrain. Thema gyson y pregethwyr oedd arwyddocâd Golgotha i'r Cristion, ac yn ei sgîl, trosedd anfaddeuol y Croeshoeliad. Onid yr Iddew a lofruddiodd Iesu, ac oni haeddai y gosb eithaf am ei anfadwaith? Nid oedd angen aros nes cyrraedd Jerwsalem cyn dechrau amddiffyn Cristnogaeth; yr oedd yr Iddew ar garreg y drws. Yn ôl un croniclwr, ymresymai'r Croesgadwyr fel hyn : 'rydym yn awyddus i oresgyn gelynion Duw yn y dwyrain. Ond y mae'r Iddewon, cenedl sy'n fwy atgas na'r un arall gan Dduw, yn byw'n ddidramgwydd yn ein plith. 'Rydym yn gwneud y cwbl o chwith'.[2]

Ond nid diwinyddiaeth yn unig oedd y tu ôl i atgasedd y Croesgadwyr at yr Iddew; yr oedd iddo gefndir economaidd a chymdeithasol hefyd. Er dechrau'r unfed ganrif ar ddeg yr oedd Iddewon wedi chwarae rhan allweddol yn economi Ewrop trwy fenthyca arian ar log, ac yr oedd llawer o'r werin bobl mewn dyled parhaus iddynt. Cynyddodd y dyledion pan ddaeth yr alwad i'r Croesgadau, oherwydd gwaith costus oedd paratoi am ryfel, a rhaid oedd benthyca gan Iddewon i gyfarfod â'r draul. Magodd hyn atgasedd tuag at yr Iddew, am na welai'r Croesgadwr pam y dylai ei ymdrechion i amddiffyn ei ffydd gael eu rhwystro o achos dyled i'r genedl a lofruddiodd Grist. Un ffordd o glirio'r ddyled oedd lladd y benthycwr, oherwydd nid oedd benthycwr marw'n debygol o ofyn am ei arian yn ôl.

Os rhywbeth, yr oedd diwinyddiaeth yn fwy grymus nag economeg, ac o ganlyniad i bregethu huawdl y brodyr teithiol ymosododd y bobl gyffredin ar yr Iddewon gan ladd pob un a wrthodai fedydd. Er i amryw o esgobion geisio'u hamddiffyn trwy roi nodded iddynt yn eu cartrefi, ofer fu pob ymdrech i atal llid y tyrfaoedd. Rhwng Mai a Gorffennaf 1096 amcangyfrifir i ddeng mil o Iddewon gael eu lladd yn enw Crist yn yr Almaen yn unig. Bu'r ymosodiadau'n arbennig o greulon mewn dinasoedd fel Speier, Worms, Mainz, Cologne, Trier a Metz, canolfannau Iddewig adnabyddus.

Adwaith yr Iddew

Er i'r Croesgadau ddal ymlaen am dros ganrif a hanner, yr unig un i effeithio'n drwm ar yr Iddewon oedd y gyntaf. Erbyn yr ail a'r drydedd, ym 1146 a 1190, yr oedd yr awdurdodau

---

[2] Gw. J. Parkes, *The Jew in the Mediaeval Community* (London 1938), t. 65.

eglwysig wedi deffro i'r perygl o roi penrhyddid i arweinwyr lleol, a gwnaethant ymdrech deg i dorri crib y pregethwyr teithiol. Y canlyniad fu i'r Croesgadau hyn fod yn fwy disgybledig ac i'r cymunedau Iddewig gael llonydd. Ond yr oedd 1096 yn flwyddyn dywyll iawn i Iddewon Ewrop, fel y casglwn o groniclau Iddewig y cyfnod.

Yr hyn sydd o ddiddordeb yn y ffynonellau yw adwaith yr Iddewon i'r erlid.[3] Er y cyfrifid yr Iddew yn ofnus a di-asgwrn-cefn yn yr Oesoedd Canol, tystia'r haneswyr i sawl cymuned ymladd hyd at waed i'w hamddiffyn ei hun. Pan fethodd hyn, trodd llawer o Iddewon at eu cymdogion Cristnogol i ddianc rhag cynddaredd y dorf. Y mae'n wir nad oedd yr ymgais hon chwaith yn effeithiol yn wyneb byddinoedd arfog, ond y mae parodrwydd y Cristion i roi lloches ar ei aelwyd i'r Iddew yn arwydd fod y berthynas rhyngddynt, ar un lefel beth bynnag, yn weddol agos a chyfeillgar. Yr oedd derbyn bedydd yn ffordd arall i'r Iddew osgoi adfyd, oherwydd fel rheol câi'r dewis o farwolaeth neu fedydd. I'r mwyafrif o Iddewon bedyddiedig, dewis ffug oedd hwn. Er iddynt roi'r argraff yn gyhoeddus eu bod yn Gristnogion pybyr, parhaent i arddel Iddewiaeth yn ddirgel. Ond yr adwaith mwyaf syfrdanol o bell ffordd yn y croniclau yw merthyrdod. I gannoedd o Iddewon yr oedd marwolaeth yn fwy derbyniol na bedydd. Dewisodd llawer hunanladdiad yn hytrach na thröedigaeth, a llofruddiwyd plant gan eu rhieni i'w cadw rhag mynd i afael Cristnogion. Dyma'r dystiolaeth eithaf i ffydd y tadau, tystiolaeth na welwyd mo'i bath am fil o flynyddoedd cyn hyn mewn Iddewiaeth. Y tro diwethaf i rieni ladd eu plant oedd yn y ganrif gyntaf O.C. pan ymosododd y Rhufeiniaid ar gaer Masada ar lan y Môr Marw, amddiffynfa olaf y Selotiaid.

Wrth gloriannu creulondeb y Croesgadwyr tuag at Iddewon, rhaid gwahaniaethu rhwng agwedd swyddogol yr Eglwys ac ymddygiad mympwyol y dorf. Yr oedd i bolisi'r Eglwys bedair haen a ddeilliai o'r cyfnod cynnar. O safbwynt diwinyddol, honnid fod Iddewiaeth yn grefydd farw a'i bod bellach wedi ei disodli gan Gristnogaeth. Am i'r Iddewon wrthod y

[3] G. R. Chazan, op.cit., tt. 85 ym. Am y croniclau Iddewig gw. S. Eidelberg (gol.), *The Jews and the Crusades* (Wisconsin 1977).

gwirionedd a lladd Duw yn y cnawd, collasant ragorfreintiau cenedl etholedig. Treiddiodd y ddysgeidiaeth hon i'r litwrgi a'r gwasanaethau a daeth yn gyfarwydd iawn i'r ffyddloniaid. Yn ogystal â'r agwedd negyddol hon at y grefydd Iddewig, ceid y syniad fod Iddewon yn elyniaethus at Gristnogaeth. Yr oedd eu hymgais fwriadus i wrthod bedydd yn brawf terfynol o hyn. Ond yn wleidyddol 'roedd gan Iddewon yr un hawliau â phawb arall. Er nad oeddent fel cenedl yn dderbyniol mwyach gan Dduw, yr oedd yr Eglwys yn barod, o leiaf yn ei datganiadau, i'w hamddiffyn rhag niwed ac i gydnabod eu rhyddid crefyddol. Yn gymdeithasol, serch hynny, yr oedd yn rhaid cyfyngu arnynt, oherwydd trwy ei anghrediniaeth gallai'r Iddew fod yn dramgwydd i'r Cristion a'i ddenu i ymuno â defodau a gwyliau Iddewig. Yr oedd yn ofynnol, felly, ei rwystro rhag cyfathrachu â'i gymdogion.

Dyma'n fras bolisi'r Eglwys yn yr Oesoedd Canol. Mewn cyfnodau heddychol, yr oedd yn bur effeithiol — ar wahân i'r cymal olaf. Llwyddodd yr Eglwys i gadw cydbwysedd rhwng condemnio'r Iddew yn ei diwinyddiaeth a'i amddiffyn yn ei chyfraith. Mewn cyfnod terfysglyd, fodd bynnag, fel yr unfed ganrif ar ddeg, yr oedd yn anos gweithredu'r fath bolisi cytbwys yn llwyddiannus. Ar y gorau, ffin denau sydd rhwng condemniad a goddefgarwch, rhwng amddiffyn a chyfyngu. A phan aeth disgyblaeth ac awdurdod yr Eglwys i'r gwynt, y cyntaf i ddioddef oddi wrth gynddaredd gwaedlyd y dorf oedd yr Iddew. Canlyniad propaganda'r Croesgadwyr oedd y cyfnod cyntaf o wir wrth-Iddewiaeth ar raddfa eang yn Ewrop.

Canrif Dyngedfennol

Esgorodd Rhyfeloedd y Groes ar Eglwys gref a buddugoliaethus o dan arweiniad pabau egnïol, ac o'r herwydd 'roedd y drydedd ganrif ar ddeg yn gyfnod o adfywiad a chynnydd. Hon oedd canrif y diwygwyr mawr megis Dominic, Ffransis o Assisi a Tomos Acwin. Dyma oes aur urddau crefyddol y Brodyr Cardod, sef y rheng flaen ym myddin y pab. Ond yr oedd hefyd yn ganrif gythryblus o safbwynt cred, canrif a welodd sefydlu'r Chwilys yn Rhufain o dan ofal urdd y Dominiciaid i warchod y Ffydd trwy ymladd heresi.

58

Pedwerydd Cyngor y Lateran

Os oedd y drydedd ganrif ar ddeg yn un gyffrous i'r Cristion, yr oedd yn dyngedfennol i'r Iddew, a hynny oherwydd datganiadau andwyol Pedwerydd Cyngor y Lateran. Ym 1215 galwodd Innosent III bymtheg cant o esgobion a diwinyddion i Rufain i ymgynghori ar sut i amddiffyn y Ffydd yn erbyn hereticiaid. Hwn oedd y pab mwyaf dylanwadol er Grigor Fawr, ond yn anffodus yr oedd ei agwedd at yr Iddewon yn annodweddiadol o'i ragflaenwyr yn y babaeth. Mewn llythyr at un o bendefigion Ffrainc y mae'n adleisio Awstin :

> Gwnaeth yr Arglwydd Cain yn grwydryn a ffoadur ar y daear, ond gosododd nod arno, gan wneud i'w ben ysgwyd, rhag i neb a ddoi ar ei draws ei ladd. Eto, er na ddylid lladd yr Iddewon am dywallt gwaed Iesu Grist, . . . rhaid iddynt grwydro'r ddaear nes eu bod yn llawn cywilydd ac yn barod i alw ar enw Iesu Grist yr Arglwydd [4]

Adlewyrchir syniadau negyddol y pab mewn pum datganiad o eiddo Pedwerydd Cyngor y Lateran, cyngor pwysicaf yr Oesoedd Canol, ynglŷn â'r Iddewon.[5] Ceisiwyd eu rhwystro rhag codi llog ar fenthyciad, am eu bod trwy usuriaeth yn elwa gormod ar Gristnogion yr oedd arnynt angen cymorth ariannol. Nid oeddent i ymddangos yn gyhoeddus yn ystod yr Wythnos Fawr o flaen y Pasg, am eu bod yn dilorni'r Crist croeshoeliedig. Gwaherddid unrhyw Iddew rhag dal swydd o bwys a dylanwad yn y gymdeithas, am ei fod yn debygol o ormesu ei weision Cristnogol. Ni chaniateid chwaith i Iddewon bedyddiedig arddel arferion a seremonïau Iddewig; yr oedd yn rhaid i'w Cristnogaeth fod yn ddilychwin. Yn olaf, gorfodid pob Iddew a Mwslim i wisgo dilledyn arbennig mewn mannau cyhoeddus fel y stryd neu'r farchnad er mwyn i bawb ei adnabod.

Nid oes dim byd chwyldroadol yn y pedwar gwaharddiad cyntaf, ar wahân i'r ffaith fod yr Eglwys fyd-eang yn awr yn rhoi sêl ei bendith ar gyfreithiau a basiwyd eisoes gan gynghorau eglwysig lleol. Ond wrth ddeddfu ynglŷn â gwisg

[4] S. Grayzel, *The Church and the Jews in the Thirteenth Century* (Philadlephia 1933), t. 126.
[5] Am y testun llawn gw. E. Synan, *The Popes and the Jews in the Middle Ages* (New York 1965), Atodiad.

neilltuol yr oedd yr Eglwys yn torri tir newydd. Er fod y dull hwn o adnabod anghredinwyr i'w gael o dan Islam mor gynnar â'r nawfed ganrif, dyma'r tro cyntaf i'r Eglwys deimlo'r angen am arwydd gweladwy o'r gwahaniaeth rhwng Cristion ac Iddew. Yn ôl datganiad y Cyngor, diben neilltuo'r Iddew yn y modd yma oedd atal priodasau rhwng Cristnogion ac Iddewon. Os oedd yr Iddew'n gwisgo'i grefydd ar ei lawes, nid oedd gan y Cristion esgus dros beidio'i adnabod cyn ymgyfathrachu ag ef. Gellir dadlau, felly, mai pwrpas bugeiliol oedd i'r gyfraith hon, sef ymgais i gadw'r ffyddloniaid rhag troi at Iddewiaeth. Ond o gofio agwedd negyddol y pab, a'r dybiaeth gyffredin mai Iddewon oedd wrth wraidd rhai o'r heresïau a fygythiai'r Eglwys, haws credu mai mesur gwrth-Iddewig oedd hwn yn y bôn.

Beth bynnag oedd gwir amcan y Cyngor, cafodd y ddeddf ynglŷn â dillad effaith fwy andwyol ar fywyd Iddewig na'r un o'r lleill. Yr oedd gwisg arbennig nid yn unig yn atal yr Iddew rhag cymdeithasu â Christion, ond hefyd yn ei wneud yn destun gwawd ac yn gocyn hitio i'r sawl a fynnai ddial arno. Y mae ymdrechion cyson amryw gymunedau Iddewig i ddiddymu'r ddeddf yn profi pa mor niweidiol ydoedd. Ond ofer fu pob apêl. Er i babau diweddarach liniaru rhywfaint ar gyflwr yr Iddewon, llyncodd pob un ohonynt y syniad o'u neilltuo ag arwyddion gweledig. Ganrif ar ôl canrif ategwyd cyfraith Innosent III gan bab a phendefig. Yr oedd y dehongliad o'r gair penagored 'gwisg' neu 'ddilledyn' a geir yn y ddeddf yn amrywio. Yn yr Almaen a Dwyrain Ewrop het felen bigfain ydoedd, ond yn Ffrainc a'r Eidal cylch o frethyn coch neu felyn wedi ei wnïo ar y gôt dros y galon.[6] Er mynd yn angof am gyfnod wedi'r Chwyldro Ffrengig, ailymddangosodd y bathodyn yn yr Almaen ar Medi 1, 1941 pan orchmynnwyd i bob Iddew wisgo 'seren Ddafydd' ar ei wisg, cyfraith ag iddi ganlyniadau echrydus. Mewn un ystyr, 'roedd Adolph Hitler yn etifedd teilwng i Innosent III.

[6] Gw. mwy am hanes y bathodyn yn I. Abrahams, *Jewish Life in the Middle Ages* (New York 1896 a 1960), pen. 16.

Dulliau cenhadu

Yn ôl deddf eglwysig, nid oedd gan Chwilys y Pab Innosent III hawl i ymyrryd â'r Iddewon. Ei briod waith oedd chwilio am heresïau y tu fewn i'r Eglwys, ac wedi dod o hyd iddynt, cosbi'r troseddwyr; disgyblu gau Gristnogion, nid Iddewon a Mwslimiaid, oedd ei diben sylfaenol. Ymddengys, fodd bynnag, i'r Eglwys anwybyddu'r egwyddor hon yn fuan iawn, a mynd ati'n ddyfal i boenydio'r Iddewon trwy gyfrwng y Chwilys. Er na ellid ystyried yr Iddew yn heretic, ym marn yr awdurdodau yr oedd ei bresenoldeb yng ngwledydd Cred yn andwyol i'r Cristion am ei fod yn arwain y ffyddloniaid i amau gwirioneddau'r Ffydd. Fel yn y canrifoedd cynnar, yr oedd bodolaeth y Synagog yn dal i fygwth yr Eglwys oherwydd hi, o bosibl, oedd y tu cefn i brif heresïau'r cyfnod. O dan arweiniad y Dominiciaid, sefydlodd y Chwilys dair ffordd i wthladd y fath ddylanwad niweidiol.

Yn gyntaf, pregethu gorfodol. Ers canrifoedd bu'r arfer o orfodi Iddewon i wrando ar bregethwyr Cristnogol yn rhan o bolisi'r Eglwys ple bynnag yr oedd Iddew a Christion yn cydfyw. Y ffordd orau i ddileu Iddewiaeth oedd cenhadu effeithiol i sicrhau fod yr Iddew yn dod wyneb yn wyneb â gwirioneddau mawr y Ffydd. Tystia'r arferiad hwn i'r dybiaeth gynnar fod y grefydd Gristnogol yn gwbl glir a rhesymol, dim ond i'w lladmeryddion gael cyfle i'w hesbonio. Petai'r Iddew yn dod i adnabod y Ffydd yn ei phurdeb, byddai'n sicr o ofyn am fedydd. Pa ffordd well i wneud hyn na'i orfodi i wrando ar bregethau Cristnogol o bulpud ei synagog. Er nad oedd y dull hwn o genhadu yn newydd, rhoddwyd llawer mwy o bwys arno ar ôl sefydlu urddau pregethu y Dominiciaid a'r Ffransisciaid yn nechrau'r drydedd ganrif ar ddeg. Mynnodd y Brodyr Cardod bregethu'n rheolaidd i'r Iddewon trwy gael gan yr awdurdodau dinesig erchi i bob Iddew, ar boen ei fywyd, ddod i wrando ar yr hoelion wyth. Ar y cychwyn nid oedd y pabau'n barod i roi bendith swyddogol yr Eglwys ar ymgyrch y brodyr, ond ym 1278 cyhoeddodd y Pab Nicholas III restr o reolau ynglŷn â gwrando pregethau gorfodol. Yr oedd pob pregeth i'w thraddodi yn y synagog, a hynny un ai ar nos Wener neu fore Saboth, a hefyd ar brif wyliau'r calendr Iddewig, pan fyddai pob Iddew yn bresennol. I sicrhau fod pawb yn cadw'n effro yr oedd gan y pregethwr hawl i gyflogi 'ysgytiwr' (*excitator*) i fynd o gwmpas y gynulleidfa a chanddo ffon bigfain i gystwyo'r cysgwyr. Ei gyfrifoldeb ef hefyd oedd sicrhau nad oedd gan neb wadin yn ei glustiau yn ystod y bregeth. Gallwn ddychmygu'r atgasedd a enynnodd y pregethau hyn ymysg yr Iddewon, a go brin y ceid llu o dröedigaethau o ganlyniad i ymdrechion y brodyr. Serch hynny, bu pregethau gorfodol yn rhan o bolisi swyddogol Eglwys Rhufain at yr Iddewon am ymron chwe chanrif. Fe'u diddymwyd gan y Pab Piws IX ym 1848.

Ail ddull y Chwilys o genhadu ymhlith Iddewon oedd cynnal dadleuon cyhoeddus rhwng diwinyddion a rabbiniaid ar rai o'r pynciau llosg a gadwai Iddew a Christion ar wahân. Mewn llai na chanrif cynhaliwyd tair ohonynt, un yn Ffrainc a dwy yn Sbaen, ac fel yn achos y pregethau, yr oedd gwrando ar y rhain hefyd yn orfodol i'r Iddewon.[7] Daeth y cymhelliad i gynnal y ddadl enwog ym 1240 oddi wrth Nicholas Donin, cyn-Iddew a ymunodd â'r Dominiciaid ar ôl derbyn bedydd. Cwynodd Donin wrth y Pab Grigor IX fod y Talmwd, sef y drysorfa ddihysbydd o ddiwylliant, cyfraith a chred yr Iddew, yn llawn o gyfeiriadau gwrth-Gristnogol ac yn rhwystr i genhadu effeithiol. Ymatebodd y pab trwy anfon llythyr agored yn cefnogi safbwynt Donin at holl frenhinoedd Cristnogol Ewrop, ac erchi iddynt feddiannu pob Talmwd o fewn eu teyrnas a'u trosglwyddo i ofal y Brodyr Cardod. O ganlyniad, trefnodd brenin Ffrainc, Louis IX, gelyn pennaf yr Iddewon, ddadl gyhoeddus ym Mharis rhwng Donin a phedwar rabbi ar natur a chynnwys y Talmwd. Daeth yr erlynydd â phymtheg ar hugain o gyhuddiadau yn erbyn y Talmwd, megis gau-athrawiaeth am natur Duw, cablu enw Crist ac ymosodiadau ar yr Eglwys, cyn galw ar y brenin i losgi pob copi yn ei deyrnas. Ni allai'r Iddewon wadu fod Donin yn olau yn y Talmwd a bod ei gyfeiriadau at adnodau gwrth-Gristnogol yn gywir. Ac er iddynt amddiffyn eu treftadaeth trwy roi dehongliad arall o'r rhannau annerbyniol, a cheisio dangos pa

[7] Gw. ymhellach ar y dadleuon hyn yn H. Maccoby, *Judaism on Trial: Jewish-Christian Disputations in the Middle Ages* (London 1982).

mor ganolog oedd y Talmwd i'w crefydd, ofer fu pob ymdrech i'w achub. Fe'i condemniwyd gan y pab a llosgwyd llond pedair trol ar hugain ohono, tua 12,000 o gyfrolau, ym Mharis ym 1242.

Mewn un ystyr, yr oedd y drafodaeth a gynhaliwyd ym mhrif synagog Barcelona ym 1263 yn dra gwahanol i'w rhagflaenydd. Nid ar gollfarnu a difa'r Talmwd yr oedd y pwyslais y tro hwn, ond ar ei ddefnyddioldeb i'r diwinydd o Gristion. Bwriad y trefnwyr oedd dyfynnu ffynonellau Iddewig i ategu Cristnogaeth, gan dybio y byddai hyn yn sicr o lorio'r Iddewon a'u gwthio i gydnabod gwirionedd yr Efengyl. Yn y Talmwd gwelai'r Chwilys gyfeiriadau at dduwdod Crist ac at y gred mai Iesu o Nasareth oedd y Meseia ac iddo ysgubo ymaith y gyfundrefn Iddewig o deml ac aberth pan fu farw ar y groes. Yn naturiol, ni fu sôn am gabledd a chelwyddau'r Talmwd y tro hwn rhag gwanhau achos y Cristion. Unwaith eto, cyn-Iddew o'r enw Pablo Christiani oedd yn erlyn, a Nachmanides, rabbi enwog Gerona, a gafodd y fraint o amddiffyn Iddewiaeth. Afraid dweud mai Pablo a orfu, ac er fod yr agwedd Gristnogol at y Talmwd yn wahanol iawn y tro hwn, gorchmynnodd y pab ei ddifa. Ffodd Nachmanides i Balesteina rhag llid y Chwilys, ac yno y treuliodd weddill ei oes.

Chwarae plant oedd trafodaethau Paris a Barcelona o'u cymharu â'r un a drefnodd y Gwrth-Bab Benedict XIII yn Tortosa. Parhaodd hon o Chwefror 1413 hyd Dachwedd 1414. Gyda chymorth ei feddyg, y cyn-Iddew Geronimo de Santa Fe, trefnodd Benedict ddadl i gloi pob dadl rhwng yr Eglwys a'r rabbiniaid. Credai'n gydwybodol y byddai hon yn arwain cymunedau Iddewig Sbaen i droi at Grist yn eu crynswth, ac y byddai yntau, Benedict, yn sgîl y tröedigaethau, yn cael ei gydnabod yn wir ben yr Eglwys. Fel ym Marcelona, cefnogaeth y Talmwd i'r gred fod y Meseia wedi ymddangos ym mherson Crist oedd y pwnc. Daeth lluoedd i wrando'r trafodaethau rhwng Geronimo a phedwar ar ddeg o brif rabbiniaid Sbaen, ac yn ôl un cyfrif, bedyddiwyd dros dair mil o Iddewon yn eglwysi Tortosa. Er fod llawer o'r rhain yn fedyddiadau gorfodol, yn y croniclau Iddewig gelwir y flwyddyn 1413-1414 yn 'Flwyddyn y Gwrthgiliad', ac o safbwynt yr Iddew, dyna ddechrau anaddawol i'r bymthegfed ganrif. Ond ni chafodd Benedict ei ddymuniad. Yn y flwyddyn ganlynol fe'i condemniwyd yng Nghyngor Constance am achosi sism yn yr Eglwys. Argymhellodd y Tadau fod 'y gangen wywedig hon o goeden yr Eglwys Gatholig yn cael ei thorri i lawr',[8] a hynny a fu.

Er mai 'trafodaethau' (*disputations*) oedd yr enw swyddogol ar y dadleuon hyn, ym meddwl yr Eglwys nid oedd dim byd i'w drafod. Yr oedd gwirionedd Cristnogaeth yn amlwg i bawb. Disgwylid y byddai'r rabbiniaid yn ildio i'r diwinyddion ac yn arwain eu deiliaid i'r fedyddfan. Ond nid dyna a ddigwyddodd. Yr oedd yr Iddewon yn abl ac yn barod i amddiffyn eu cred, a methiant llwyr fu'r dadleuon fel ymgyrch genhadol. Os rhywbeth, dyfnhaodd yr agendor rhwng Iddew a Christion. Yr unig beth y gellir ei ddweud o blaid y trafodaethau yw eu bod yn ymgais i droi'r Iddewon at Grist trwy berswâd yn hytrach na chleddyf. Ond wedi dweud hynny, mynnodd y Chwilys losgi'r Talmwd, ac fel y dangosodd Hitler, cam bychan sydd o losgi llyfr i losgi'r awdur.

Camgyhuddiadau

Er fod yr awdurdodau yn Rhufain mewn un ystyr yn oddefgar tuag at yr Iddew, nid oedd modd iddynt gystadlu â syniadau mympwyol y werin. Yr oedd yr Eglwys leol, sef yr offeiriaid plwyf, y mynaich a'r brodyr teithiol, yn fwy parod na'r Fatican i goleddu ofergoelion amdano ac i hybu amryw o gamgyhuddiadau yn ei erbyn. Sylwn ar bedwar o'r rhain sy'n nodweddiadol o'r Oesoedd Canol.[9]

---

[8] F. Heer, *God's First Love*, t. 100. Am adroddiad o'r drafodaeth gw. Y. Baer, *A History of the Jews in Christian Spain*, cyf. Saes. (Philadelphia 1971), Cyfr. 2, tt. 170-243; H. Maccoby, *op.cit.*, Rhan 3.
[9] Ceir ymdriniaeth lawn â'r camgyhuddiadau mewn amryw o weithiau safonol, e.e. J. Trachtenberg, *The Devil and the Jews* (New Haven 1943); L. Poliakov, *The History of Anti-Semitism: From the Time of Christ to the Court Jews* (London 1966), Cyfr. 1, tt. 41-173; S. W. Baron, *A Social and Religious History of the Jews* (New York 1967), Cyfr. 11, tt. 77-191.

Synagog Satan

Ar dudalen flaen llyfr i blant a gyhoeddwyd yn yr Almaen ym 1936 ceir darlun o ddyn hyll a boliog ac oddi tano y geiriau : 'Iddew — plentyn y diafol'. Ymgais i hau had atgasedd at Iddewon ym meddwl yr ifanc oedd y darlun hwn a'i debyg; rhan o bropaganda gwrthsemitaidd Hitler. Ond er i'r Natsïaid wneud defnydd cyson o'r fath syniad enllibus, nid eu heiddo hwy ydyw'n wreiddiol. Y mae'r cysylltiad honedig rhwng yr Iddew a'r diafol yn tarddu o'r traddodiad Cristnogol; fe'i gwelir gyntaf yn y Testament Newydd. Yn Ioan 8:44 y mae Iesu'n troi at y dyrfa sy'n sefyll o'i amgylch a'u cyhuddo o fod yn epil Satan. Meddai, 'Plant ydych chwi i'ch tad, y diafol, ac yr ydych â'ch bryd ar gyflawni dymuniadau eich tad. Lladdwr dynion oedd ef o'r cychwyn; nid yw'n sefyll yn y gwirionedd, oherwydd nid oes dim gwirionedd ynddo. Pan fydd yn dweud celwydd, datguddio'i natur ei hun y mae, oherwydd un celwyddog yw ef, a thad pob celwydd'. Cyfciria awdur Datguddiad 2:9 at Iddewon Smyrna fel 'synagog Satan' am iddynt wrthod y Meseia ac erlid ei ddilynwyr; nid gwir Iddewon mohonynt, ond gwcision y diafol sydd â'u bryd ar ddifa Cristnogion. Er i Dadau'r Eglwys Fore ystyried y testunau hyn wrth ymdrin ag Iddewiaeth, ni roesant sylw penodol iddynt. Y mae'n wir fod Ioan Chrysostom yn disgrifio'r synagog yn Antioch fel 'cartref cythreuliaid' ac enaid yr Iddew fel 'lloches Satan', ond eithriadau yw cyfeiriadau o'r fath yng ngweithiau diwinyddion cynnar. Yn yr Oesoedd Canol, fodd bynnag, rhoddwyd pwyslais diamwys ar Ioan 8:44. O'r ddeuddegfed ganrif ymlaen ceir amryw o enghreifftiau mewn llên a chelfyddyd Gristnogol sy'n cyfleu'r syniad mai plentyn y Fall yw'r Iddew.

Er mwyn ceisio dirnad sut y treiddiodd y syniad anhygoel hwn i ddysgeidiaeth yr Eglwys, rhaid sylwi ar y portread o'r diafol sy'n nodweddu diwinyddiaeth a diwylliant y cyfnod. Yng nghanrifoedd cynnar Cristnogaeth yr eglurhad arferol am fodolaeth y diafol oedd mai angel colledig ydoedd yn wreiddiol. Seiliwyd y gred hon ar destunau megis 2 Pedr 2:4 a Llythyr Jwdas 1:6 sy'n sôn am yr angylion a draddodwyd i 'garchar tywyll byd y meirw' am iddynt wrthod cadw 'o fewn terfynau eu llywodraeth' a 'chefnu ar eu trigfan eu hunain'. Rhoddir dau reswm am eu cwymp. Y naill yw eu hanlladrwydd yn ymgyfathrachu â merched dynion' (Gen. 6 : 1-4), a'r llall yw eu balchder yn gwrthod derbyn penarglwyddiaeth Duw. Ar gorn yr esboniad hwn ar ei darddiad, portreadir y diafol mewn celfyddyd Gristnogol gynnar fel angel. Nid oes sôn amdano'n ymgnawdoli ac yn cerdded y ddaear mewn rhith dynol. Ond erbyn yr Oesoedd Canol yr oedd darlun cwbl wahanol ohono'n dechrau ymddangos. Yng nghrefft y cyfnod hwn cyflwynir ef fel bod ffiaidd a gwrthun. Ymddengys weithiau fel corrach, dro arall fel cawr, ond bob amser a chanddo gynffon, crafangau, cyrn a locsyn-gafr. Y mae ei wyneb a'i gorff yn fwriadus hyll ac afluniaidd. Yn hyn o beth y mae'r crefftwr yn adlewyrchu dysgeidiaeth yr Eglwys, oherwydd ei fwriad oedd ategu syniadau'r diwinyddion trwy godi arswyd ar ffyddloniaid anllythrennog a'u cymell i ochel rhag cael eu dal ym maglau'r Fall.

Y mae athrawon blaenllaw'r cyfnod, megis Tomos Acwin (1225-1274) a Duns Scotus (1265-1308) yn fyw i'r peryglon sy'n wynebu credinwyr mewn oes a roddai fwy o sylw i'r diafol nag i Dduw, ac o ganlyniad trafodant natur drygioni a phriodoleddau Satan ag arddeliad. Ymysg ei nodweddion pennaf rhestrir anlladrwydd, balchder, celwydd a'r gallu i ddadlau'n gyfrwys yn erbyn Cristnogaeth. Y nodwedd olaf sy'n arwain diwinyddion i ddisgrifio rhesymeg fel 'crefft y diafol' (*ars diaboli*), am fod modd i'w defnyddio i danseilio ffydd y Cristion a'i arwain ar gyfeiliorn. O'r herwydd, ystyrid heresi yn un o gynllwynion y diafol.[10] Yr oedd Tomos Acwin yn argyhoeddedig y gallai cythreuliaid ymgnawdoli mewn corff dynol a thwyllo credinwyr trwy ymddangos yr un mor naturiol â phawb arall, ar wahân i un peth, sef yr arogl cryf a ffiaidd a berthynai iddynt. Ond prif gynrychiolwyr Satan ar y ddaear oedd y gwrachod, a chanddynt hwy y dysgodd poenydwyr y Chwilys am ei briodoleddau.

---

[10] Dyna ddywed R. Bonfil, 'The Devil and the Jews in the Christian Consciousness of the Middle Ages', yn S. Almog (gol.), *Antisemitism through the Ages* (Oxford 1988), t. 95, ond ni welaf gyfeiriad at hyn yn unman arall.

Y mae cysylltiad agos rhwng y darlun newydd hwn o'r diafol a'r portread poblogaidd o'r Iddew. Ceir enghreifftiau mynych yng ngwaith arlunwyr o'r diafol yn marchogaeth ar gefn Iddew sy'n tyfu cynffon, cyrn a locsyn byr, nodweddion yr afr, hoff anifail Satan. Cyhuddid yr Iddew o anniweirdeb a llygredd moesol oherwydd maint ei deulu, ac o falchder oherwydd ei agwedd wrthnysig tuag at Gristnogaeth. Hefyd, am iddo gael ei drwytho yn y dulliau ymryson rabbinaidd, fe'i cyfrifid yn ddadleuwr digymar a'i fryd ar difrïo Cristnogaeth trwy gelwydd. Yn ddieithriad, portreadir yr Iddew yn hyll ac afluniaidd, a phriodolir iddo 'y drewdod Iddewig' (*foetor judaicus*) sy'n ei wneud yn hawdd i'w adnabod, ond sy'n diflannu yn nŵr bedydd. Y mae'r cyffelybiaethau hyn rhwng yr Iddew a'r diafol yn rhy agos ac amlwg iddynt fod yn ddamweiniol. Nid oes amheuaeth mai bwriad yr Eglwys yn yr Oesoedd Canol oedd darbwyllo'r ffyddloniaid mai'r diafol mewn cnawd oedd pob Iddew. Yn sicr, hyn sydd tu ôl i ymadrodd adnabyddus Shakespeare, 'Certainly, the Jew is the very devil incarnal'.[11]

Gwenwyno'r ffynhonnau

Esgorodd y camgyhuddiad sylfaenol fod yr Iddew yn blentyn i'r diafol ar eraill, ac yr oedd i bob un ohonynt ganlyniadau brawychus i gymunedau Iddewig ar hyd a lled Ewrop. Y mwyaf pellgyrhaeddol oedd y cyhuddiad o wenwyno'r ffynhonnau yn ystod y Pla Du, un o'r trychinebau mwyaf yn hanes gwareiddiad. Rhwng 1346 a 1361 ysodd y clwyf marwol hwn trwy gyfandir Ewrop gan ddifa traean, os nad hanner, y boblogaeth. Amcangyfrifir i tua phum miliwn ar hugain farw mewn pymtheng mlynedd. Yr oedd y mynwentydd mor llawn yn anterth yr afiechyd (1347-1350) nes i'r Pab Clement VI, a oedd yn byw yn Avignon ar y pryd, gysegru'r afon Rhôn er mwyn rhoi angladd Cristnogol i'r meirw. Nid rhyfedd yr ystyrid y pla yn gnul i'r Oesoedd Canol. Mewn ofn a dychryn aeth y gwybodusion ati'n ddioed i geisio darganfod tarddiad ac achos y fath gyflafan. Cynigiwyd dau reswm gwahanol, y naill yn ddaearyddol a'r llall yn ddiwinyddol. Tybiai gwydd-

[11] *Merchant of Venice*, 2:2.

onwyr a meddygon fod daeargrynfeydd wedi rhyddhau nwyon niweidiol a wenwynai'r boblogaeth trwy lygru'r dŵr a'r awyr. Ond yn ôl yr awdurdodau eglwysig, cosb Duw oedd y pla; dull y dwyfol o ddial ar genhedlaeth wrthnysig. Aeth rhai, megis y pregethwyr teithiol, â'r ddadl ddiwinyddol gam ymhellach, ac ystyried yr Iddew fel yr offeryn a ddefnyddiai Duw i gyrraedd ei nod. Pwy well na phlant y Fall i andwyo Cristnogion? Wedi'r cwbl, onid oedd Satan yn crwydro'r ddaear yn chwilio am gyfle i boenydio credinwyr? Er mwyn hybu'r ddamcaniaeth, taenwyd y stori fod Iddewon Sbaen wedi cychwyn y pla trwy wenwyno'r ffynhonnau. Ar wahân i'r ddadl ddiwinyddol, y tu cefn i'r cyhuddiad yr oedd y gred ddi-sail fod llawer llai o Iddewon nag o Gristnogion yn clafychu a marw. Tybid fod yr Iddewon yn gwybod ymlaen llaw pa ffynhonnau oedd yn niweidiol ac yn gofalu peidio â'u defnyddio.

Nid cyhuddiad newydd mo hwn. Fe'i gwnaed eisoes yn yr Almaen ym 1096 a throeon yn y cyfamser, ac ar bob achlysur daeth â rhyw gymaint o erlid yn ei sgîl. Ond yn y bedwaredd ganrif ar ddeg yr oedd iddo ganlyniadau echrydus iawn. Ledled Ewrop, o Sbaen i Wlad Pwyl, ymosododd y bobl gyffredin ar eu cymdogion Iddewig a'u llofruddio. Bu'r erlid ffyrnicaf yn yr Almaen lle'r oedd gan bob tref a dinas ran arbennig i Iddewon. Yn Freibourg llosgwyd pob Iddew wrth y stanc, ac eithrio deuddeg o'r rhai cyfoethocaf. Ar Chwefror 14, 1349, sef dydd Saboth, llofruddiwyd dwy fil o Iddewon Strasbourg yn eu mynwent eu hunain, a rhannwyd eu heiddo ymysg y dinasyddion. Nid oes sicrwydd faint o Iddewon a fu farw trwy erlid yn ystod y pla, ond dinistriwyd dros ddau gant o gymunedau Iddewig ffyniannus ar y Cyfandir. Yn eironig, arbedwyd yr Iddewon i ryw raddau rhag salwch gan reolau bwyd a glanweithdra Cyfraith Moses, ond nid oedd dianc rhag cleddyf y Cristion, hyd yn oed trwy derbyn bedydd.

Yn ddiamau, arweinwyr lleol, nid yr awdurdodau yn Rhufain oedd yn gyfrifol am ymddygiad gorffwyll y tyrfaoedd. Fel yn ystod y Groesgad Gyntaf, mynaich, offeiriaid a brodyr teithiol oedd am waed yr Iddew, nid yr awdurdodau eglwysig; ni chafodd yr erlid gefnogaeth swyddogol yr Eglwys unrhyw amser.

Ar ddau achlysur protestiodd y Pab Clement yn erbyn y camgyhuddiad o gynllwyn Iddewig byd-eang i ddifa Cristnogion. Er y credai yntau mai cosb oddi wrth Dduw oedd y pla, ni welai unrhyw sail i'r honiad mai gwaith Iddewon oedd y dŵr gwenwynig. Onid oedd y ffaith fod y clwyf yn ysgubo trwy ardaloedd heb yr un Iddew yn byw ynddynt yn tystio nad cynllwyn Iddewig mohono? O ganlyniad i brotest y pab, ni chafodd Iddewon yr Eidal na'r rhai yng nghyffiniau Avignon eu handwyo, ffaith sy'n profi y gallai arweinydd blaenllaw amddiffyn yr Iddew rhag ei boenydwyr pe dymunai.

Llofruddiaeth ddefodol

Camgyhuddiad arall sy'n dod i'r brig yng nghysgod Rhyfeloedd y Groes yw llofruddiaeth ddefodol, sef y gŵyn fod Iddewon yn lladd Cristnogion er mwyn defnyddio'u gwaed mewn seremonïau arbennig.[12] Nid cyhuddiad newydd mo hwn chwaith, nac un a oedd yn gyfyngedig i Iddewon. Yr oedd wedi ymddangos eisoes pan fyddai cymdeithas yn ofni cael ei thanseilio gan sectau dieithr a'u harferion dirgel. Yn y cyfnod cynnar cyhuddwyd Cristnogion gan y Rhufeiniaid o gyflawni aberth dynol, a chyhuddwyd hereticiaid o'r un trosedd gan Gristnogion. Ond er i'r Groegiaid gyhuddo'r Iddewon o lofruddio defodol cyn amser Crist, nid oes unrhyw arwydd fod y Cristnogion cynnar wedi gwneud yr un peth. Ni chlywir sôn amdano, yn yr ystyr o gyhuddiad penodol yn erbyn Iddewon, cyn y ddeuddegfed ganrif. Ond erbyn diwedd yr Oesoedd Canol y mae croniclau'r cyfnod yn frith gan enghreifftiau o'r gred fod ar yr Iddew angen gwaed Cristion ar gyfer dewiniaeth ac ofergoelion crefyddol. Defnyddiai waed, meddid, i wneud bara croyw, i wawdio'r Croeshoeliad, i eneinio'r meirw, i ordeinio rabbiniaid, i ddileu ei ddrewdod, i gymryd lle'r gwaed a gollwyd trwy enwaediad, i warchod rhag clefydau ac mewn llu o arferion eraill. Sylwn yma ar ddau achos nodedig o lofruddiaeth ddefodol, neu 'enllib gwaed' fel y'i gelwir weithiau, sydd o ddiddordeb arbennig i Brydeinwyr.

[12] Am yr ymchwil mwyaf trwyadl i'r pwnc gw. R. Po-Chia Hsia, *The Myth of Ritual Murder: Jews and Magic in Reformation Germany* (London 1988).

Noswyl y Groglith 1144 cafwyd corff marw prentis ifanc o'r enw William ar gytir gerllaw dinas Norwich.[13] Ar dystiolaeth amheus Theobald o Gaer-grawnt, a ddisgrifir gan yr hanesydd fel 'un a oedd unwaith yn Iddew ond sy'n awr yn fynach', cyhuddwyd yr Iddewon o'r anfadwaith. Yn ôl y tyst, rabbiniaid Ffrainc oedd yn gyfrifol am y cynllwyn, a hwy a ddewisodd Norwich. Eu hamcan oedd dilorni dioddefaint Crist trwy dywallt gwaed diniwed. Er i'r awdurdodau dinesig wrthod tystiolaeth y mynach a cheisio amddiffyn eu cymdogion, bu terfysg yn y ddinas am ddyddiau a lladdwyd Iddew blaenllaw gan un o'i ddyledwyr. Cadwyd gweddillion y bachgen yn ofalus, a bu beddrod Sant William o Norwich yn gyrchfan pererindod am ganrifoedd.

Ym 1255, pymtheng mlynedd ar hugain cyn i'r Iddewon gael eu halltudio o Brydain — alltudiaeth a barhaodd am dair canrif — digwyddodd yr un peth yn Lincoln. Darganfuwyd corff plentyn wyth oed mewn pydew, ac ar air cyn-Iddew cyhuddwyd Iddewon o'i ladd. Wedi prawf brysiog, anfonwyd naw deg o Iddewon Lincoln i'r Tŵr yn Llundain lle y crogwyd deunaw ohonynt. Fel yn achos William, cafodd y bachgen, Huw Fychan, yntau ei ganoneiddio, a datblygodd Lincoln hefyd yn gysegrle pwysig yn yr Oesoedd Canol. Y mae'r ffaith i stori Sant Huw ysbrydoli Chaucer wrth ysgrifennu Chwedlau Caer-gaint tua 1386, dros ganrif wedi'r digwydd, yn tystio i barhad a dylanwad pell-gyrhaeddol y fath gamgyhuddiadau.[14] I ddiddanu'r pererinion ar eu taith, y mae'r Briores yn adrodd chwedl am lofruddiaeth ddefodol sy'n agor gyda disgrifiad o'r *ghetto,* sef y rhan Iddewig, mewn dinas ddychmygol yn Asia :

> In Asia once there was a Christian town
> In which, long since, a Ghetto used to be
> Where there were Jews supported by the Crown
> For the foul lucre of their usury.
> And through this Ghetto one might walk or ride
> For it was free and open either side.

[13] Gw. ymhellach A. Jessop a M. R. James, *St William of Norwich* (Cambridge 1896); M. D. Anderson, *A Saint at Stake: the Strange Death of William of Norwich, 1144* (London 1964); G. I. Langmuir, *Towards a Definition of Antisemitism* (Oxford 1990), tt. 209-299.
[14] *The Canterbury Tales,* Penguin Classics (London 1977), tt. 187 ym.

Arferai plant y gymdogaeth fynd heibio i'r *ghetto* bob dydd
ar eu ffordd i'r ysgol gan adrodd y pader a chanu emynau
Cristnogol. Ond nid oedd hyn wrth fodd yr Iddewon :

> First of our foes the Serpent Satan shook
> Those Jewish hearts that are his waspish nest,
> Swelled up and said, 'O Hebrew people look !
> Is this not something that should be redressed?
> Is such a boy to roam as he thinks best
> Singing to spite you, canticles and saws
> Against the reverence of your holy laws?'
>
> From that time forward all these Jews conspired
> To chase this innocent child from the earth's face.
> Down a dark alley-way they found and hired
> A murderer who owned that secret place;
> And as the boy passed at his happy pace
> This cursed Jew grabbed him and held him, slit
> His little throat and cast him in a pit.
>
> Cast him, I say, into a privy-drain,
> Where they were wont to void their excrement.
> O cursed folk of Herod come again,
> Of what avail your villainous intent?
> Murder will out, and nothing can prevent
> God's honour spreading even from such seed;
> The blood cries out upon your cursed deed.

Ar ôl i'w fam ddarganfod corff y plentyn, cyhuddwyd yr
Iddewon o'r trosedd :

> The Provost then did judgement on the men
> Who did the murder, and he bid them serve
> A shameful death in torment there and then
> On all those guilty Jews; he did not swerve.
> 'Evils shall meet the evils they deserve'.
> And he condemned them to be drawn apart
> By horses. Then he hanged them from a cart.

Y mae'r briores yn cloi ei chwedl trwy alw ar Sant Huw i
weddïo dros y pererinion :

> O Hugh of Lincoln, likewise murdered so
> By cursed Jews, as is notorious
> (For it was but a little time ago),
> Pray mercy on our faltering steps, that thus

71

Merciful God may multiply on us
His mercy, though we be unstable and vary,
In love and reverence of His mother Mary.

Y mae'n amlwg fod y cyhuddiad o lofruddiaeth ddefodol yn erbyn Iddewon Lincoln mor fyw ag erioed gan mlynedd a mwy ar ôl marwolaeth y bachgen.

Safai carreg goffa i'r merthyr Huw Fychan am ganrifoedd yng Nghadeirlan Lincoln. Ond ym 1955 cymerwyd lle'r gofeb gan yr arysgrifen a ganlyn :

> Trumped-up stories of ritual murders of Christian boys by Jewish communities were common throughout the Middle Ages, and even much later. These fictions cost many innocent Jews their lives. Lincoln had its own legend, and the alleged victim was buried in the Cathedral. A shrine was erected above and the boy was referred to as 'Little St Hugh'. Such stories do not redound to the credit of Christendom, and so we pray : 'Remember not Lord our offences, nor the offences of our forefathers'.

Fe gymerodd saith can mlynedd i ddileu'r camgyhuddiad a gwneud cyfiawnder â'r Iddewon.

Dwy enghraifft yn unig yw y rhain allan o tua chant a hanner a groniclwyd yn Ewrop rhwng canol y ddeuddegfed ganrif a diwedd yr unfed ar bymtheg. Ond gwelir ynddynt yr hyn sy'n nodweddu ymron pob cyhuddiad o lofruddiaeth ddefodol. Fel rheol, cyflawnid y weithred, yn ôl y cyhuddwyr, yn ystod yr Wythnos Fawr, neu'n fuan wedi'r Pasg, er mwyn difrïo'r Croeshoeliad. Plentyn diniwed, bachgen gan amlaf, a ddewisid. Sail y cyhuddiad yn erbyn yr Iddewon oedd gair cyn-Iddew, un a fedyddiwyd yn ddiweddar ac a fedrai felly 'dystio' i'r anfadwaith a disgrifio gydag awdurdod arferion dieflig ac ofergoelus ei hil. Fel canlyniad anochel, fe gai'r Iddewon eu herlid yn ddidrugaredd a ddienyddid llawer ohonynt. Trwy ailadrodd y stori, byddai pob pererin yn sicrhau fod casineb tuag at yr Iddew yn cryfhau a chynyddu.

I'r sawl a ddefnyddiai ei reswm, celwydd golau oedd yr enllib gwaed. Nid oedd dim yn y Beibl na'r Talmwd i awgrymu fod ar Iddewon angen gwaed dynol ar gyfer eu defodau. I'r gwrthwyneb, yr oedd Cyfraith Moses yn gwahardd cyffwrdd â gwaed anifail, heb sôn am waed dyn, am fod y gwaed yn gyfystyr â bywyd, ac felly'n perthyn i Dduw. Petai Iddew'n dod i gyffyrddiad â gwaed, byddai'n ei halogi ei hun. Ond arf gwan yw ffaith yn erbyn penboethni'r ffanatig. Yn ystod y drydedd ganrif ar ddeg ysodd yr enllib trwy gyfandir Ewrop, yn enwedig yr Almaen, er i'r Ymerawdwr Frederick II anwybyddu'r cyhuddiad a gwrthod beio'r Iddewon. Gwnaeth y Pab Innosent IV yntau ddatganiad yn amddiffyn yr Iddewon ym 1247, y cyntaf o amryw ddatganiadau tebyg gan y Fatican dros y canrifoedd. Ond ofer fu'r holl ymdrechion. Yr oedd y chwedl wedi cydio'n rhy dynn yn nychymyg y werin i na phab na phendefig ei diwreiddio. Dim ond yn Ail Gyngor y Fatican, mor ddiweddar â 1965, y gwaharddwyd y ffyddlon-iaid rhag talu gwrogaeth i'r enwocaf a'r mwyaf poblogaidd o'r bechgyn ferthyron, Sant Simon o Trent, a lofruddiwyd ym 1475. A rhag i neb dybio mai at Gristnogion yn unig y mae'r enllib gwaed wedi apelio fel gwialen i gystwyo'r Iddewon, beth am yr hysbyseb canlynol mewn rhifyn diweddar o bapur swyddogol y Ku Klux Klan yn yr Unol Daleithiau :

JEWS
OWN 75% OF THE
Pet Food
Industry!
WHERE ARE OUR
MISSING CHILDREN?

THINK

Halogi'r bara'r allor

Camgyhuddiad mwy cyfrwys a dichellgar na hyd yn oed enllib gwaed, oedd fod Iddewon yn dwyn bara'r Cymun o'r eglwysi a'i ddefnyddio i'w dibenion llwgr eu hunain. ('Halogi'r Hostia', sef y gair Lladin am y bara, oedd y disgrifiad penodol.) Daw

73

difrifoldeb y trosedd honedig hwn i'r amlwg pan ystyriwn y datblygiadau pwysig a fu mewn diwinyddiaeth sacramentaidd yn yr Oesoedd Canol a'r defosiwn i Gorff Crist, sef y bara cysegredig, a flagurodd yn ei sgîl. Ym Mhedwerydd Cyngor y Lateran (1215) cafwyd datganiad terfynol ynglŷn â natur y presenoldeb dwyfol yn y Cymun Bendigaid, datganiad a gaeodd y mwdwl ar dros ganrif o ddadlau brwd rhwng uniongred a heretic. Ymadrodd technegol y Cyngor i ddisgrifio'r hyn a ddigwyddai ym mhob offeren oedd 'traws-sylweddiad', sef y gred fod elfennau'r Cymun, er iddynt barhau i ymddangos fel bara a gwin, yn troi'n gorff a gwaed Crist yn nwylo'r offeiriad. Yr oedd y nodweddion yn aros ond y sylwedd yn newid. O ganlyniad, cyfrifid y weddi gysegru'n ganolbwynt y gwasanaeth, ac ar ei therfyn cymerai'r offeiriad, a wynebai'r allor a'i gefn at y gynulleidfa, y bara yn ei ddwylo a'i ddyrchafu uwch ei ben. Cenid cloch y cysegr i hoelio sylw'r addolwyr ar yr *hostia*. Byddai distawrwydd llethol am foment, ac yna anhrefn llwyr wrth i bawb ymdrechu i gael cip ar Grist.

Yn raddol, daeth y bara ei hun yn wrthrych addoliad, ac i'r diben hwn fe'i cedwid mewn blwch ar yr allor ar ôl pob offeren. Ym 1264 sefydlodd y Pab Wrban IV ŵyl newydd o'r enw Corff Crist (*Corpus Christi*) i gadarnhau'r gred mewn traws-sylweddiad, ac mewn byr amser daeth hon yn ŵyl boblogaidd pan orymdeithiai'r ffyddloniaid trwy'r strydoedd yn cario Corff Crist. Ond ochr yn ochr â defosiynau swyddogol yr Eglwys, gwnaed defnydd helaeth o'r bara yn y gelfyddyd wen a'r gelfyddyd ddu. Datblygodd llu o ofergoelion ynglŷn â'i allu dewinol, ac o gofio grym ofergoeliaeth yn yr Oesoedd Canol, nid syn fod y bara'n cael ei ladrata o'r eglwysi. Yr oedd meddu ar Gorff Crist yn amddiffyn rhag salwch, yn sicrhau ffrwythlondeb dyn ac anifail, ac yn cadw'r diafol draw. Petai mab yn cusanu merch â'r bara yn ei cheg, byddai'r driw iddi am byth. Ar yr un pryd yr oedd grym dinistriol yn perthyn i fara'r allor. O'i ddefnyddio gan wrachod yn y gelfyddyd ddu, yr oedd yn gallu achosi erthylu, salwch a cholledion ariannol. Yn y dwylo anghywir yr oedd yn arf peryglus.

Yn fuan ar ôl Pedwerydd Cyngor y Lateran cyhuddwyd Iddewon Belitz, tref yn ymyl Berlin, o ddwyn y bara cysegredig

74

oddi ar yr allor, cyhuddiad a esgorodd ar ymron hanner cant o rai tebyg dros gyfnod o dair canrif (1243 - 1510). Gan fod yr Iddew, yn nhyb y werin, mewn cyfathrach â'r diafol, yr oedd yn barod i gyflawni'r fath anfadwaith. Trwy drywanu'r bara â chyllell a hoelion yr oedd yn ailgroeshoelio Crist ac yn difrïo Cristnogaeth. Ofer y protestiai mai darn o fara, a dim mwy, oedd yr *hostia* iddo ef. Ar gorn y camgyhuddiad hwn dienyddwyd miloedd o Iddewon yng ngogledd Ewrop cyn i'r Protestaniaid wrthod y gred mewn traws-sylweddiad a mynd â'r gwynt o hwyliau'r erlidwyr.

Y Chwilys yn Sbaen

'Nefoedd na uffern yr Iddew', dyna ddisgrifiad un hanesydd o Sbaen yr Oesoedd Canol. 'Nefoedd' am iddi fod yn noddfa gadarn iddo am ganrifoedd, 'uffern' am mai yma y profodd yr erlid ffyrnicaf rhwng y Croesgadau a chyfnod y Natsïaid. Pan gipiodd y Mwslimiaid y wlad o ddwylo'r Fandal a'r Fisigoth yn 711, gwthiwyd y Cristnogion i'r gogledd ddwyrain, ar y ffin â Ffrainc, ac o ganlyniad eiddo'r Mwslim oedd y rhan fwyaf o Sbaen am bron bum canrif. O'u cymharu â'u rhagflaenwyr Cristnogol, yr oedd y Mwslimiaid yn oddefgar tuag at yr Iddew ac yn barod i'w arddel fel aelod o gymdeithas. Ni fu'r Iddewon fawr o dro'n manteisio ar y fath frawdgarwch, ac yn fuan iawn daethant i'r brig fel meddygon, gweinyddwyr, llysgenhadon, athrawon ac ysgolheigion. Sbaen, meddir, oedd 'Ail Jwdea' yr Iddew, oherwydd yma fe deimlai'n ddiogel a hyderus. Prin y clywid sôn am erlid, a thrwy drugaredd ni chafodd pregethwyr y Croesgadau unrhyw ddylanwad ar y Sbaenwyr. Yn sicr, dyma oes aur Iddewiaeth yng ngwledydd cred. Rhyngddynt bu Iddew a Mwslim yn gyfrifol am wneud Sbaen yn ganolfan diwylliant enwocaf Gorllewin Ewrop yn yr Oesoedd Canol cynnar. Ond erbyn y bedwaredd ganrif ar ddeg yr oedd cwmwl du ar y gorwel a Sbaen yn prysur golli ei henw da fel lloches sicr i'r miloedd o Iddewon o fewn ei therfynau. 'Roedd y nefoedd ar fin troi'n uffern.

Y Cristnogion Newydd

Daeth terfyn ar benarglwyddiaeth y Mwslim yn Sbaen ym 1212 pan ailfeddiannodd y Cristnogion y wlad gyfan, ar wahân i deyrnas Granada yn y de orllewin. Cofier nad un wlad oedd Sbaen yn y cyfnod hwn. Yr oedd yn cynnwys nifer o deyrnasoedd bychain megis Leon, Aragon, Navarre, Galicia a Castile, pob un â'i brenin ei hun. Yn ffodus, ni wnaeth ymadawiad y Mwslim o bobman ond Granada ronyn o wahaniaeth i hawddfyd yr Iddewon. Er gwaethaf gwŷs Pedwerydd Cyngor y Lateran y dylid eu neilltuo oddi wrth gymdeithas oherwydd eu dylanwad andwyol ar y ffyddloniaid, yr oedd y brenhinoedd Cristnogol yn barod iawn i barhau eu breintiau ac i elwa ar eu profiad mewn amryw o alwedigaethau allweddol. Ond yn raddol, enynnodd llwyddiant yr Iddew eiddigedd y werin, ac erbyn canol y bedwaredd ganrif ar ddeg ymddangosodd yr erlid, a oedd eisoes mor amlwg mewn gwledydd eraill, yn Sbaen hefyd.

Ym 1371 eglurodd Cyngor Tref Toro yn Castile pam yr oedd y deyrnas yn dioddef cymaint o anfanteision :

> Oherwydd y rhyddid a'r grym mawr a roddir i elynion y ffydd, yn enwedig yr Iddewon, trwy ein holl deyrnas, yn y llys brenhinol yn ogystal â thai y marchogion, yr uchelwyr a'r pendefigion, ac oherwydd eu swyddi uchel a'r anrhydeddau pwysig sy'n perthyn iddynt, gorfodir pob Cristion i ufuddhau iddynt, i'w hofni a'u parchu. Y mae'r holl gynghorau dinesig a phawb ym mhob man yn gaethion i'r Iddewon ac o dan eu hiau. P'run ai o achos y ffafr a gânt yn y llys brenhinol ac mewn cartrefi bonedd, p'run ai o achos eu cyfoeth a'u swyddi, beth bynnag fo'r rheswm, y mae'r Iddewon, sy'n ddynion drwg ac anystyriol, gelynion Duw a Christnogaeth, yn gyfrifol am lawer o ddrygioni ac yn llygru'n ddigerydd. O ganlyniad, y mae'r Iddewon yn gormesu a difetha y rhan fwyaf o'n teyrnas allan o ddirmyg at Gristnogion a'n ffydd Gatholig.[15]

Agorodd y fath atgasedd y drws i erledigaeth, ac yn Sbaen, fel yng ngweddill cyfandir Ewrop, camgyhuddwyd yr Iddew o ddwyn bara'r allor, o ladd plant ac, yn ystod y Pla Du, o wenwyno ffynhonnau. Ofer fu ymgais yr awdurdodau i atal

---

[15] Gw. D. Cohn-Sherbok, *The Crucified Jew: Twenty Centuries of Christian Anti-Semitism* (London 1992), t. 78.

cynddaredd y werinos, a Dydd Mercher Lludw 1391, yn dilyn pregethu huawdl a gwrth-Iddewig offeiriad o'r enw Martinez, cafwyd yr erlid mawr cyntaf yn hanes Iddewon Sbaen, pan ymosododd trigolion Seville ar eu cymdogion Iddewig a lladd dros bedair mil ohonynt. Dinistriwyd tair ar hugain o synagogau ysblennydd yn y ddinas a chodwyd eglwysi Cristnogol ar yr adfeilion. Carlamodd y terfysg trwy ddinasoedd eraill nes bod hanner can mil o Iddewon yn gelain, ac am ganrif union, nes eu halltudio o'r wlad ym 1492, dyma fu tynged cymunedau Iddewig llewyrchus Sbaen.

Ond er mor gïaidd y gormes, yr oedd i'r Iddewon un ddihangfa sicr, sef bedydd. Fel yng ngogledd Ewrop yn ystod Rhyfeloedd y Groes, 'roedd ganddynt ddewis: un ai Cristnogaeth neu farwolaeth. Nid syn iddynt heidio i'r fedyddfan. Amcangyfrifir i chwe mil o Iddewon Sbaen dderbyn bedydd un ai'n wirfoddol neu wrth fin y cledd yn ystod y can mlynedd rhwng 1391 a 1492. Dyma'r Cristnogion Newydd, neu *Conversos* yn y Sbaeneg, sef Cristnogion o dras Iddewig. Yr oedd rhai ohonynt yn ddidwyll yn eu cred ac yn argyhoeddedig o wirionedd Cristnogaeth. Gwelai eraill fanteision amlwg o droi cefn ar grefydd eu tadau. Am nad oeddent mwyach yn Iddewon, fe'u hystyrid yn aelodau cyflawn o gymdeithas, gyda'r hawl i ddal unrhyw swydd a fynnent. Aeth y mwyaf ymroddgar i ben yr ysgol yn ddiymdroi, ac erbyn canol y bymthegfed ganrif yr oedd *Conversos* i'w cael ym mhob galwedigaeth gwerth sôn amdani, gan gynnwys yr Eglwys. Urddwyd llawer yn offeiriaid a chafwyd amryw o esgobion o'u plith. Yr oedd gan y mynachlogydd a'r lleiandai hefyd eu cyfran ohonynt, megis y Santes Teresa o Avila, un o sêr disgleiriaf urdd y Carmeliaid, i enwi dim ond un. Am gyfnod edrychai'n bur debyg y câi'r *Conversos* dderbyniad gwresog gan eu cyd-gredinwyr, yr Hen Gristnogion fel y gelwid hwy, ac na fyddai unrhyw anhawster iddynt ymdoddi i'r gymdeithas. Ond nid felly y bu.

Ym 1449 gwrthryfelodd dineswyr Toledo yn nheyrnas Castile yn erbyn y brenin am fod y dreth yn rhy uchel. Yn y sgarmes llofruddiwyd cyn-Iddew a oedd, fel llawer o'i genedl, yn gyfrifol am gasglu arian yn enw'r llywodraeth. Ym marn

77

y trigolion, *Conversos* ymhlith cynghorwyr y brenin oedd yn gyfrifol am godi'r dreth, ac am hyn fe haeddant y gosb eithaf. Llosgwyd eu tai a llofruddiwyd amryw ohonynt. Er mai rhesymau cymdeithasol oedd wrth wraidd yr erlid yn Toledo, fel yn Toro, y gŵyn swyddogol yn erbyn y *Conversos* oedd fod lle i amau dilysrwydd eu tröedigaeth. Er iddynt arddel Cristnogaeth yn gyhoeddus, yn y bôn parhaent yn Iddewon, ac i lawer o Sbaenwyr yr oedd Iddew cudd yn fwy o fygythiad i sefydlogrwydd y gymdeithas na Iddew agored. I ychwanegu at y dirmyg, rhoddodd y werin lysenw i'r Cristnogion Newydd, sef *Marranos,* y gair Sbaeneg am 'moch'.[16]

Gwaed drwg

Os oedd y *Marranos* mor barod i lithro'n ôl i fynwes eu tadau, yr oedd yn amlwg nad oedd dŵr bedydd mor effeithiol ag y tybid ei fod. Er gwaethaf holl hyfforddi a phregethu y brodyr cardod, teimlai llawer o'r Hen Gristnogion fod dylanwad Iddewiaeth yn dal yn drwm ar y Cristnogion Newydd. Ond er fod amheuon cryf ynglŷn â'u didwylledd, mater arall oedd profi gwrthgiliad. Yn ffodus, 'roedd cymorth parod gerllaw. Onid priod waith y Chwilys, a sefydlwyd ddwy ganrif a hanner ynghynt i ymladd heresi yn Ffrainc, oedd gwarchod uniongrededd? Gwnaed apêl at Rufain, a Thachwedd 1, 1478 ysgrifennodd y pab at Ferdinand ac Isabella, llywodraethwyr teyrnas unedig Aragon a Castile lle'r oedd y mwyafrif o Iddewon yn byw, yn caniatáu iddynt ethol dau swyddog i weithredu'r Chwilys yn Sbaen. Cafwyd y seremoni agoriadol yn Ionawr 1481, ac yn swyddogol bu'r Chwilys arbennig hwn mewn grym hyd 1834. Rhoddwyd y gwaith yn nwylo profiadol y Dominiciaid, gelynion oesol yr Iddew, a chafwyd y canlyniadau disgwyliedig mewn byr amser. Dyletswydd y ffyddloniaid, ar boen eu bywyd, oedd hysbysu'r awdurdodau pe baent yn amau fod eu cymdogion yn wrthgilwyr. I'w cynorthwyo, lluniodd y Chwilys brawf crefyddol trwy restru tri deg a saith o wahanol ffyrdd i adnabod *Marranos.* Yr oedd simdde ddi-fwg ar y

[16] Am hanes y Cristnogion Newydd yn Sbaen gw. C. Roth, *A History of the Marranos* (Philadelphia 1932).

Saboth, enwau o'r Hen Destament ar y plant, osgoi prynu cig moch gan y cigydd, ymatal rhag cydnabod athrawiaeth y Drindod trwy beidio ag adrodd 'Gogoniant i'r Tad, ac i'r Mab ac i'r Ysbryd Glân' mewn gwasanaeth eglwysig, a gwrthod gwisgo dillad parch ar y Sul, yn arwyddion sicr, ym marn y Chwilys, fod *Converso* wedi gwadu ei fedydd a dychwelyd at Iddewiaeth. Wedi'r cyhuddiad, yr oedd gan y troseddwr fis i syrthio ar ei fai cyn cael ei roi i'r poenydwyr. Pe bai'n parhau i ddiarddel Cristnogaeth, ni fyddai gan yr awdurdodau ddewis ond ei ddienyddio.

Er i swyddogion y Chwilys gredu iddynt ddarganfod miloedd o Iddewon cudd yn rhengoedd yr Eglwys, yr oedd llawer iawn o'r *Conversos* mor gadarn yn y ffydd ag unrhyw Gristion arall. Perthynai nifer fawr ohonynt i deuluoedd a oedd wedi bod yn Gristnogion am genedlaethau; trodd eraill at Grist o argyhoeddiad. Nid oedd dim yn eu bywyd bob dydd i awgrymu dylanwad Iddewiaeth, ac felly dim achos i'w cosbi. Gellid tybio mai unig ddiben y Chwilys oedd cloriannu ffyddlondeb y Cristnogion Newydd hyn i Gatholigiaeth trwy graffu ar eu cred a'u ffordd o fyw. Ond cofiwn nad gwrthgiliad oedd y broblem sylfaenol yn Sbaen. Y gwir achos yn erbyn y *Marranos* oedd fod y wlad yn gyforiog ohonynt a'u bod yn ymwthio i'r swyddi brasaf yn y gymdeithas. Wrth wraidd apêl Ferdinand ac Isabella am gymorth y Fatican oedd eu dymuniad am deyrnas sefydlog, unedig, teyrnas a fyddai'n rhydd o ddylanwadau dinistriol. Os oedd y Chwilys am achub byd ac Eglwys o afael haid o gyn-Iddewon uchelgeisiol, yr oedd yn rhaid iddo fedru gwahan-iaethu'n eglur rhwng Hen Gristnogion a Christnogion Newydd. Pan fethodd y prawf cyntaf â sicrhau lleihad sylweddol yn nifer y *Marranos*, bathwyd dull arall, un cwbl ddiamwys y tro hwn, i gael gwared ohonynt. Os na ellid profi fod y *Marrano* yn wrthgiliwr, ac felly'n euog o heresi, nid oedd unrhyw amheuaeth ynglŷn â'i dras. Er i'w gyndadau droi'n Gristnogion genedlaethau ynghynt, fe'i cyfrifid ef yn Iddew o ran hil. Llifai gwaed Iddewig yn ei wythiennau, ac yr oedd gwaed Iddew, fel gwaed dyn du, yn effeithio ar genedlaethau o ddisgynyddion. Pe bai hwn yn cymysgu â gwaed yr Hen Gristnogion trwy briodas, byddai'n eu llygru am byth oherwydd effaith andwyol

79

yr Iddew, llofrudd y Crist, ar bawb a phopeth. Er mwyn sicrhau pwy oedd yn hanu o deulu Iddewig a phwy nad oedd, bathodd y Chwilys 'Y Deddfau Gwaed Pur'. Yn lle prawf yn seiliedig ar gadw neu anwybyddu arferion crefyddol, cafwyd prawf biolegol. Yr oedd pawb o dras Iddewig, hyd yn oed ar un ochr i'w deulu'n unig, un euog o gario 'gwaed drwg' (*mala sangre*) ac yn haeddu ei gosbi am droseddu yn erbyn cymdeithas. Y tro hwn, nid oedd modd i'r *Marrano* ddianc o'r fagl.

Mewn dadansoddiad trylwyr o fwriad y Chwilys, meddai Benjamin Netanyahu :

> Its purpose was to degrade, impoverish and ruin the influence of the Marranos in all spheres of life, to terrorize and demoralize them individually and collectively — in brief, to destroy them psychologically and physically so as to make it impossible for them to rise again as a factor of any consequence in Spain. The aim of the Inquisition, therefore, as I see it, was not to eradicate a Jewish heresy from the midst of the Marrano group, but to eradicate the Marrano group from the midst of the Spanish people.[17]

Casgliad Netanyahu, ac eraill, yw fod y Chwilys yn Sbaen wedi dod i ystyried Iddewiaeth yn broblem hiliol yn hytrach na phroblem ddiwinyddol.

Gan iddo dderbyn bedydd, hyd yn oed os o dan orfod, cyfrifid pob *Marrano*'n Gristion, ac os llithrai'n ôl i Iddewiaeth deuai o dan awdurdod cydnabyddedig y Chwilys am ei fod yn euog o heresi. Ond nid oedd y Chwilys yn fodlon cyfyngu ei sylw i wrthgilwyr. Wedi deng mlynedd o erlid y *Marranos*, penderfynwyd alltudio hynny o wir Iddewon a oedd ar ôl yn Sbaen, a Mawrth 31, 1492 arwyddodd Ferdinand ac Isabella ddeddf yn eu bwrw allan o deyrnas Aragon a Castile am byth. Y mae dylanwad y Chwilys yn amlwg yng ngeiriad y ddogfen :

> Fe'n hysbysir gan swyddogion y Chwilys, ac eraill, fod caniatáu i Iddewon a Christnogion gymysgu yn peri drygioni difesur. Gwna'r Iddewon eu gorau i arwain Cristnogion Newydd a'u plant ar gyfeiliorn trwy roi llyfrau gweddi Iddewig iddynt,

[17] *The Marranos of Spain* (New York 1966 a 1973), t. 4.

eu dysgu am wyliau'r Iddewon, rhoi bara croyw iddynt ar gyfer y Pasg, eu hyfforddi ynglŷn â bwyd gwaharddedig a'u cymell i ddilyn Cyfraith Moses. O ganlyniad, y mae ein ffydd Gatholig yn cael ei hamharchu a'i diraddio. Casglwn, felly mai'r unig ffordd effeithiol i atal y fath ddrygau yw torri pob cysylltiad rhwng Iddewon a Christnogion unwaith am byth. Ni ellir gwneud hyn ond trwy eu halltudio o'n teyrnas.[18]

Â'r awduron ymlaen i ddisgrifio'r ymdrech a wnaed dros ddeng mlynedd i buro Cristnogaeth yn Sbaen trwy atal yr Iddewon rhag dylanwadu ar y *Conversos*. Ond ofer, meddent, fu pob ymgais. Yr unig ddewis bellach oedd alltudiaeth. Yr oedd gan yr Iddewon bedwar mis un ai i droi'n Gristnogion neu i adael y wlad heb eu heiddo na'u harian. Ffodd y mwyafrif, tua 150,000, i Bortwgal, ac aeth eraill i Ogledd Affrica. Ni chafodd yr un ohonynt groeso yn Ffrainc. Gorffennaf 31, 1492, y diwrnod yr hwyliodd Columbus tua'r Byd Newydd, ac yn y calendr Iddewig y dydd ympryd blynyddol i gofio Cwymp yr Ail Deml, gadawodd yr Iddew olaf ddaear Sbaen.

Casgliadau

Erbyn y ddeuddegfcd ganrif 'roedd atgasedd tuag at yr Iddew yn blaguro'n gyflym yng ngorllewin Ewrop. Diflannodd goddefgarwch yr Oesoedd Canol cynnar megis dros nos. Yng nghysgod Rhyfeloedd y Groes ymosodwyd yn ddidrugaredd ar yr Iddew yn enw'r Eglwys. Fel y dengys y camgyhuddiadau, ystyrid ef yn un o elynion pennaf Cristnogaeth, ac am hynny fe haeddai y gosb eithaf. Mewn byr amser cafodd polisi goddefgar Awstin a Grigor Fawr, a oedd wedi ffynnu am tuag wyth can mlynedd, ei wthio o'r neilltu gan y Brodyr Cardod, dilynwyr selog Ffransis a Dominic, a enillodd eu plwyf yn gynnar yn y drydedd ganrif ar ddeg fel ysgolheigion ac arweinwyr ysbrydol. Yn niwinyddiaeth y Brodyr, nid oedd gan yr Iddew hawl i fodoli; ei unig ddewis oedd cleddyf neu fedydd. Ceisiodd yr awdurdodau amddiffyn yr Iddewon. Yn

[18] Gw. D. Cohn-Sherbok, *op.cit.*, t. 88.

ystod Croesgad 1146 pregethodd Bernard, abad enwog Clairvaux a sefydlydd Urdd y Sistersiaid, yn erbyn erledigaeth, a bu rhes o babau'n gyson yn eu condemniad o greulondeb Eglwysi lleol. Ond llwybr anodd i'w droedio oedd eiddo'r Fatican. Ar un llaw, dylid gwarchod yr Iddew rhag niwed am fod nod Cain arno; yr oedd pwrpas i'w fodolaeth. Ar y llaw arall, yr oedd rhaid sicrhau ei fod yn byw o dan ormes y Cristion, oherwydd yr oedd i hyn hefyd ddiben arbennig yn arfaeth Duw. Y canlyniad fu i'r pabau, tra oeddent yn galw am oddefgarwch, hybu deddfau eglwysig a fu'n andwyol i'r Iddew. Yn y pen draw, methiant fu eu hymgais i ffrwyno llid y dorf ac atgasedd y Brodyr. Uchafbwynt eu methiant oedd y Chwilys yn Sbaen ac alltudiaeth 1492.

Sylwn ar un ddolen gyswllt rhwng y Chwilys a chyfnod y Natsïaid. Dangosodd profiad y Cristnogion Newydd fod natur gwrth-Iddewiaeth wedi newid yn sylfaenol erbyn cyfnod y Dadeni. Bellach, nid diwinyddiaeth, fel yn yr Oesoedd Canol, oedd unig linyn mesur yr Eglwys i ddiffinio'r Iddew. Yr oedd person yn Iddew trwy waed yn ogystal â thrwy gred. Yn Sbaen y bymthegfed ganrif y cafwyd yr elfen hiliol hon mewn gwrth-Iddewiaeth am y tro cyntaf. A'r eironi yw iddi ymddangos nid am i'r Iddewon wrthod Crist, ond am i gymaint ohonynt droi ato. Nid oedd angen deddfau gwaed pur i adnabod y gwir Iddew; yr oedd ei anghrediniaeth eisoes wedi ei neilltuo. Pe bai'r Iddewon heb dderbyn bedydd yn eu lluoedd, y mae'n bosibl na fyddai hilyddiaeth erioed wedi cydio yn nychymyg y Cristion. Bathwyd y prawf hiliol i buro cymdeithas o 'waed drwg' yr Iddew bedyddiedig a'i gwarchod rhag ei ddylanwad dinistriol. Dyna'n union a wnaeth Adolph Hitler.

Ni ddylai gormes yr Eglwys ein harwain i dybio mai hunllef barhaus oedd bywyd yr Iddew cyffredin ar ôl 1096. Y mae dehongliad dagreuol rhai haneswyr o'r cyfnod hwn, fel o'r cyfnod cynnar, yn gamarweiniol. Y mae'r angen i ailgyhoeddi deddfau'n gwahardd Iddew a Christion rhag ymgyfathrachu yn dangos fod y fath gyfathrach yn bod. Y mae parodrwydd Cristnogion i ymgeleddu eu cymdogion Iddewig mewn cyfnod o erlid yn awgrymu brawdgarwch a chydymdeimlad o'r naill ochr ac ymddiriedaeth a ffydd o'r llall.[19] Y mae dysgeidiaeth swyddogol yr Eglwys, trwy ddilyn Awstin a Grigor Fawr, yn cynnwys had y goddefgarwch sy'n nodweddu ein cyfnod ni. Tra oedd anffyddwyr a hereticiaid yn cael eu dienyddio, bu gan yr Iddew hawl am ganrifoedd i fyw yn y gymdeithas Gristnogol. Blodeuodd ysgolheictod Iddewig, yn enwedig mewn Ysgrythur, cyfriniaeth a gwyddoniaeth, a cheir enghreifftiau o ysgolheigion Cristnogol yn troi at Iddewon am gymorth a goleuni ar amryw o bynciau. Gwnaeth yr Iddew gyfraniad sylweddol hefyd at gyllid pob gwlad yng ngorllewin Ewrop. Serch hynny, ni ellir gwadu nad dirywio'n raddol a wnaeth statws yr Iddew mewn cymdeithas, dirywiad ac iddo gysylltiad yn uniongyrchol â pholisi'r Eglwys Gatholig.

[19] Am ddogfennau sy'n tystio i ymdrech yr Eglwys a'r wladwriaeth i amddiffyn yr Iddewon gw. R. Chazan, *Church, State and Jew in the Middle Ages* (New York 1980), Rhan 3.

O Blaid ac yn Erbyn: Y Diwygiad Protestannaidd (1500 - 1565 O.C.)

Erbyn 1500 yr oedd drws ymron pob gwlad yng ngorllewin Ewrop yn gaeëdig i'r Iddewon. Fe'u halltudiwyd o Loegr ym 1290, o Ffrainc ym 1394, o Sbaen, a fu'n gartref iddynt am o leiaf fil o flynyddoedd, ym 1492, ac o Bortwgal ym 1498. Yn yr Almaen, lle nad oedd llywodraeth ganolog i ddeddfu yn eu herbyn, cawsant eu hymlid o wahanol ddinasoedd tua naw deg o weithiau rhwng 1388 a 1519. Gan fod eu tynged ynghlwm wrth ddeddf a diwinyddiaeth Eglwys Rhufain, pa ryfedd iddynt deimlo'n fwy hyderus am y dyfodol o glywed am yr alwad i ddiwygio'r Eglwys honno. Pan gynhyrfwyd y dyfroedd gan fynach ifanc o Urdd Awstin Sant, yr oedd ganddynt le i obeithio y byddai dydd newydd yn gwawrio iddynt hwythau hefyd a chanrifoedd o atgasedd Cristnogol yn diflannu. Cawsant eu darbwyllo'n fuan iawn o'u camgymeriad.

Martin Luther (1483 - 1546)

O gofio mai'r Almaen fu canolfan erlid yr Iddewon yn ystod yr ugeinfed ganrif, y mae syniadau Martin Luther am Iddewiaeth yn haeddu sylw mewn unrhyw fraslun hanesyddol o agwedd y Cristion at yr Iddew. Afraid dweud fod Luther,

84

fel diwinydd praff a phensaer Eglwys Brotestannaidd yr Almaen, wedi dylanwadu'n drwm, nid yn unig ar ei gyfoedion, ond ar Brotestaniaeth yn gyffredinol. Y mae'n deg tybio, felly, fod llawer wedi cnoi cil ar ei sylwadau ar Iddewiaeth a'u derbyn fel portread cywir o'r agwedd Gristnogol.

Cariad a chasineb

Dros gyfnod o ugain mlynedd cynhyrchodd Luther bedair ysgrif, neu, a bod yn fanwl, ddwy ysgrif a dau atodiad yn ymwneud yn uniongyrchol â'r Iddewon. Yr oedd yr ysgrif gyntaf yn bleidiol i'r Iddew, ond yr oedd yr ail, ynghyd â'r ddau atodiad, yn hynod elyniaethus. Ym mlynyddoedd cynnar y Diwygiad Protestannaidd, o tua 1521 i 1535, yr oedd Luther yn oddefol iawn tuag at Iddewon, ac o'i gymharu â'i ragflaenwyr yn yr Oesoedd Canol, yn garedig tuag atynt ac yn henderfynol o'u gwarchod rhag unrhyw niwed. Ond erbyn 1543, dair blynedd cyn ei farw, yr oedd ei agwedd wedi newid yn llwyr. Yn lle dangos cariad brawdol y mae'n condemnio'r Iddewon yn hallt am eu hanghrediniaeth ac yn annog ei gyd-Almaenwyr i'w herlid yn ddiarbed. Sylwn yn awr ar gynnwys y ddwy ysgrif, un o blaid a'r llall yn erbyn yr Iddew, gan gofio iddynt gael eu hysgrifennu ar gais pobl eraill ac mewn ymateb i achosion arbennig, ac nad oes modd i'w gwerthfawrogi ar wahân i'w cyd-destun.

Ym 1522 cyhuddwyd Luther o heresi. Mynnai aelodau o Synod Nüremberg ei fod yn dysgu mai Joseff oedd tad naturiol Iesu o Nasareth a bod Mair wedi colli ei gwyryfdod ar ôl geni Iesu. Yr oedd hyn yn mynd yn groes i'r athrawiaeth fod Iesu wedi ei genhedlu trwy'r Ysbryd Glân a bod ei fam yn wyryf ar hyd ei hoes. Ym marn ei gyfoeswr, y pabydd enwog John Eck, yr oedd Luther yn Iddeweiddiwr, sef Cristion yn ochri'r Iddewon ac yn derbyn peth o'u cred. Yn agwedd negyddol Luther at y babaeth, gwelai Eck atgasedd oesol yr Iddew. Anogwyd Luther gan ei gyfeillion i'w amddiffyn ei hun rhag y fath gamgyhuddiad, a'r canlyniad fu iddo gyfansoddi ysgrif yn dwyn y teitl *Ganwyd Iesu Grist yn Iddew* (1523). Ymgais ydyw i dawelu'r wrthblaid trwy ddangos mai Iddew oedd Iesu a anwyd o had Abraham ac o forwyn bur trwy wyrth

85

yr Ymgnawdoliad, sef digwyddiad a ragfynegwyd gan y proffwydi. Er iddo dreulio'r rhan fwyaf o'i ofod yn trafod ystyr testunau beiblaidd ac yn dyfynnu'n helaeth o'r Hen Destament, sonia Luther hefyd am Iddewon yr Almaen yn ei oes ei hun. Y mae'n cyfeirio atynt nid i'w condemnio ond i'w canmol, a'u cadw rhag crafangau'r pab. O ystyried natur lygredig yr Eglwys ac ansawdd gwael ei harweinwyr, ni fedrai eu beio am wrthod derbyn bedydd. 'Pe bawn i'n Iddew', meddai, 'ac yn gweld y fath ffyliaid dwl yn rheoli'r Eglwys ac yn dysgu'r ffydd, byddai'n haws gennyf droi'n hwch nag yn Gristion'.[1] Er ei fod mor awyddus â neb i ddod â'r Iddew at Grist, yr oedd yn feirniadol iawn o'r dulliau a ddefnyddiai'r Eglwys i geisio'u hennill. Ni wna eu trin fel cŵn, dwyn eu heiddo a'u rhwystro rhag cyfathrachu â Christnogion unrhyw les o gwbl. Apelia at ei gyd-gredinwyr i fod yn fwy addfwyn wrth yr Iddew, a'i ddenu i'r gorlan trwy gariad. Wedi'r cwbl, Iddewon oedd yr Apostolion, a phetaent hwy wedi osgoi a chasáu'r cenedl-ddyn, ni fyddai Eglwys ohoni. Os oes gan yr Eglwys wir awydd helpu ac achub yr Iddew, rhaid iddi dderbyn arweiniad nid gan gyfraith y pab ond gan gariad brawdol :

> Y mae'n ofynnol i ni eu croesawu i'n mysg a chaniatáu iddynt gystadlu â ni, trwy roi gwaith a chartref iddynt yn y gymdeithas, er mwyn iddynt fwynhau bod yn ein cwmni, clywed ein dysgeidiaeth a phrofi'r ffordd Gristnogol o fyw. Os yw rhai ohonynt yn mynnu bod yn ystyfnig, beth am hynny? Wedi'r cwbl, nid yw pob un ohonom ni'n Gristion da chwaith.[2]

Er mai ei amddiffyn ei hun ac esbonio'i safbwynt oedd prif fwriad Luther yn yr ysgrif hon, mynega droeon y gobaith y gwêl yr Iddewon y goleuni a derbyn Cristnogaeth. Yn sgîl y datganiadau athrawiaethol, ceir mynegiant clir o ddyletswydd genhadol y Cristion. Yn y brawddegau agoriadol y mae Luther yn hyderus y bydd tras Iddewig Crist, a'i astudiaeth fanwl ef ei hun o seiliau beiblaidd y gred yn yr Ymgnawdoliad, yn cael yr argraff briodol ar yr Iddewon. Gobeithiai fedru 'denu rhai

[1] 'That Jesus Christ was born a Jew', *Luther's Works* (Philadelphia 1962), Cyfr. 45, t. 200.
[2] *Ibid.*, t. 229.

ohonynt at y Ffydd Gristnogol'.[3] Yr oedd yn argyhoeddedig pe bai'r Iddew yn cael ei drin yn gwrtais ac yn clywed yr Efengyl yn ei phurdeb, yn rhydd o hualau Pabyddiaeth, na fyddai'n oedi derbyn bedydd. ' 'Rwy'n cynghori ac yn erfyn ar bawb fod yn gyfeillgar tuag at yr Iddewon a'u hyfforddi yn yr Ysgrythur; yna efallai y gwna rhai ohonynt ymuno â ni'.[4] Y mae'n amlwg fod y Luther ifanc yn gwbl sicr y byddai nifer fawr o Iddewon yn gweld proffwydoliaethau'r Hen Destament yn cael eu gwireddu yng Nghrist y Protestaniaid ac yn cyrchu'n eiddgar i'r fedyddfan.

Er gwaethaf ei naws genhadol, cafodd yr ysgrif amserol hon groeso brwd gan Iddewon. Ystyrient Luther yn amddiffynnydd a brawd, un a oedd yn barod i frwydro dros eu hawliau a mynnu gwelliant yn eu safon byw. Aeth rhai cyn belled â'i gyfrif yn rhagflaenydd y Meseia. Ar ôl canrifoedd o dywyllwch yr redd y wawr ar dorri a'r Oes Feseianaidd wrth y drws, diolch i'r cyn-fynach hwn o'r Almaen. Aed ati ar unwaith i gyfieithu'r ysgrif i'r Sbaeneg ar gyfer yr Iddewon hynny yn Sbaen a oedd wedi troi at Gristnogaeth, mewn enw beth bynnag, er mwyn osgoi llid y Chwilys. I'w ddilynwyr hefyd yr oedd geiriau Luther fel awel o awyr iach. Onid dyma'r agwedd y dylai pob gwir genhadwr ei choleddu? O'r diwedd cafwyd dogfen genhadu ddelfrydol. Os methodd yr Eglwys â dylanwadu ar yr Iddewon yn y gorffennol, nid dyna fyddai'r stori o hyn ymlaen.

Pe na bai Luther wedi ysgrifennu dim mwy na hyn ar Iddewiaeth byddai wedi aros yn fyw ym meddwl y Cristion fel un a fedrai ddysgu i'r ddwy grefydd fyw mewn heddwch a pharchu ei gilydd. Ond nid dyna a fu. Ugain mlynedd yn ddiweddarach, pan gyhoeddodd ei ail ysgrif ar Iddewiaeth ym 1543, yr oedd ei agwedd yn dra gwahanol. Ond cyn troi at yr ysgrif hon, sylwer fod goddefgarwch cyfeillgar y Luther ifanc tuag at Iddewiaeth yn dechrau newid er gwaeth yn y tridegau. Clywodd gan gyfaill fod sect yn Morafia, sect a ffurfiwyd yn sgîl y Diwygiad, wedi mabwysiadu arferion Iddewig megis enwaediad a chadw'r Saboth — datblygiad a awgrymai i Luther fod Iddewon yn cenhadu ymysg Protestaniaid ac yn eu

[3] *Ibid.*, t. 200.
[4] *Ibid.*, t. 229.

hargyhoeddi fod cyfamod Sinai yn dal mewn grym. Yr oedd y pwyslais hwn ar grefydd gyfreithiol yn anathema iddo. Wedi'r cwbl, craidd ei wrthwynebiad i Babyddiaeth oedd fod Eglwys Rhufain yn gwrthod y syniad o gyfiawnhad trwy ffydd ac yn rhoi'r pwyslais i gyd ar ennill iachawdwriaeth trwy weithredoedd. Os mai'r Iddew oedd y tu ôl i hyn, pa ryfedd i'r Diwygiwr ffyrnigo?

Dewisodd Luther gondemnio Iddeweiddwyr Morafia, a dangos iddynt fod eu dadleuon yn ddi-sail, trwy anfon llythyr agored i'w gyfaill Wolfgang Schlik o dan y pennawd *Yn Erbyn y Sabathyddion* (1538).[5] Yn ei ddadl, y mae'n canolbwyntio ar ystyfnigrwydd yr Iddewon a'u hamharodrwydd i droi at Grist. Yr unig ffordd i'w trin yw eu holi am ba bechod y mae Duw'n parhau i'w cosbi. Onid oedd y Beibl yn cynnwys yr addewid y byddai Jerwsalem yn cael ei hadfer, a'r genedl etholedig yn dychwelyd i'w gwlad? Ond pymtheg cant o flynyddoedd yn ddiweddarach nid yw'r addewid byth wedi ei gyflawni. Gan na ellir cyhuddo Duw o fynd yn ôl ar ei air, y mae'n rhaid fod yr oedi'n gysylltiedig â phechod yr Iddew yn gwrthod derbyn Iesu o Nasareth fel y Meseia. Ym marn Luther, yr oedd Duw wedi cefnu ar ei bobl; nid cenedl etholedig mohonynt mwyach. Yr oedd defodau a deddfau'r Iddew, felly, yn gwbl ddi-rym. Nid oedd dyfodol i Iddewiaeth.

Cyn gadael y tridegau, sylwn ar ddigwyddiad arall sy'n tystio i'r newid yn agwedd Luther at yr Iddewon. Yn Awst 1536 diddymodd Frederick, tywysog Saxony ac un o noddwyr blaenllaw y Diwygiad, hawl Iddewon i fyw yn ei deyrnas, a hyd yn oed teithio drwyddi. Wrth gwrs, nid gwaharddiad newydd mo hwn; yr oedd yr Iddew wedi byw fel alltud ar gyfandir Ewrop am ganrifoedd. Ond er iddo dderbyn ei dynged, ni allodd erioed ddygymod â statws ffoadur. Nid syn, felly, i Iddewon yr Almaen godi fel un gŵr yn erbyn ymgais arall i'w hymlid o'u cartrefi. Gwyddai eu llefarydd Josel o Rosheim, un o rabbiniaid amlycaf y ganrif, nad oedd apêl yn debyg o lwyddo heb gymorth aelod o gyfrin-gyngor Frederick. Pwy well na Martin Luther, ffrind tybiedig yr Iddewon a chyfaill

[5] 'Against the Sabbatarians: Letter to a good friend', *Luther's Works* (Philadelphia 1971), Cyfr. 47, tt. 65-98.

mynwesol y tywysog, i'w berswadio i newid ei feddwl. Ond gwrthododd Luther. Nid ei ddyletswydd ef, meddai, oedd amddiffyn hawliau'r Iddewon. Nid oedd yn fodlon hybu achos cenedl a oedd yn gwrthod troi at Grist. Ni welai unrhyw reswm pam y dylai frwydro dros oddefgarwch i'r Iddew a hwnnw'n parhau yn ei ystyfnigrwydd. Swm ei ateb i Josel oedd y dylai'r Iddewon chwilio am gyfryngwr arall.[6]

Os oedd Luther y tridegau yn dechrau casáu'r Iddewon, erbyn diwedd ei oes yr oedd yn eu ffieiddio. Ym 1542 derbyniodd gopi o ysgrif oddi wrth awdur Iddewig anhysbys ar ffurf deialog rhwng Iddew a Christion. Amcan yr awdur oedd amddiffyn Iddewiaeth trwy ymosod ar y prif athrawiaethau Cristnogol, ac yn enwedig ar syniad Luther o'r Hen Destament fel 'y preseb lle y gorwedd Crist'. Unwaith eto, ar gais un o'i ffrindiau, cytunodd i ateb y gosodiadau. Fel canlyniad fe gaed y truth milcinig *Am yr Iddewon a'u Celwyddau* (Ionawr 1543) a dau atodiad, sef *Yr Enw Anhraethol a Llinach Crist* (Mawrth 1543) a *Geiriau Olaf Dafydd* (Awst 1543). Yn anffodus, collwyd y gwaith Iddewig gwreiddiol; petai ar gael efallai y byddai o gymorth i esbonio natur greulon yr ymateb. Can nad yw'r atodiadau'n gwneud llawer mwy nag arallcirio cynnwys y brif ysgrif, rhown sylw i honno'n unig yma.

Wedi ceisio dangos yn yr adran gyntaf nad yw 'manteision' yr Iddew — etholedigaeth, enwaediad, cyfamod, cyfraith — yn golygu dim ar ôl dyfodiad Crist, y mae Luther yn troi at y cyhuddiadau oesoel a wnaed yn erbyn yr Iddewon gan eu cymdogion Cristnogol. Cronicla'r anwireddau amdanynt a fu mor boblogaidd yn yr Oesoedd Canol, megis gwenwyno ffynhonnau yn ystod y Pla Du, a llofruddio plant Cristnogion er mwyn defnyddio'u gwaed mewn defodau crefyddol. Er iddo gyfaddef fod yr Iddewon yn gwadu'r fath gyhuddiadau, y mae'n eu hailadrodd gydag ardd eliad. Wrth drafod natur wrthnysig yr Iddew daw i'r un casgliad â'i ragflaenwyr, sef fod 'y diafol a'i holl angylion wedi meddiannu'r genedl hon'. Oherwydd llid Duw fe'i traddodwyd yn gyfan gwbl i ddwylo'r diafol'. Dyma'i gyngor i'w ddarllenwyr: 'Pa bryd bynnag y gwelwch wir

[6] Gw. Heiko O. Oberman, *Luther: Man between God and the Devil*, cyf. Saes. gan E. Walliser-Schwarzbarth (London 1989), 292 ym.

89

Iddew, gallwch â chydwybod glir ymgroesi a dweud heb flewyn ar eich tafod, "Dacw ddiafol mewn cnawd" '. Yr oedd yn argyhoeddedig mai gelyn pennaf y Cristion, ar ôl y diafol, oedd yr Iddew.[7] Y mae'r geiriau a ganlyn yn nodweddiadol o naws mileinig yr ysgrif wrth gyfeirio at yr Iddewon :

> Yr ydym ar fai yn peidio â dial am holl waed dieuog ein Harglwydd a'r Cristnogion a dywallasant am dri chan mlynedd ar ôl dinistr Jerwsalem, a gwaed y plant a dywall-asant ers hynny . . . Yr ydym ar fai yn peidio â'u lladd. Yn hytrach, gadawn iddynt fyw'n ddidramgwydd yn ein plith, er gwaethaf eu holl lofruddio, melltithio, cablu, dweud anwiredd a dilorni; yr ydym yn gwarchod ac amddiffyn eu synagogau, eu tai, eu bywyd a'u heiddo.[8]

Sylwer ar y cymal 'Yr ydym ar fai yn peidio â'u lladd'. Y mae'n amlwg nad oedd Luther o'r un farn ag Awstin a Grigor Fawr; ni welai ef unrhyw rinwedd mewn gwarchod yr Iddewon er mwyn i'w cyflwr truenus dystio i wirionedd Crist.

Yn y diwedd daw at y cwestiwn ymarferol, sut i'w trin. 'Beth ydym ni Gristnogion i'w wneud â'r genedl Iddewig, cenedl a gafodd ei damnio a'i gwrthod?'[9] Y mae'n cynghori'r awdurdodau eglwysig a secwlar i dderbyn y saith awgrym canlynol ynglŷn â'r Iddewon :

1. Dylid llosgi eu synagogau a'u hysgolion lle maent yn dysgu cabledd, a gorchuddio'r adfeilion â phridd fel na bo arlliw ohonynt.

2. Dylid distrywio'u cartrefi a'u troi allan i fyw fel sipsiwn mewn cytiau ac ysguboriau er mwyn iddynt gofio mai alltudion ydynt.

3. Rhaid cymryd eu Talmwd a'u llyfrau gweddi oddi arnynt, am eu bod yn cynnwys cabledd a chelwydd.

4. Rhaid atal pob rabbi rhag dysgu'r ffydd am nad yw eu hathrawiaeth yn unol ag ewyllys Duw.

5. Ni ddylai'r wladwriaeth wneud unrhyw ymdrech i'w hamddiffyn ar y priffyrdd. Gartref y mae lle'r Iddew; nid oes ganddo hawl i grwydro'r wlad fel masnachwr.

[7] 'On the Jews and their Lies', *Luther's Works* (Philadelphia 1971) Cyfr. 47, tt. 214, 278.
[8] *Ibid.*, t. 267.
[9] *Ibid.*, t. 268.

6. Dylid gwahardd iddynt fenthyca arian ar log, a dylai'r Eglwys hawlio eu heiddo, sef elw'u husuriaeth, a'i roi fel pensiwn i Iddewon bedyddiedig.

7. Dylai pob un ohonynt, dynion a merched, gael eu gorfodi i weithio â'u dwylo er mwyn ennill eu bara beunyddiol; yr oeddent wedi diogi'n ddigon hir.

Cyfiawnhad Luther dros argymell y fath bolisi ciaidd oedd ei gred fod dysgeidiaeth gableddus y rabbiniaid yn tanseilio Cristnogaeth. Dylai'r Cristion fedru dangos i Dduw nad oedd yn barod i arddel y cabledd a'r celwydd a oedd yn rhan hanfodol o Iddewiaeth, a'r unig ffordd o wneud hyn yn effeithiol oedd dinistrio sylfeini'r grefydd, sef y cartref a'r synagog. Ond efallai nad yw'r argymhellion hyn yn mynd ddigon pell. Os oes ar unrhyw un ofn i'r Iddewon ymosod arno a niweidio'i eiddo neu'i deulu, dylai'r Almaen 'fod mor gyfrwys â gwledydd eraill, megis Ffrainc a Sbaen' a'u halltudio o'r wlad am byth.

Fel yn achos yr ysgrif gyntaf (1523), diben hon hefyd, yn ôl amddiffynwyr Luther, oedd diogelu Cristnogaeth. Ond nid dyma'r argraff a gafodd ei gyfoeswyr. Syfrdanwyd hyd yn oed ei ffrindiau gan falais a chreulondeb yr argymhellion, ac mewn byr amser daeth protestiadau chwyrn o bob cyfeiriad. Er nad oedd gan Eglwys Rhufain le i bardduo neb am gam-drin yr Iddew, yr oedd yn barod iawn i gyhuddo Luther o 'ysgrifennu mewn gwaed' ac ysgogi'r bobl gyffredin i ddial ar Iddewon. Barn Henry Bullinger, diwygiwr mawr y Swistir, oedd fod geiriau Luther yn debycach i'r eiddo bugail moch na bugail defaid.[10] I'r Iddewon, 'roedd yr ymosodiadau'n ddirgelwch llwyr. Methai Rabbi Josel o Rosheim â dirnad sut y gallai un a oedd wedi plygu'n wylaidd o flaen mawredd Duw ysgrifennu'r fath beth.[11]

Chwefror 15, 1546, tri diwrnod cyn ei farw, traddododd Luther ei bregeth olaf yn ei dref enedigol Eisleben. Esboniad clir a chofiadwy o'r geiriau cyfarwydd 'Dewch ataf fi, bawb

[10] M. U. Edwards, *Luther and the False Brethren* (Stanford 1975), t. 194.
[11] S. Stern, *Josel of Rosheim: Commander of Jewry in the Holy Roman Empire of the German Nation*, cyf. Saes. G. Hirschler (Philadelphia 1965), t. 192.

sy'n flinedig ac yn llwythog' oedd sylwedd y bregeth, ond cyn terfynu cyfeiriodd at yr Iddewon. Meddai wrth y gynulleidfa:

> Sylwaf fod yr Iddewon yn dal yn eich mysg. Yn awr, rhaid i ni eu trin mewn dull Cristnogol a cheisio'u tywys at y Ffydd Gristnogol . . . Rhaid i ni eu gwahodd i droi at y Meseia a derbyn bedydd ynddo ef . . . Os gwrthodant, rhaid i ni eu gwahardd rhag aros yn ein plith am eu bod yn amharchu a chablu Crist. Os peidiant â'u cabledd, rhaid i ni faddau iddynt yn ewyllysgar, ond os na wnant rhaid i ni eu hymlid o'n mysg.[12]

Ni wyddom beth fu tynged Iddewon Eisleben, ond gallwn gymryd yn ganiataol na wnaeth yr un ohonynt droi at Grist. Y mae'n bur debyg i'r trigolion gymryd geiriau Luther o ddifrif a throi eu cymdogion allan o'u cartrefi. Cymhelliad olaf y diwygiwr oedrannus oedd i'w gyd-gredinwyr ddial ar yr Iddewon.

Eglurhad

Dros y canrifoedd, ceisiwyd yn ddyfal egluro'r newid syfrdanol yn agwedd Luther. Er iddo ymddangos yn gynnes a chyfeillgar tuag at Iddewon ar ddechrau'i yrfa fel diwygiwr, erbyn 1543 y mae'n amlwg ei fod wedi colli unrhyw gariad a fu ganddo tuag atynt. Yn ôl un esboniad, y siom o sylweddoli nad oedd yr Iddewon byth am droi at Grist oedd y tu ôl i'r newid. Ymgymerodd â'r ysgrif gyntaf (1523) gan dybio y byddai'r mwyafrif o Iddewon yn derbyn bedydd ar ôl sylweddoli nad oedd Cristnogaeth o angenrheidrwydd yn gyfystyr â Chatholigiaeth. Dwy flynedd yn gynharach yr oedd wedi ysgrifennu at bendefigion yr Almaen yn erfyn arnynt fod yn garedig wrth Iddewon am fod yna 'Gristnogion y dyfodol yn eu mysg'.[13] Ni freuddwydiodd am funud y gallai'r Iddew fod mor wargaled a gwrthnysig, ond cafodd ei siomi. Er gwaethaf blynyddoedd o drin a thrafod yr Ysgrythur gyda rabbiniaid disglair, yr oedd yn rhaid iddo gydnabod nad oedd ei ddehongliad ef o neges Crist, ddim mwy na dehongliad y pab, yn mynd i

---

[12] Fe'i dyfynnir gan E. G. Rupp, *Martin Luther and the Jews* (Robert Waley Cohen Memorial Lecture: London 1972), t. 21.
[13] 'The Magnificat', *Luther's Works* (Philadephia 1964), Cyfr. 21, t. 354.

gyffwrdd calon yr Iddew. Er mai ym 1543 y mynegodd Luther ei siom yn fwyaf amlwg, gwelsom arwyddion ei fod yn dechrau newid ei agwedd yn y tridegau. Yn ei lythyr at Wolfgang Schlick ym 1538 meddai, wrth sôn am ystyfnigrwydd yr Iddew, 'Gan nad yw pymtheg can mlynedd o alltudiaeth nad oes iddi derfyn — ac ni all fod — wedi torri crib yr Iddewon a'u harwain i adnabod Crist, gelli â chydwybod glir roi heibio bob gobaith amdanynt'.[14] Felly, siom yn esgor ar anobaith a chwerwedd, yw un rheswm poblogaidd dros y newid yn agwedd Luther.

Awgrym arall yw y dylid priodoli ei ffyrnigrwydd i gyflwr bregus ei iechyd. Yn ystod ei flynyddoedd olaf yr oedd yn afiach iawn yn gorfforol, a chred rhai ei fod yn dioddef oddi wrth salwch meddyliol hefyd. O ganlyniad, nid yw'n syndod iddo fod yn afresymol ac atgas. Efallai fod peth gwir yn hyn, ond nid yw cythwrr ei iouhyd yn cyhawnhau ei agwedd yn llwyr, oherwydd mewn gweithiau diweddar eraill y mae'n ymddangos yn gwbl resymol wrth ddadlau â'i wrthwynebwyr.

Beth bynnag oedd cyfraniad siom ac afiechyd at agwedd negyddol Luther, y mae ei ddiwinyddiaeth yn ffactor bwysig arall y dylid ei hystyried yn y cyswllt hwn. Yr ydym wedi sylwi eisoes ar ei ddehongliad Cristnogol o'r Hen Destament, yn enwedig y proffwydoliaethau meseianaidd. Cofiwn mai athro Hen Destament oedd Luther am y rhan fwyaf o'i yrfa academaidd; am bedair blynedd yn unig y bu ganddo gadair Testament Newydd. Iddo ef, llyfr yn sôn am Grist oedd y Beibl Hebraeg, ac o'r herwydd 'roedd y pwyslais Iddewig ar yr ystyr llythrennol ar draul yr ysbrydol yn anathema iddo. Cwyna fwy nag unwaith fod yr Iddewon yn rhy barod, ym mhob trafodaeth ar yr Ysgrythur, i ddiystyru'r testun beiblaidd a dyfynnu'r esboniadau rabbinaidd fel yr awdurdod terfynol. Er ei fod yn parchu'r rabbiniaid am eu gwybodaeth ieithyddol, y mae'n eu condemnio'n ddiarbed am anwybyddu'r ystyr ysbrydol y tu ôl i'r geiriau. Yr unig achos iddynt fethu â gweld Crist yn nhudalennau'r Hen Destament yw eu styfnig-

---

[14] 'Against the Sabbatarians', op.cit., t. 96.

rwydd a'u hymgais fwriadus i wrthod gwrando ar reswm.[15] Nid oes ganddo'r un gair da i'w ddweud amdanynt. Heb amheuaeth, adlewyrchir y casineb hwn, casineb cynyddol dros y blynyddoedd, yn ei ysgrif olaf yn erbyn yr Iddewon.

Y gwahaniaeth sylfaenol rhwng ffydd a gweithredoedd, rhwng gras a rheswm, rhwng efengyl a chyfraith, oedd craidd diwinyddiaeth Luther. Credai na fedrai neb ennill iachawdwriaeth trwy ei ymdrechion ei hun; rhaid oedd ei derbyn trwy ffydd yng ngras Duw ar sail efengyl Crist. Dwy adnod adnabyddus o Lythyr Paul at y Galatiaid oedd ei awdurdod, sef 2:16, 'Gwyddom na chaiff dyn ei gyfiawnhau ond trwy ffydd yn Iesu Grist', a 5:4, 'Chwi sy'n ceisio cyfiawnhad trwy gyfraith, y mae eich perthynas â Christ wedi ei thorri; yr ydych wedi syrthio oddi wrth ras'. Yn y cyd-destun protestio yn erbyn agwedd gyfreithiol yr Iddew at iachawdwriaeth y mae Paul. Ond defnyddia Luther yr adnodau i danseilio'r athrawiaeth Babyddol ynghylch teilyngdod a haeddiant, ac i wrthod y syniad fod dyn yn gallu ennill ffafr Duw trwy gyflawni gweithredoedd da. Y mae gwrth-gyferbynnu efengyl a chyfraith yn ei arwain at osod Iddewiaeth ar yr un lefel â Phabyddiaeth, a'i chondemnio am yr un gwendidau. Esiampl berffaith o'r agwedd anghywir at Dduw graslon a maddeugar yw'r pwyslais Iddewig ar gyflawni gofynion y Gyfraith. Felly, gan ei bod yn dysgu'r hyn sy'n hollol groes i'w ddaliadau, nid oes modd i Luther werthfawrogi Iddewiaeth, na pharchu Iddewon.

Ym marn rhai ysgolheigion, y mae cred Luther fod Dydd y Farn yn agos yn bwynt arall sy'n berthnasol.[16] Fel llawer o'i gyfoedion tybiai Luther ei fod yn byw yn 'y dyddiau diwethaf', sef y cyfnod olaf yn hanes y byd cyn i Grist ddychwelyd i deyrnasu am fil o flynyddoedd. Yn ôl yr Ysgrythur, cyfnod o dreialon fyddai hwn, pan fygythid Cristnogaeth gan luoedd Satan. Erbyn diwedd ei yrfa, gwelai Luther y diafol yn llechu y tu ôl i bob llwyn, yn barod i ymladd â dilynwyr Crist. I hybu ei achos, yr oedd gan yr Anghrist dri gwas ufudd yn

[15] Am ymdriniaeth ag agwedd Luther at y rabbiniaid gw. A. Ages, 'Luther and the Rabbis', *JQR* (New Series) 58 (1967), tt. 63 ym.
[16] Gw. Heiko A. Oberman, *The Roots of Antisemitism in the Age of Renaissance and Reformation,* cyf. Saes. gan J. I. Porter (Philadelphia 1984), tt. 94-125.

barod i wneud ei ewyllys ar y ddaear : y pab, y Mwslim a'r Iddew. Ystyriai Luther ei bod yn ddyletswydd arno wrthwynebu Satan ym mha rith bynnag yr ymddangosai, gan gynnwys yr Iddewon.

Myn rhai mai camarweiniol yw dweud fod Luther wedi newid ei agwedd at yr Iddewon yn ystod ei oes. Er gwaethaf tystiolaeth ysgrif oddefol yn dangos fod Iesu Grist o dras Iddewig, honnant ei fod yr un mor elyniaethus ym 1523 ag ydoedd ugain mlynedd yn ddiweddarach. Yr unig newid a gaed yn y cyfnod hwn oedd yn ei ddull o'u trin, nid yn ei agwedd tuag atynt. Ers pan ddechreuodd ddarlithio ar yr Hen Destament yn ail ddegawd y ganrif, yr oedd yn gwbl sicr fod yr Iddew yn cau ei lygaid yn fwriadol i'r gwirionedd ac y dylai dderbyn bedydd yn ddioed. Y mae'r pwyslais hwn ar dröedigaeth i'w ganfod trwy gydol ei yrfa, ond y cwestiwn llosg oedd sut i ddarbwyllo'r Iddew o'l angen am Waredwr a'i annog i droi at Grist. Yr oedd yn amlwg fod erlid a phoenydio wedi methu, fel y tystiai'r Oesoedd Canol. Dilynodd Luther drywydd newydd trwy argymell goddefgarwch a charedigrwydd. Cawn gip ar hwn hyd yn oed yn ei bregeth olaf. Ond pan fethodd perswâd a chyfeillgarwch trodd at ddulliau mwy creulon.

Dylanwad

Treuliodd y diwinydd enwog Dietrich Bonhoeffer fisoedd olaf ei fywyd yng ngharchar am iddo gefnogi'r cynllun i lofruddio Hitler ym mis Gorffennaf 1944. Yn ei gopi personol o'r Beibl, a ddarllenai yn y ddalfa, yr oedd wedi tanlinellu cymal olaf Salm 74 : 8, 'Llosgasant holl demlau Duw trwy'r tir'. Ar ymyl y ddalen, gyferbyn â'r adnod, fe ysgrifennodd y dyddiad '9 : 11 : 38'. Cyfeiriad oedd hwn at y Nos o Risial (*Krystalnacht*) pan ddechreuodd y Natsïaid erlid yr Iddewon o ddifrif, trwy falurio ffenestri siopau ac ysgolion Iddewig ym mhob cwr o'r Almaen. Yn ystod y nos llogswyd dros ddau gant a hanner o synagogau, a chipiwyd deng mil ar hugain o Iddewon o'u cartrefi a'u rhoi dan lafur gorfod yn y gwersylloedd cadw. Cafodd o leiaf chwe chant eu lladd yn y terfysg. Drannoeth cyhoeddwyd pamffledyn yn cynnwys crynhoad o argymhellion

Martin Luther i dywysogion yr Almaen ym 1543 ar sut i drin yr Iddewon.

Er gwaetha'r haeriad i'r llyfryn ymddangos ar Dachwedd 10 am mai dyma ddydd pen-blwydd Luther, y mae'n anodd credu mai cyd-ddigwydd a wnaeth cynddaredd anwar y Natsïaid yn ystod *Krystalnacht* â chyhoeddi argraffiad hwylus mewn clawr meddal o ddatganiadau gwrth-Iddewig un o Almaenwyr mwyaf hanes. Yn wir, cyfaddefodd rhai o'r Natsïaid eu hunain mai syniadau Luther oedd sail eu hagwedd at yr Iddewon. Pan ddaeth y newyddiadurwr Julius Streicher o flaen ei well yn Nüremberg ym 1946, dywedodd y dylai Martin Luther fod yn bresennol gydag ef yn y doc. Mynnai Streicher, Natsi â gwaed y diniwed ar ei ddwylo, ei fod ef a'i gyd-erlidwyr yn gweithredu yn ôl cyfarwyddyd Luther, ac o ganlyniad, yr oedd y Diwygiwr yn gyfrifol, i raddau pell, am dynged Iddewon Ewrop rhwng 1933 a 1845. Os oedd barnwyr Nüremberg am gollfarnu hil-lofruddiaeth y Natsïaid, rhaid iddynt fod yn barod i feio Luther hefyd.

Ond nid Streicher a'i debyg oedd yr unig rai i honni fod cysylltiad uniongyrchol rhwng agwedd Luther a deddfau gwrthsemitaidd Hitler. Mewn cynhadledd Anglicanaidd yn Malvern ym 1941 dywedodd neb llai na William Temple, Archesgob Caer-gaint, ei bod 'yn hawdd gweld sut y bu i Luther baratoi'r ffordd i Hitler'.[17] Ym 1943 aeth P. E. Wiener gam ymhellach mewn llyfryn o'r enw *Martin Luther: Hitler's Spiritual Ancestor* — teitl sy'n dweud y cwbl. Safbwynt Wiener yw fod y Natsïaid, ac yn enwedig Hitler yn ei hunangofiant *Mein Kampf*, wedi defnyddio ysgrifau gwrth-Iddewig y Luther oedrannus i lunio a chyfreithloni eu polisi yn erbyn yr Iddewon. Croesawyd y ddamcaniaeth hon gan nifer o Gristnogion blaenllaw am ei bod yn cynnig esboniad derbyniol o fethiant Eglwys Lutheraidd yr Almaen i wrthsefyll Hitler. Fodd bynnag, nid oedd pawb yn barod i lyncu syniadau Wiener. Yn wir, gellir dweud mai'r unig reswm i'w lyfr barhau mewn cof yw iddo ddwysbigo'r ysgolhaig o Fethodist, E. Gordon Rupp, i'w

[17] *Malvern 1941: The Life of the Church and the Order of Society* (London 1941), t. 13.

ateb.[18] Mewn llyfr sy'n gampwaith o ysgolheictod, aeth Rupp drwy ddadleuon Wiener air wrth air a dangos pa mor gyfeiliornus oeddent. Yn ei olwg ef, nid oedd unrhyw gysylltiad rhwng diwinyddiaeth wrth-Iddewig Luther a pholisi hiliol, gwrthsemitaidd Hitler. Cawn, felly, ddwy farn ynglŷn â dylanwad Luther: un yn gweld perthynas agos rhwng ei ysgrifau gwrth-Iddewig a deddfau'r Natsïaid, a'r llall yn gwadu'r fath beth. Ystyriwn y mater ymhellach.

Gellir dweud yn bendant mai prin iawn fu dylanwad ysgrifau olaf Luther ar ei gyfoeswyr. Yr oedd tywysogion yr Almaen yn hwyrfrydig i dderbyn ei argymhellion i erlid yr Iddewon, nid o gariad brawdol tuag atynt ond am eu bod yn ddefnyddiol fel arianwyr. O gymharu â *Ganwyd Iesu Grist yn Iddew* (1523), a ailargraffwyd lawer gwaith mewn gwahanol leoedd yn ystod oes Luther, cylchrediad bychan iawn a gafodd yr ysgrif *Am yr Iddewon a'u Celwyddau* (1543). Rhaid aros am chwarter canril ar ôl marw'r awdur cyn i hon a'r ddwy ysgrif arall wrth-Iddewig ymddangos drachefn. Ym 1570 a 1577 fe'u hailargraffwyd gan ddau weinidog Lutheraidd er mwyn cymell masnachwyr i beidio â chyfathrachu ag Iddewon. Y rheswm a roddir gan y golygydd am argraffiad 1577 yw fod 'gweithiau Luther yn erbyn yr Iddewon wedi cael eu hatal hyd yma, ond bellach daeth yr amser i'w rhoi yn nwylo'r werin unwaith eto'.[19]

Er gwaethaf pob ymdrech i roi mwy o gyhoeddusrwydd i'r ysgrifau hyn, ychydig o sylw a gawsant gan haneswyr a diwinyddion yn y tri chan mlynedd rhwng 1600 a 1900. Nid fod yr Almaen yn rhydd o atgasedd at yr Iddew yn ystod y cyfnod hwn. I'r gwrthwyneb. Esgorodd yr ail ganrif ar bymtheg, ac yn enwedig y ddwy ganrif ganlynol, ar wrthsemitiaeth eithafol a ddaeth i'w lawn dwf o dan y Natsïaid. Ond yn ôl yr arbenigwyr, nid oes unrhyw dystiolaeth fod yr atgasedd hwn at yr Iddew yn deillio'n uniongyrchol o syniadau Luther.[20] Erbyn dechrau'r ddeunawfed ganrif yr oedd gan y sawl a

[18] *Martin Luther: Hitler's Cause — or Cure?* (London 1943).
[19] J. Wallmann, 'The Reception of Luther's Writings on the Jews from the Reformation to the End of the 19th Century' yn H. H. Ditmanson (gol.), *Stepping Stones to Further Jewish-Lutheran Relationships: Key Lutheran Statements* (Minneapolis 1990), t. 125.
[20] *Ibid.*, tt. 126 ym.

fynnai boenydio'r Iddew destunau mwy addas a phendant i
droi atynt nag ysgrifau'r Diwygiwr. Yr enghraifft orau yw
gwaith Andreas Eisenmenger, *Dadorchuddio Iddewiaeth*
(1711), llyfr swmpus o ddwy fil o dudalennau a fu'n ffynhonnell
ddiwaelod o bropaganda gwrthsemitaidd ymhell i'r ganrif hon.
I wrthsemitwyr dyma'r awdurdod sylfaenol. Ond er mor wrth-
Iddewig ei naws, nid yw enw nac argymhellion Luther yn
ymddangos ynddo unwaith — nodwedd annisgwyl mewn llyfr
o'r fath. Prin y byddai awdur fel Eisenmenger, a dreuliodd ei
oes yn ymchwilio i Iddewiaeth, ac yn condemnio pob agwedd
ohoni er mwyn cyfiawnhau erlid Iddewon, wedi esgeuluso
Luther petai'n teimlo y byddai ei gyfraniad yn mynd i hybu
ei achos.

Os bu syniadau gwrth-Iddewig Luther yn y cysgodion am
dros dair canrif, ni ellir gwadu na ddaethant i'r amlwg yng
nghyfnod Hitler. Un a chwaraeodd ran allweddol yn y gwaith
o'u trosglwyddo i werin yr Almaen oedd Alfred Falb. Yn ei lyfr
Luther a'r Iddewon (1921) cwyna Falb fod y diwinyddion wedi
celu asesiad Luther o beryglon Iddewiaeth oddi wrth y bobl,
cwyn sy'n cael ei hailadrodd gan Dietrich Eckart, ffrind ac
athro Adolph Hitler. O gofio protest Julius Streicher yn llys
Nüremberg, ymddengys i Falb a'i debyg fod yn bur lwyddiannus
yn eu hymgais i ailddarganfod gwrth-Iddewiaeth Luther. Ond
er i'r Natsïaid ddefnyddio Luther i'w dibenion eu hunain trwy
ailargraffu ei ysgrifau, y mae E. Gordon Rupp yn llygad ei le
pan ddywed fod byd o wahaniaeth rhwng atgasedd Luther at
yr Iddewon a syniadau hiliol Hitler.[21] Yr oedd gwrth-Iddewiaeth
Luther yn seiliedig ar ddiwinyddiaeth yr Oesoedd Canol, a
gondemniai'r Iddew am groeshoelio Crist a chablu ei enw
sanctaidd; nid oedd hil yn rhan o'r ddadl cyn y deddfau 'gwaed
drwg' yn Sbaen tua diwedd y bymthegfed ganrif. Ond
hilyddiaeth oedd craidd polisi'r Natsïaid. Yma gwelir y
gwahaniaeth sylfaenol rhwng gwrth-Iddewiaeth a gwrth-
semitiaeth. Diwinyddiaeth yw sail y naill, ac agwedd at hil yw
sail y llall. Cefndir diwinyddol ysgrifau Luther sy'n achub yr
awdur rhag y cyhuddiad o wrthsemitiaeth ac yn ein cymell i
beidio â gweld cysylltiad uniongyrchol rhyngddo a Hitler.

[21] *Op.cit.*, t. 75.

Dagrau pethau yw fod Luther y diwinydd yn defnyddio ymadroddion mor ffiaidd a chreulon wrth drafod yr Iddewon, nodwedd sy'n gwneud ei weithiau'n ddefnyddiol i'r Natsïaid. Er nad oedd diwinyddiaeth Luther yn diddori Hitler, yr oedd ei arddull yn apelio'n gryf ato.[22] Gresyn hefyd na fuasai un a bregethodd gymaint am ras a maddeuant Duw wedi gweld yn dda i gefnu ar gamgyhuddiadau'r Oesoedd Canol yn erbyn yr Iddewon.

John Calfin (1509 - 1564)

Y mae'n anodd credu i John Calfin erioed ddod wyneb yn wyneb â mwy na dau neu dri o Iddewon. Treuliodd y pum mlynedd ar hugain cyntaf o'i fywyd yn Ffrainc, ymhell ar ôl alltudio'r Iddew olaf o'r wlad ym 1394. Ym 1536 daeth i Genefa, lle y bu am y chwarter olaf o'i oes. Yr oedd hyn bron hanner canrif wedi i'r cyngor ymlid yr Iddewon o'r ddinas. Ond er na chafodd gyfle i adnabod Iddewon yn bersonol, ac i drafod eu cred gyda hwy, yr oedd yn ymwybodol iawn o'r anawsterau a oedd yn wynebu'r diwinydd wrth ystyried lle priodol Iddewiaeth yn arfaeth Duw. Diau i agwedd wrth-Iddewig ei ragflaenwyr a'i gyd-ddiwygwyr ddylanwadu arno. Byddai dadleuon rhagfarnllyd diwinyddion mawr yr Oesoedd Canol yn erbyn Iddewiaeth yn gyfarwydd iddo. Y mae'n wir nad oedd yn ddigon hyddysg mewn Almaeneg i ddarllen gweithiau Luther yn rhwydd (dibynnai ar gyfieithiadau Lladin), ond nid oes amheuaeth na bu iddo gyfnewid syniadau am Iddewon ac Iddewiaeth gyda diwinyddion blaenllaw yr Almaen yn ystod ei ymweliad â dinasoedd fel Strasbourg, Frankfurt a Worms. Yn Strasbourg, treuliodd Calfin lawer o amser yng nghwmni un a wnaeth argraff ddofn arno, sef yr ysgolhaig beiblaidd Martin Bucer.[23] Er fod Bucer yn gwerthfawrogi'r traddodiad rabbinaidd o esbonio'r Ysgrythur, nid oedd yn

---

[22] Am gymhariaeth o arddull Luther ac arddull Hitler gw. P. C. Matheson, 'Luther and Hitler: A Controversy Reviewed', *JES* 17 (1980), tt. 445 ym.

[23] Am y cysylltiad rhwng Calfin a Bucer gw. ymhellach G. Lloyd Jones, *The Discovery of Hebrew in Tudor England: A Third Language* (Manchester 1983), tt. 73 ym.

ffrind i'r Iddewon. Pan ofynnwyd ei gyngor gan yr awdurdodau ym 1538 ar sut i'w trin, yr oedd ei argymhellion yn debyg iawn i'r rhai a wnaeth Luther bum mlynedd yn ddiweddarach.

Er gwaethaf dylanwadau negyddol o bob tu, yr oedd agwedd Calfin at Iddewiaeth, ar y cyfan, yn gadarnhaol a chyfeillgar. Nid oes dim byd tebyg i ysgrifau deifiol Luther yn y toreth o lyfrau y mae ei enw wrthynt. Daw ei oddefgarwch i'r golwg mewn gwahanol ffyrdd. Y mae i'w ganfod yn ei esboniadaeth, ei ddiwinyddiaeth, a'i amddiffyniad o'r Ffydd, a hefyd yn ymddygiad ei ddilynwyr at yr Iddewon am dros bedair canrif.

Yr esboniwr

Yn anad dim, dehongli'r Ysgrythur oedd prif faes astudiaeth Calfin. Pan ddaeth i Genefa am y tro cyntaf ym 1536 fe'i penodwyd i ddarlithio ar y Beibl, a'r darlithiau hyn oedd sail yr esboniadau a ysgrifennodd ar ymron pob llyfr ynddo. Yr oedd ei esboniadaeth yn gorffwys ar o leiaf ddwy egwyddor sylfaenol, y naill yn ymwneud â gramadeg a'r llall â hanes. Gorchwyl gyntaf yr esboniwr oedd meistroli Hebraeg a Groeg er mwyn deall y testun yn iawn. Yna fe ddylai osod pob adnod yn ei chefndir hanesyddol i ddarganfod yn union beth oedd ym meddwl yr awdur. I'w gynorthwyo yn ei dasg, gwnaeth Calfin ddefnydd cyson o esboniadau rabbiniaid yr Oesoedd Canol, megis Rashi, Cimchi ac Ibn Esra, ac er na chytunai â hwy bob tro, yr oedd yn ystyried yr ysgolheigion hyn yn ieithyddwyr penigamp a fedrai arwain y darllenydd at graidd yr Ysgrythur.

Yn ei agwedd at yr Hen Destament, yr oedd Calfin yn torri tir newydd trwy annog ei ddilynwyr i wrthod dehongliad arferol yr Eglwys. Yn y traddodiad Cristnogol, yr oedd dwy ffordd o egluro'r Beibl Hebraeg, ond nid oedd y naill na'r llall yn parchu ei wreiddiau Iddewig. Cawsom gip arnynt eisoes, wrth ystyried y cyfnod cynnar. Yr oedd y gyntaf yn seiliedig ar alegori, sef yr egwyddor fod yr Ysgrythur yn dweud un peth ond yn golygu rhywbeth arall. Dysgai esbonwyr cynnar fel Origen a Clement o Alexandria nad ystyr llythrennol yr Hen Destament oedd yn bwysig i'r Cristion, ond yr ystyr ysbrydol. Iddynt hwy, llyfr yn sôn am Grist a'i deyrnas, nid am hanes Israel, oedd

100

hwn mewn gwirionedd. Trwy ddefnyddio alegori gallai unrhyw bregethwr â rhywfaint o ddychymyg ganfod Crist ym mhlygion y testun Hebraeg. Cymerer stori Noa er enghraifft. I'r Cristion, nid chwedl am un o'r cyndadau oedd hon, ond darlun o berthynas Duw â'r byd. Saif Noa dros y crediniwr ffyddlon sy'n derbyn addewidion Crist. Yr arch yw'r Eglwys sy'n achub yr etholedig. Y golomen â deilen yn ei phig, dyna'r Ysbryd Glân sy'n dod â'r newydd da am drugaredd anfeidrol yr Arglwydd. Aeth Tadau'r Eglwys Fore drwy'r Hen Destament â chrib mân yn y dull arbennig hwn, oherwydd yn eu barn hwy yr ystyr cudd oedd y gwir ystyr, a dyletswydd yr esboniwr oedd dod o hyd iddo. Yr oedd yr ail ffordd o ystyried y Beibl Hebraeg yn gysylltiedig â'r gwrthgyferbyniad ym meddwl y Cristion rhwng 'Cyfraith' ac 'Efengyl'. A Christnogaeth, yn ôl y Tadau, yn cynnwys cyflawniad yr addewidion ac yn pwysleislo trugaredd Duw, yr oedd Iddewiaeth yn gwbl ddiffaith. Crefydd gyfreithiol oedd crefydd Israel, heb unrhyw argoel o newydd da neu 'Efengyl' yn perthyn iddi. Yr oedd Efengyl Crist, felly, yn rhagori ar Gyfraith feichus Moses.

Yr oedd yn oblygedig yn y math yma o esbonio fod yr Eglwys yn meddiannu, neu hyd yn oed yn herwgipio, yr Hen Destament, a'i droi'n llyfr Cristnogol. Ar ei ben ei hun, fel cofnod o ddatguddiad Duw i'w bobl, fe'i cyfrifid yn ddiwerth; yr unig beth a wnâi synnwyr ohono oedd Efengyl Crist. Ond nid dyma agwedd Calfin. Gwrthododd ef yn gyfan gwbl y dull alegorïaidd o ddehongli, gan fynnu esbonio'r Hen Destament yn ei gyswllt hanesyddol. Er enghraifft, y mae gweld cyfeiriad at frenhiniaeth Crist yn Salm 72, fel y gwna esbonwyr traddodiadol, yn gyfeiliornus ac yn gwneud cam â'r testun. Dim ond iddo barchu'r ystyr llythrennol, gwêl y darllenydd ar unwaith mai canu i un o frenhinoedd Israel y mae'r bardd. Wrth ystyried natur Cyfraith Moses, y mae Calfin yn derbyn arweiniad yr Iddewon yn hytrach nag arweiniad ei gyd-Gristnogion, ac yn deall nad baich yw'r ddeddf ond braint, nid caethwasiaeth ond rhyddid, nid newydd drwg ond newydd da. Y mae'r sawl sy'n condemnio Iddewiaeth am fod yn grefydd haearnaidd a chyfreithiol, heb unrhyw amgyffred o drugaredd Duw, wedi camddeall yr Hen Destament.

Y mae'n amlwg fod yr esboniwr yn John Calfin wedi dod o dan ddylanwad y traddodiad Iddewig yn ogystal â dylanwad dyneiddiaeth ei ddydd. Fel canlyniad, bu iddo weddnewid esboniadaeth feiblaidd trwy wrthsefyll dulliau traddodiadol yr Eglwys o ddehongli'r Hen Destament. Mynnai gael gan Gristnogion ddangos mwy o barch at Iddewiaeth a chydnabod breintiau'r Iddewon, breintiau sy'n perthyn i 'fab cyntafanedig' yr Arglwydd (Ex. 4:22). Yn ei draethiad diwinyddol *Egwyddorion y Grefydd Gristnogol*, mewn pennod sy'n ymdrin â'r cysylltiad rhwng y ddau destament, y mae'n rhestru rhagoriaethau cenedl Israel ac yn pwysleisio ffafriaeth Duw tuag ati.[24] Yn hyn o beth, ceisiodd gau rhywfaint ar yr agendor rhwng Cristion ac Iddew. Ac fel Luther o'i flaen, fe'i cyhuddwyd gan ei elynion o iddeweiddio.

Y diwinydd

Gwelsom eisoes, wrth drafod agwedd y Tadau cynnar at Iddewon, mor boblogaidd oedd y syniad fod yr Eglwys wedi disodli'r Synagog. Yng nghynllun Duw, yr oedd Cristnogaeth wedi cymryd lle Iddewiaeth. Israel oedd y winwydden, ond Crist oedd y wir winwydden. Israel oedd y dŵr ond yr Eglwys oedd y gwin. Oherwydd iddynt groeshoelio'r Meseia, collodd yr Iddewon eu hetifeddiaeth a bellach yr Eglwys yw'r etifedd; iddi hi y perthyn yr addewidion, hi yw Israel newydd Duw. Dyna'n fras y gred a ddatblygodd bron i statws dogma yn yr Oesoedd Canol, cred y bu iddi ganlyniadau erchyll ar hyd y canrifoedd.

Unwaith eto safodd Calfin yn erbyn y traddodiad, fel craig ynghanol llifeiriant. Iddo ef, 'roedd yr athrawiaeth fod Duw wedi cefnu ar ei bobl yn gamarweiniol, oherwydd credai fod cyfamod Duw ag Israel yn un tragwyddol. Pa awdurdod oedd gan Calfin i wrthwynebu athrawiaeth ddiysgog yr oesoedd? Neb llai na'r proffwyd Jeremeia a'r apostol Paul. Yn Jeremeia

---

[24] *Institutes of the Christian Religion*, Calvin Trans. Soc. (Edinburgh 1854), Llyfr 2:11, t. 538.

31:31-33 ceir yr addewid am ddyfodol ffyniannus y genedl etholedig:

'Y mae'n dyddiau yn dod', medd yr ARGLWYDD, 'y gwnaf gyfamod newydd â thŷ Israel ac â thŷ Jwda. Ni fydd yn debyg i'r cyfamod a wneuthum â'u tadau, y dydd y gafaelais yn eu llaw i'w harwain allan o wlad yr Aifft. Torasant y cyfamod hwnnw, er mai myfi oedd yn arglwydd arnynt', medd yr ARGLWYDD. 'Ond dyma'r cyfamod a wnaf â thŷ Israel ar ôl y dyddiau hynny', medd yr ARGLWYDD, 'rhof fy nghyfraith o'u mewn, ysgrifennaf hi ar eu calon, a byddaf fi'n Dduw iddynt a hwythau'n bobl i mi'.

Er fod yr adnodau hyn yn sôn am gyfamod newydd, yn ôl Calfin, nid yn y cynnwys ond yn y ffurf y mae'r newydd-deb i'w ganfod. Meddai yn ei esboniad ar Jeremeia:

Nid yw Duw yn dweud: Rhoddaf gyfraith wahanol iddynt; ~~...., Y........f fy ..g...f...lth ar eu ....l...~~   ~~jr ... g.l.....lli~~ a roddwyd unwaith i'r tadau. Nid yw Duw felly'n addo rhywbeth sy'n newydd o ran sylwedd; yn y ffurf yn unig y mae'r gwahaniaeth.[25]

Ni wêl Calfin unrhyw reswm chwaith dros gredu fod Israel a Jwda yn cael eu gwrthod. Onid â hwy y gwneir y cyfamod newydd yn ôl Jeremeia?

I ategu ei ddadl fod cyfamod Duw ag Israel yn dal mewn grym, y mae Calfin yn troi at lythyr Paul at y Rhufeiniaid ac yn dyfynnu'r apostol:

Yr wyf yn gofyn, felly, a yw'n bosibl fod Duw wedi gwrthod ei bobl ei hun? Nac ydyw, ddim o gwbl! . . . Nid yw Duw wedi gwrthod ei bobl, y bobl a adnabu cyn eu bod. (11:1-2).

Nid yw Calfin, mwy na Paul, yn gwadu'r ffaith fod Israel wedi torri'r cyfamod. Ond yn ei esboniad ar Rufeiniaid y mae'n tynnu sylw at broblem wahanol. A oedd hi'n bosibl diddymu'r

---

[25] Gw. *Commentaries on . . . Jeremiah and the Lamentations*, Calvin Trans. Soc. (Edinburgh 1854), Cyfr. 4, t. 132. Cymh. geiriau B. W. Anderson, 'The New Covenant and the Old' yn B. W. Anderson (gol.), *The Old Testament and Christian Faith* (London 1964), t. 237, 'The prophet does not speak of a new torah but of a new covenant relationship which will enable men to obey the covenant stipulations out of inner motivation'.

cyfamod rhwng Duw a'i bobl? Hyd yn oed os oedd Israel yn haeddu cosb am ei throsedd, prin fod ei hanwadalwch yn peri i Dduw ei gwrthod, 'oherwydd nid oes tynnu'n ôl ar roddion graslon Duw, a'i alwad ef' (Rhuf. 11:29). Gras a thrugaredd Duw, nid teilyngdod dyn, yw sylfaen y cyfamod. Er mwyn cadw'r sylfaen hon, rhaid cydnabod fod Israel yn parhau'n genedl etholedig yr Arglwydd er iddi droseddu i'w erbyn. I Calfin, yr oedd hyn yn amlwg yn y datganiad nad oes 'tynnu'n ôl ar roddion graslon Duw, a'i alwad ef'. Meddai yn ei esboniad ar Rufeiniaid, 'Dywed Paul fod pwrpas Duw yn gadarn a disyfl . . . Gan na all yr Arglwydd dorri'r cyfamod a wnaeth ag Abraham "i fod yn Dduw i ti ac i'th ddisgynyddion ar dy ôl" (Gen. 17:7), y mae'n amlwg nad yw wedi tynnu ei gariad ymaith yn llwyr oddi wrth y genedl Iddewig'.[26] Y mae'r sawl sy'n gwadu hyn yn gwadu egwyddor fawr yr Eglwys Ddiwygiedig, fod iachawdwriaeth yn dod trwy ras Duw yn unig (*sola gratia*) ac nid trwy haeddiant dyn. Felly, os nad oedd Israel wedi colli ei statws gwreiddiol, yr oedd yn dal y tu fewn i'r cyfamod. Israel, meddai Calfin, oedd 'y mab hynaf' yn nheulu Duw. Petai'r Eglwys ar hyd y canrifoedd wedi ystyried yr Iddew fel ei brawd hynaf yn hytrach na'i gelyn pennaf, ni fyddai'r erlid didostur yn enw Crist wedi digwydd.

Y mae un pwynt pellach ynglŷn â'r cyfamod, yn niwinyddiaeth Calfin, yn haeddu sylw. Nid oedd y traddodiad Cristnogol erioed wedi defnyddio'r enw 'Iddewon' i ddynodi pobl Dduw yn yr Hen Destament. Yn y cyfnod cyn Crist, 'Israel' oeddent; dim ond ar ôl y croeshoeliad yr aethant yn 'Iddewon'. Y bwriad oedd gwahaniaethu rhwng y genedl etholedig, yn cynnwys y patriarchiaid a'r proffwydi, a'r bobl a ddisodlwyd gan yr Eglwys am iddynt ladd y Meseia. Gwrthododd Calfin wneud hyn. Y mae ef yn defnyddio 'Iddewon' (*Judaei*) am drigolion Jwda ar ôl cwymp y deyrnas ogleddol yn 722 C.C. a hefyd am esbonwyr rabbinaidd yr Oesoedd Canol, heb wahaniaethu rhyngddynt. Rhagdybia hyn fod cyfamod Sinai'n parhau mewn grym, a'i fod yr un mor ddilys i Iddewon yr unfed ganrif ar bymtheg yn Ewrop ag

[26] *Commentary on . . . Romans*, Calvin Trans. Soc. (Edinburgh 1849), t. 441.

ydoedd i Iddewon Jwda yn y gorffennol pell. Ym meddwl Calfin 'roedd Israel a'r Iddewon yn uned anwahanadwy — syniad chwyldroadol yn hanes yr Eglwys, ond o'r pwys mwyaf mewn unrhyw gyfathrach rhwng Cristion ac Iddew.

Yr amddiffynnydd

O gofio naws a chynnwys ysgrifau Luther yn erbyn yr Iddewon, syndod a phleser yw canfod ymysg gweithiau niferus Calfin, draethawd byr, ar ffurf deialog: *Ateb i Gwestiynau a Gwrthwynebiadau rhyw Iddew*.[27] Nid oes wybodaeth am ei gefndir na'i ddyddiad, ac y mae enw Iddew chwilfrydig y teitl yn ddirgelwch llwyr. Yn ôl rhai, dychmygol yw'r Iddew, person a grëwyd gan yr awdur er mwyn gallu llunio dadl rhwng y ddwy grefydd. Cred eraill mai'r rabbi enwog Josel o Rosheim sy'n holi Calfin pan gyfarfu'r ddau yn Frankfurt ym 1539.[28] Y mae'r ffaith fod cwestiynau'r Iddew yn syml a rhesymegol, o'u cymharu ag atebion cymhleth a hirwyntog Calfin, yn awgrymu nad ffrwyth dychymyg yw'r ymholwr. Er fod Calfin, gyda'i gefndir cyfreithiol, wedi ei hyfforddi i weld dwy ochr pob dadl, fel diwinydd ni fyddai wedi gwneud ymgais fwriadus i ennill cydymdeimlad i'w wrthwynebydd trwy osod ei achos mor glir a chryno. Y mae'n ddigon posibl fod yr ysgrif yn ailadrodd, ac yn ceisio ateb, dadleuon penodol a fynegwyd gan Iddew deallus yn erbyn Cristnogaeth.

Pwnc pob un o'r tri chwestiwn ar hugain yw'r gwahaniaethau oesol rhwng Cristion ac Iddew: dyfodiad y Meseia, dwyfoldeb Iesu, yr Iddewon a'r croeshoeliad, parhad y gyfraith Iddewig, ac ati. Fel y buasem yn disgwyl gan un sy'n credu ei fod ar yr ochr fuddugol mewn unrhyw ymryson ag Iddew, rhoir ateb parod a therfynol i bob un o'r cwestiynau; nid yw Calfin am adael i'w gystadleuwr ennill. Defnyddia'r un dadleuon yn erbyn Iddewiaeth ag a ddefnyddiodd ei ragflaenwyr yn yr

[27] Hyd y gwn, nid oes cyfieithiad o'r traethawd yma ar gael. Gw. *Ad quaestiones et obiecta Judaei cuiusdam Responsio* yn W. Baum *et al* (gol.), *Opera quae supersunt omnia* (Berlin 1900), Cyfr. 9, tt. 653-74.
[28] Dyna farn S. W. Baron, 'John Calvin and the Jews' yn J. Cohen (gol.), *Essential Papers on Judaism and Christianity in Conflict* (New York 1991), tt. 388 ym. Ymddangosodd yr ysgrif hon gyntaf yn *Harry Austryn Wolfson Jubilee Volume* (Jerusalem 1965), tt. 141-163.

Oesoedd Canol. Ond y mae ochr arall i'r ysgrif. Heb fanylu ar y cynnwys, sylwn ar bedair nodwedd sy'n dadlennu ymhellach agwedd gadarnhaol yr awdur at yr Iddewon, nodweddion sy'n troi theori yn weithred. Y peth cyntaf sy'n taro'r darllenydd yw cywair goddefgar yr atebion. O'r dechrau i'r diwedd y mae Calfin yn gwrando'n ofalus a chwrtais ar yr Iddew ac yn ei ateb heb awgrym o falais na chasineb. Y mae fel petai'n gwneud ati i fod yn deg â'i wrthwynebydd. Yr ail beth yw'r sylw manwl a roddir i'r Beibl Hebraeg yn yr atebion. Yn lle dyfynnu'r Testament Newydd fel yr awdurdod terfynol ym mhob achos, y mae Calfin yn troi at yr Hen Destament fel y tir canol rhyngddo ef a'i ymholwr ac yn ei esbonio'n glir a deallus. Y trydydd yw amharodrwydd Calfin i weld bai ar yr Iddewon. Er fod y proffwydi'n barnu Israel am ei hanffyddlondeb, ac awduron y Testament Newydd yn condemnio'r Phariseaid a'r Ysgrifenyddion, nid yw Calfin yn gwneud ati i feio'r Iddewon am wrthod Crist, oherwydd y mae'n ymwybodol ei fod ef ei hun yn euog o bechod ac o dan farnedigaeth. Wrth ymdrin â lle'r Iddew yn nhrefn iachawdwriaeth, cymer ei arwain gan gyngor yr Apostol Paul: 'Rho'r gorau i feddyliau mawreddog, a meithrin ofn Duw yn eu lle. Oherwydd os nad arbedodd Duw y cagnhennau naturiol, nid arbeda dithau chwaith' (Rhuf. 11:20-21). Yn olaf, dengys yr ysgrif yn eglur na ellir cyhuddo Calfin o'r balchder ffroenuchel a nodweddai agwedd yr Eglwys at Iddewiaeth ar hyd y canrifoedd. Y mae geiriau Paul wedi gwreiddio'n ddwfn yn ei ddiwinyddiaeth: 'Paid ag ymffrostio ar draul y canghennau a dorrwyd. Os wyt am ymffrostio, cofia nad tydi sy'n cynnal y gwreiddyn, ond y gwreiddyn sy'n dy gynnal di' (Rhuf. 11:18). Beth bynnag fo'i ffaeleddau, Israel yw sylfaen yr Eglwys.

Casgliadau

Sut bynnag yr esboniwn y newid a ddaeth dros Luther yn ei agwedd at yr Iddew, ni allwn wadu fod ysgrifau 1543 yn adlewyrchiad perffaith o syniadau'r Eglwys am ganrifoedd o'i flaen. Cyn diwedd ei oes camodd yn ôl i'r Oesoedd Canol ac atgyfodi nid yn unig y celwyddau maleisus a fathwyd am yr Iddewon yn y gorffennol, ond polisïau creulon y Chwilys a'r Croesgadwyr.[29] Trist yw sylweddoli fod y fath agwedd niweidiol yn cael ei hyrwyddo gyda brwdfrydedd mewn cyfnod o ddiwygiad Cristnogol. Ond yn ei argymhellion fe aeth Luther y tu hwnt hyd yn oed i'w ragflaenwyr. Efallai nad gormodiaith yw dweud gyda'r hanesydd Iddewig Jacob Marcus ei fod yn gyfrifol am y datganiadau gwrth-Iddewig chwerwaf 'yn holl lên y Cristion'.[30]

Er i Calfin ddod dan ddylanwad niweidiol yr Oesoedd Canol, yr oedd yn feirniadol o athrawiaethau a ysgogai'r Cristion i sarhau ac erlid Iddewon, ac fe safodd yn wrol yn erbyn y dehongliad traddodiadol o'r Ysgrythur. Yn ei esboniadaeth, ei ddiwinyddiaeth a'i apologia dros y Ffydd, fe arloesodd y ffordd i Gristnogion ystyried Iddewiaeth mewn goleuni gwahanol. Y mae'r goddefgarwch hwn, sy'n nodedig o'i gymharu â chasineb yr oes, yn egluro pam y mae Eglwysi sy'n seiliedig ar egwyddorion Calfinaidd, fel Eglwys Ddiwygiedig yr Iseldiroedd, wedi bod yn fwy rhyddfrydol na'r Pabyddion a'r Lutheriaid yn eu hagwedd at yr Iddew. I John Calfin y mae peth o'r diolch am fraenaru'r tir i alluogi Iddew a Christion i gyd-fyw.

[29] Am ddylanwad yr Oesoedd Canol ar agwedd Luther at yr Iddewon gw. J. Cohen, 'Traditional Prejudice and Religious Reform: The Theological and Historical Foundations of Luther's Anti-Judaism' yn S. L. Gilman a S. T. Katz (gol.), *Anti-Semitism in Times of Crisis* (New York 1991), tt. 81-102.
[30] *The Jew in the Mediaeval World* (New York 1960), t. 165.

Cenedlaetholdeb: Hen Wlad y Tadau (1860 - 1948 O.C.)

Y mae 'perchenogaeth' wedi bod yn un o syniadau pwysicaf y y byd ym mhob oes. Bu statws dyn ac ymerodraeth yn dibynnu arni ar hyd y canrifoedd, a dyma asgwrn y gynnen yn ymron pob ymrafael rhwng gwahanol wledydd heddiw. Daw'r trybini a'r dioddef sydd ynghlwm wrth golli gwlad, hynny yw darn arbennig o dir, i'r amlwg yn helyntion y ffoaduriaid, sef 'gwrthodedigion trist ein byd, heb waith heb obaith mwy'. Y mae bod yn berchen ar ei wlad ei hun yn rhoi urddas ar yr unigolyn ac yn rhoi sicrwydd iddo ar gyfer y dyfodol. Y mae'n rhoi llais a lle iddo y tu fewn i hanes.

Pwnc y bennod hon yw hiraeth yr Iddew am gael dychwelyd i'r wlad yr alltudiwyd ef ohoni gan y Rhufeiniad yn 135 O.C., a hefyd agwedd Cristnogion cynnar a Christnogion cyfoes at yr hiraeth hwn. Rhoddir sylw yn gyntaf i dŵf y mudiad cenedlaethol ymysg Iddewon Ewrop ac yna olrheinir hanes yr ymateb o du Cristnogion i'r syniad o wladwriaeth Iddewig.

Dyhead yr Iddew

Nid oes nemor wythnos yn mynd heibio nad yw'r helyntion rhwng Iddew ac Arab yn cael lle amlwg yn y newyddion. Ymddengys fod y llwybr sy'n arwain at heddwch parhaol yn y Dwyrain Canol yn un anodd iawn i'w ddilyn. Er gwaethaf yr holl drin a thrafod dros y blynyddoedd, nid yw neb yn ymddangos fawr elwach. Un rheswm am aflwyddiant y trafodaethau yw agwedd yr Iddew at y wlad y mae'n byw ynddi, oherwydd yr agwedd honno sy'n penderfynu ei adwaith i unrhyw gynllun newydd gan y gwleidyddion. Gwelir yr agwedd hon gliriaf ym mholisïau'r Seioniaid, sef yr Iddewon hynny sy'n credu, ar sail Ysgrythur a thraddodiad, fod ganddynt hawl i'r wlad fechan ar arfordir dwyreiniol y Môr Canoldir. Fel syniad neu ddelfryd, y mae gwreiddiau Seioniaeth yn ddwfn yn y grefydd Iddewig, ond fel mudiad gwleidyddol y mae'n perthyn i'r ganrif ddiwethaf ac yn tarddu o'r gwewyr a ddioddefodd yr Iddew yn ystod y lladd a'r erlid yn Ewrop. Er i'r Seioniaid sicrhau cartref parhaol i'r Iddew, canlyniad anochel eu hymdrechion yw'r gwrthdaro parhaus rhwng Israel a'i chymdogion.

Y gwreiddiau

Afraid dweud fod 'gwlad yr addewid' wedi bod yn syniad allweddol mewn Iddewiaeth am dair mil o flynyddoedd, a mwy.[1] Yn y bôn, yr hyn a geir yn yr Ysgrythur yw hanes cenedl mewn perthynas â llain o dir arbennig. Y mae'r cysylltiad yn dechrau gydag addewid Duw am wlad i Abraham a'i ddisgynyddion. Cadarnhawyd yr addewid yn Isaac, a phan fu farw Jacob yn yr Aifft parchodd ei feibion ei ddymuniad a'i gladdu yn ei gynefin, sef gwlad ei dad a'i daid. Ar ôl caethwasiaeth hir o dan y Pharo a chyfnod o grwydro'r anialwch, gwireddwyd yr addewid yng nghyfnod Josua pan ddaeth Canaan yn eiddo i'r deuddeg llwyth. Dyma'r wlad a ddatblygodd Dafydd a Solomon yn ymerodraeth eang a ffyniannus gan sicrhau lle blaenllaw iddi, ar un cyfnod, ymysg cenhedloedd y byd. Ond ni chadwodd Israel ei statws breintiedig yn hir. Aeth rhan o'r etifeddiaeth ar chwâl o dan ormes Asyria yn yr wythfed ganrif, ac yn y chweched ganrif C.C., pan gaethgludodd Nebuchadnesar hufen poblogaeth Jwda i Fabilon, daeth llinach frenhinol Dafydd i ben am byth.

[1] Am ymdriniaeth â'r pwnc gw. W. Brueggemann, *The Land* (London 1978); W. D. Davies, *The Territorial Dimension of Judaism* (London 1982).

109

Hiraeth am Seion, sef y mynydd sy'n gyfystyr â Jerwsalem, oedd cyweirnod y Gaethglud. Daw cariad angerddol yr Iddew at wlad ei febyd i'r golwg yn un o ganeuon poblogaidd y caethion :

Ger afonydd Babilon yr oeddem yn eistedd ac yn wylo
wrth gofio am Seion.
Ar yr helyg yno
bu inni grogi ein telynau,
oherwydd yno gofynnodd y rhai a'n caethiwai am gân,
a'r rhai a'n hanrheithiai am ddifyrrwch.
'Canwch inni', meddent, 'rai o ganeuon Seion'.
Sut y medrwn ganu cân yr Arglwydd mewn tir estron?
Os anghofiaf di, Jerwsalem,
bydded fy neheulaw'n ddiffrwyth;
bydded i'm tafod lynu wrth daflod fy ngenau
os na chofiaf di,
os na osodaf Jerwsalem
yn uwch na'm llawenydd pennaf.   (Salm 137)

Gyda goruchafiaeth y Persiaid, yn niwedd y chweched ganrif, daeth y cyfle i'r sawl a fynnai ddychwelyd i wlad y tadau. Ond o hyn ymlaen yr oedd yn rhaid i'r Iddewon ddysgu byw dan oruchwyliaeth estron : yn gyntaf y Persiaid, ac yna'r Groegwyr a'r Rhufeiniaid. Dyna hanes Israel : hanes ennill gwlad, ennill statws a sicrwydd a rhyddid, a'u colli wedyn.

Yn gam neu'n gymwys, credai awduron yr Hen Destament fod Canaan yn perthyn i'r Iddewon ac mai dyma gartref cydnabyddedig y genedl. Ond nid ar ffeithiau hanesyddol yn unig y dibynna'r Iddew i gyfiawnhau ei hawl i'r wlad; y mae gan athrawiaeth ei lle hefyd, athrawiaeth sy'n rhoi arwyddocâd diwinyddol i ddarn o dir. Yn ôl y Beibl, y mae'r wlad yn rhan annatod o'r ffydd a hynny am bedwar rheswm. Yn gyntaf, am fod Duw ei hun wedi ei haddo, neu, a bod yn fanwl, ei thyngu, i'r tadau. Ynghŷd â'r addewid am fendith ac am epil, y mae'r addewid am wlad yn sylfaenol i'r cyfamod rhwng Duw ac Abraham (Gen. 12 : 1-3). O'r tri, hon yw'r addewid fwyaf amlwg a'r un a fynegir gryfaf gan yr awduron beiblaidd. 'Rhoddaf y wlad yr wyt yn crwydro ynddi, sef holl wlad Canaan, yn etifeddiaeth dragwyddol i ti ac i'th ddisgynyddion ar dy ôl' (Gen. 17 : 8). Ailadroddir y cyfeiriad hwn at barhad

110

diamodol yr addewid droeon yn llyfr Genesis, ac yn Deuteronomium cawn o leiaf ddeunaw enghraifft ohono. Er fod tarddiad y cyfamod yn destun trafod brwd ymhlith ysgolheigion, mewn astudiaeth fel hon nid ei darddiad sy'n bwysig ond y ffaith iddo ddatblygu'n rym nerthol a chreadigol ym mywyd y genedl. Wedi cyflawni'r addewid yn oes aur Dafydd a Solomon, gwthiwyd y cyfamod ag Abraham o'r neilltu. Yn y ddegfed ganrif yr oedd bodolaeth teyrnas Israel yn brawf fod Duw wedi cadw'i air ac yn arwydd daearyddol o'i ras tuag at ei bobl. Ond mewn cyfnod o argyfwng, megis yr wythfed ganrif a blynyddoedd y Gaethglud ym Mabilon, pan oedd dyfodol y genedl yn ansicr, deuai'r addewidion yn berthnasol unwaith yn rhagor. Yr oedd y ffaith fod Duw wedi addo gwlad i'w gyndadau yn rhoi sicrwydd a hyder i'r Iddew ac yn ei annog i ddyfalbarhau mewn awr dywyll.

Yn ail, Duw piau'r wlad. Y mae'n wir fod y Beibl yn cyfeirio ati droeon fel 'gwlad Canaan' (Gen. 12:5) a 'gwlad yr Amoriaid' (Jos. 24:8), ond sylwer ar Lefiticus 25:23: 'Ni ellir gwerthu'r tir yn barhaol, oherwydd eiddof fi yw'r tir, ac nid ydych chwi ond estroniaid a thenantiaid i mi'. Geiriau Duw yw'r rhain, ac er mai dyma'r unig gyfeiriad yn y Pumllyfr at y wlad fel eiddo'r Arglwydd, y syniad hwn yw'r syniad llywodraethol yn y traddodiad Iddewig. Trwy goncwest y meddiannodd Duw yntau hi, ond er budd Israel y gwnaeth hynny. Fel y dywed Josua yn ei araith ffarwel, 'Gwelsoch y cwbl a wnaeth yr ARGLWYDD eich Duw i'r holl genhedloedd hyn er eich mwyn, oherwydd yr Arglwydd eich Duw oedd yn ymladd drosoch' (Jos. 23:3). Y syniad hwn sydd wrth wraidd yr arfer o beidio â thrin y tir am un flwyddyn o bob saith. Y mae awdur Lefiticus yn personoli'r wlad wrth orchymyn iddi orffwyso: 'Y mae'r wlad i gadw Saboth i'r ARGLWYDD' (Lef. 25:2). Trwy gadw blwyddyn sabothol y mae'r tir hefyd yn cydnabod penarglwyddiaeth Duw. Nodwedd arall sydd ynghlwm wrth berchenogaeth ddwyfol yw sancteiddrwydd y wlad. Yn y meddwl Hebreig nid oedd a wnelo sancteiddrwydd ddim byd â moeseg a duwioldeb; 'bod ar wahân' oedd yr ystyr gwreiddiol. Yr oedd yr offeiriad yn berson 'sanctaidd' am ei fod wedi ei gysegru i wasanaeth Duw a'i neilltuo oddi wrth

111

bawb arall. Yr oedd yr un peth yn wir am y genedl ac am y wlad. Y mae sancteiddrwydd y wlad yn ddibynnol ar sancteiddrwydd ei pherchennog.

Yn drydydd, rhodd rasol Duw i Israel yw'r wlad. Nid yw'r genedl yn cael anghofio am foment ei dyletswydd i ddiolch i Dduw am ei haelioni. Y mae awdur Deuteronomium yn pwysleisio hyn pan ddywed : 'Yna bydd yr ARGLWYDD dy Dduw yn dod â thi i'r wlad y tyngodd i'th dadau, Abraham, Isaac a Jacob, y byddai'n ei rhoi iti, gwlad o ddinasoedd mawr a theg nad adeiladwyd mohonynt gennyt, hefyd tai yn llawn o bethau daionus na ddarparwyd mohonynt gennyt, a phydewau na chloddiwyd gennyt, a gwinllannoedd ac olewydd na phlannwyd gennyt. Pan fyddi'n bwyta ac cael dy ddigoni, gofala na fyddi'n anghofio yr ARGLWYDD dy Dduw' (6 : 10-12). Nid trwy eu hymdrechion ei hun y cafodd Israel ei holl gyfoeth; yng Nghanaan fel yn ystod taith yr anialwch, y mae'n ddibynnol ar ras Duw, ar y rhoddwr y tu ôl i'r rhodd, am bob braint a ddaeth i'w rhan.

Yn olaf, y mae i'r wlad ran allweddol yng nghynllun Duw i'w genedl. Dewisodd yr Arglwydd ddatguddio'i bwrpas i'r byd trwy Abraham a'i deulu, ac o'r teulu hwn daeth cenedl sanctaidd a etholwyd i bwrpas arbennig. Gorchwyl benodol Israel oedd ffurfio cymdeithas gyfiawn a dyngarol, cymdeithas heb dlodi na rhyfel na thwyll, a thrwy ei hesiampl rhoi arweiniad i'r cenhedloedd o'i chwmpas. Er mwyn cyflawni dibenion eu bodolaeth, yr oedd yn orfodol i'r bobl gael gwlad lle y caent bob cyfle i fyw fel cenedl etholedig. Hyd heddiw, cred un garfan o Iddewon na ellir ufuddhau yn llawn i ofynion y Gyfraith yn unman ond yng ngwlad yr addewid; dim ond yn Israel y gellir sefydlu'r gymdeithas ddelfrydol. A'r gymdeithas sy'n bwysig, oherwydd cymdeithas nid unigolion yw sail Iddewiaeth.

O gofio arwyddocâd y wlad i'r Iddew, pa ryfedd fod alltudion y Gaethglud ym Mabilon yn hiraethu am Seion? Pa ryfedd fod geiriau calonogol Eseciel, proffwyd mawr y Gaethglud, wedi'u harysgrifennu ar fur senedd-dŷ Israel gyfoes yn Jerwsalem : 'Byddaf yn eich cymryd o blith y cenhedloedd, yn eich casglu o'r holl wledydd, ac yn dod â chwi i'ch gwlad

112

eich hunain . . . Byddwch yn byw yn y tir a roddais i'ch tadau'? (36:24-28) Mewn un ystyr, gwireddwyd yr addewid hon yn ystod y chwe chan mlynedd rhwng diwedd y Gaethglud a chwymp yr ail deml yn 70 C.C. Dychwelodd llawer o Iddewon i Jwdea a llwyddo i fyw yn ôl Cyfraith Moses o dan un ymerodraeth ar ôl y llall, er gwaethaf pob gormes. Ond ar ôl dinistr Jerwsalem yn gynnar yn yr ail ganrif O.C., alltudiwyd yr Iddewon o'u gwlad fel cosb am eu gwrthryfel yn erbyn Rhufain. Ymdrechodd yr Ymerawdwr Hadrian hyd eithaf ei allu i dorri'r cysylltiad rhwng y genedl a'i gwlad, a bu bron iddo lwyddo. Pan fu farw yn 138, ychydig iawn o Iddewon oedd yn dal i fyw ym Mhalesteina. Yr oedd y mwyafrif llethol wedi ymgartrefu yng ngwledydd y Gwasgariad neu'r *Diaspora,* y gwledydd cyfagos a fu'n lloches i ffoaduriaid o Jwdea er amser Nebuchadnesar. Bellach ofer oedd tybio mai Palesteina oedd cartref yr Iddew. Addewid ddwyfol un i heldio, tystiai'r ffeithiau i'r gwrthwyneb.

Ond er llymed tristwch alltudiaeth, ni phallodd y gobaith am ddychwelyd i Seion ryw ddydd. Yn eu llên doreithiog, gwnaeth y rabbiniaid ymgais fwriadus i gadw'r cof am y wlad yn fyw ym meddwl Iddewon y Gwasgariad. Yn y Mishnah a'r Talmwd, sef casgliadau o'r Gyfraith Lafar a gwblhawyd cyn 500 O.C., ceir cyfeiriadau mynych at y deml, y ddinas a'r wlad, sy'n awgrymu fod y ddelfryd o fynd yn ôl i Jwdea'n parhau. Ceir enghreifftiau pellach, ac o bosibl mwy dylanwadol, yn y Llyfr Gweddi Iddewig. Wrth lunio gwasanaethau'r Synagog ar ôl 70 O.C., deddfodd yr awdurdodau fod y weddi fawr a elwir yr *Amidah* neu'r *Deunaw Bendith* i'w hadrodd dair gwaith bob dydd a'r gweddïwr yn wynebu Jerwsalem. Fe gynnwys y geiriau a ganlyn:

Bendith 14

Bydd drugarog, O Arglwydd ein Duw, yn dy fawr dosturi wrth dy bobl Israel, ac wrth Jerwsalem dy ddinas ac wrth Seion, bythol gartref dy ogoniant, ac wrth dy deml a'th breswylfa ac wrth deyrnas tŷ Dafydd dy eneiniog cyfiawn. Bendigedig wyt ti, O Arglwydd, Dduw Dafydd, adeiladydd Jerwsalem.

113

Bendith 16

Derbyn ni, O Arglwydd ein Duw, a phreswylia yn Seion; a bydded i'th weision dy wasanaethu yn Jerwsalem. Bendigedig wyt ti, O Arglwydd, a addolwn mewn parchedig ofn.

Bendith 18

Dyro dy dangnefedd i'th bobl Israel ac i'th ddinas ac i'th eitfeddiaeth, a bendithia ni, bob un ohonom. Bendigedig wyt ti, O Arglwydd, sy'n creu heddwch.

Er fod y gweddïau hyn yn tarddu o'r cyfnod cyn dinistr Jerwsalem pan oedd yr Iddew mewn meddiant o'i wlad, cawsant eu cynnwys yn litwrgi'r Synagog pan adolygwyd hwnnw yn sgîl colli'r deml, ac mewn ffurf ddiwygiedig y maent yn rhan ohono hyd heddiw.[2] Tair gwaith bob dydd, felly, disgwylid i'r Iddew alltud weddïo am ffyniant Jerwsalem, er na fu erioed o fewn ei muriau. Ymddengys fod y rabbiniaid cynnar yn benderfynol o sicrhau lle parhaol i'r wlad yn y traddodiad Iddewig. Er mai breuddwyd yn unig fu'r ddolen gydiol rhwng yr Iddew a'i dreftadaeth am ganrifoedd, ni phallodd y ddelfryd o'i hailfeddiannu ryw ddiwrnod. Y mae geiriau olaf gwasanaeth y Pasg ar bob aelwyd Iddewig am ymron ugain canrif yn mynegi dyhead oesol y genedl am gael dychwelyd : 'Y flwyddyn nesaf yn Jerwsalem'. Y mae disgrifiad W. D. Davies o'r berthynas rhwng yr Iddew a'r wlad yn un cymwys dros ben : 'There is a kind of "umbilical cord" between Israel and The Land'.[3] Gyda chysylltiad o'r fath, nid oedd modd i'r Iddewon anghofio Seion.

Y gwewyr

Y mae Seioniaeth yn gyfuniad o ddau beth : hen freuddwyd a mudiad newydd. Am ganrifoedd bu'r Iddew'n aros yn ddisgwylgar am gyfle i ddychwelyd i'w wlad, bu'n breuddwydio am fynd adref. Ond er mor greulon yr hiraeth, nid ei gyfrifoldeb

---

[2] Ceir y ddwy fersiwn o'r gweddïau yn C. W. Dugmore, *The Influence of the Synagogue upon the Divine Office* (Oxford 1944, London 1964), tt. 121-23. Am y fersiwn gyfoes yn unig gw. J. H. Hertz (gol.), *The Authorized Daily Prayer Book* (London 1935), tt. 49-51.
[3] *Op.cit.*, t. 36.

ef oedd hyrwyddo'r adferiad. Yn ôl yr Iddew uniongred, ni ddeuai ymwared i'r alltud ond 'oddi uchod', oherwydd gwaith Duw fyddai achub ei wlad o ddwylo estron. Er iddynt fyw yn Israel er 1948, y mae'r Iddewon hynny sy'n perthyn i fudiadau eithafol yn dal i wrthod cydnabod y wladwriaeth am mai dyn a nid Duw a'i sefydlodd. Fel eu cyndadau yn yr Oesoedd Canol, disgwyliant i'r dwyfol ymyrryd yng nghwrs y byd trwy gyfrwng ei eneiniog, y Meseia, a chreu cartref parhaol i'w genedl etholedig. Dyma'r hen freuddwyd, y 'Seioniaeth feseianaidd' a roes hyder a gobaith i Iddewon y Gwasgariad am ymron ddwy fil o flynyddoedd.

Ychydig dros ganrif yn ôl, datblygodd math arall o Seioniaeth ymysg Iddewon Ewrop.[4] Er i'r mudiad newydd hwn gael ei ysbrydoli gan ddysgeidiaeth y Beibl am wlad yr addewid a chan freuddwyd yr alltudion, yr oedd yn gwahaniaethu'n sylfaenol oddi wrth Seioniaeth grefyddol y ghetto. Mynnai'r arweinwyr na chynorthwyai Duw ond y sawl a ymdrechai i'w gynorthwyo'i hun. Nid disgwyl am gymorth 'oddi uchod' oedd yr ateb i broblemau'r Iddew, ond ceisio'u datrys 'oddi isod'. Dibynnai ffyniant y genedl ar ddyn ac nid ar Dduw. O gofio fod gwleidyddiaeth a chymdeithaseg wedi dylanwadu'n drymach na chrefydd ar y Seionwyr cynnar, ystyriwn ddau fygythiad a oedd yn peryglu dyfodol y genedl ac a'i hysgogodd i geisio sefydlu gwladwriaeth Iddewig.

Rhyddid oedd y bygythiad cyntaf. Yn hanes Cristnogaeth daw'r Oesoedd Canol i ben gyda'r Dadenni a'r Diwygiad Protestannaidd yn nechrau'r unfed ganrif ar bymtheg. Ond i'r Iddew parhaodd yr Oesoedd Canol am dair canrif arall. Hyd tua 1800 yr oedd y deddfau gwrth-Iddewig a'r anfanteision oesol yn dal mewn grym, ac ni ddilëwyd y *ghetto*'n llwyr o ddinasoedd Gorllewin Ewrop cyn hanner olaf y ganrif. Ond yng nghyfnod Goleuedigaeth, y mudiad diwylliannol a meddyliol a ysgubodd drwy Ewrop yn adfywio syniadau'r Dadeni am hawliau dynol, daeth yr Iddew yn rhydd o hualau'r gorffennol. Ym meddwl y 'blaid ddyngarol', fel y gelwid y

[4] Am ymdriniaeth drylwyr â Seioniaeth fel mudiad cyfoes gw. W. Laqueur, *A History of Zionism* (London 1972); D. Vital, *The Origins of Zionism* (Oxford 1975).

115

mudiad, yr oedd gan Iddewon yr un hawl â phawb arall i fod yn aelodau llawn o gymdeithas. Y cyntaf i fanteisio ar yr agwedd newydd oedd Moses Mendelssohn (1729-86), taid y cerddor ac un o Iddewon blaenllaw Berlin. Trwy gyfrwng addysg, ymroddodd Mendelssohn i bontio'r agendor rhwng y *ghetto* a chymdeithas uchel-ael y byd oddi allan. Pwysodd ar Iddewon i ddysgu Almaeneg yn lle cyfyngu eu hunain i'r Iddewiaith (*Yiddish*), sef cymysgedd o Hebraeg ac Almaeneg — iaith feunyddiol y *ghetto*. Sefydlodd Ysgol Rydd ym Merlin, yr ysgol Iddewig gyntaf i ddysgu pynciau heblaw'r Beibl a'r Talmwd, a hynny mewn Almaeneg. Cyfieithodd y Pumllyfr i'r Almaeneg, mewn ymgais bellach i ledaenu diwylliant Ewrop ymysg yr Iddewon a sicrhau lle i'w genedl o fewn cymdeithas. Er na chafodd Mendelssohn fyw i glywed gwŷr y Chwyldro Ffrengig ym 1789 yn pregethu rhyddid, cydraddoldeb a brawdgarwch i bawb, beth bynnag fo'u hil a'u cred, gwelodd pa ffordd yr oedd y gwynt yn chwythu. Dan ei ddylanwad ef agorwyd drysau'r *ghetto* ac ymhen hanner can mlynedd ar ôl ei farw yr oedd Iddewiaeth Gorllewin Ewrop wedi ei thrawsnewid.

Ond yr oedd i ryddid ei bris. O ganlyniad i chwalu'r *ghetto* a chysylltu'n uniongyrchol â diwilliant y Gorllewin, profodd Iddewiaeth argyfwng ysbrydol enbyd. Yr oedd y rhyddid y dyheodd yr Iddew gymaint amdano yn bygwth tanseilio'i grefydd a'i ddiwylliant mewn dwy ffordd. Yn gyntaf, trwy wrthgiliad. Er mwyn ennill lle mewn cymdeithas a dod yn aelodau cyflawn ohoni, yr oedd llawer o Iddewon yn fodlon ymwadu â'u cred a throi'n Gristnogion. Gan mai ffordd i osgoi erlid fu tröedigaeth yn y gorffennol, fe ddylai cydraddoldeb fod wedi gwneud derbyn bedydd am resymau cymdeithasol yn ddianghenraid. Ond nid felly y bu. Yn gam neu'n gymwys, cyfrifid bedydd yn docyn mynediad i'r gymdeithas Ewropeaidd tu draw i furiau'r *ghetto*. Amcangyfrifir i chwarter miliwn o Iddewon canolbarth Ewrop dderbyn Cristnogaeth yn wirfoddol yn ystod y bedwaredd ganrif ar bymtheg. Yn eu plith yr oedd Karl Marx, Benjamin Disraeli a phlant Moses Mendelssohn.

Yn ail, arweiniodd rhyddid i gydweddiad. Cyn gynted ag y gadawai'r Iddew loches y *ghetto,* disgwylid iddo ymdoddi i'r gymdeithas. Os oedd am fod yn gydradd â'r Almaenwr neu'r Ffrancwr, yr oedd yn rhaid iddo gydweddu â'i gymdogion a pheidio ag arddel ei Iddewiaeth, o leiaf yn gyhoeddus. Y cam cyntaf oedd siarad iaith Ewropeaidd yn lle *Yiddish*. Ond yn fuan iawn rhoddwyd traddodiadau crefyddol a chenedlaethol hefyd o'r neilltu. Dros nos diflannodd ffordd o fyw a oedd wedi goroesi yn y *ghetto* am ganrifoedd.

Y bygythiad mawr arall i ddyfodol y grefydd oedd erledigaeth. Daeth hwn i'r brig unwaith eto ar gyfandir Ewrop cyn diwedd y bedwaredd ganrif ar bymtheg, ac yn enwedig mewn dwy wlad a oedd yn gartref i nifer sylweddol o Iddewon, sef Rwsia a Ffrainc. Er mai Rwsia oedd crud erledigaeth yn Nwyrain Ewrop, yn saithdegau'r ganrif ddiwethaf yr oedd tua phum miliwn o Iddewon, hanner poblogaeth Iddewig y byd yn y cyfnod hwnnw, yn dal i fyw yno. Yr oedd y rhan fwyaf ohonynt yn byw yn y Tir Vmulydlu *(Pale of Settlement)* a bennwyd ar y ffin orllewinol i wrthsefyll ymosodiad ar ôl i Rwsia goncro'r gwledydd bychain o'i chwmpas. Gorfodwyd miloedd o Iddewon i ymfudo yno o rannau eraill o'r wlad, a gwae'r sawl a feiddiai geisio dychwelyd i'w hen gartref yn y dwyrain. Ond er gwaethaf polisïau gwrth-Iddewig y llywodraeth, atgasedd yr Eglwys Uniongred ac un gyflafan ar ôl y llall, yr oedd y deallusion ymysg Iddewon Rwsia'n ffyddiog fod rhyddid a chydraddoldeb wrth y drws. Chwalwyd eu gobeithion, fodd bynnag, ym Mawrth 1881 pan lofruddiwyd y Tsar rhyddfrydol Alexander II. Er mai terfysgwyr oedd yn gyfrifol am yr anfadwaith, rhoddwyd y bai ar yr Iddewon. Cafodd pob cymuned Iddewig ei herlid yn ddidrugaredd a phasiwyd mwy o gyfreithiau creulon gan y Tsar newydd. Cyn diwedd y flwyddyn dyngedfennol hon, yr oedd yn amlwg i bawb nad oedd croeso i'r Iddew yn Rwsia.

Os siomwyd yr Iddew yn Rwsia, yr oedd ei siomiant seithwaith gwaeth yn Ffrainc. Ystyriai'r Iddewon y Chwyldro Ffrengig yn drobwynt yn eu hanes a Napoleon yn un o'u harwyr. Ond byrhoedlog fu'r cydraddoldeb a'r brawdgarwch y bu cymaint o sôn amdanynt ym 1789. Erbyn diwedd y bedwaredd ganrif ar bymtheg yr oedd gwrthsemitiaeth wedi gwreiddio'n ddwfn yn naear Ffrainc, fel y dengys yr achos cyfreithiol enwog a elwir yn 'L'affaire Dreyfus'. Ym 1894 cyhuddwyd Iddew o'r enw Alfred Dreyfus, capten yn y fyddin, o fradychu ei wlad i'r Almaenwyr. Er ei fod yn ddieuog, cafodd ei gollfarnu a'i ddedfrydu i garchar am oes. Ei dras Iddewig a'i condemniodd, ac aeth deng mlynedd heibio cyn iddo allu profi ei ddiniweidrwydd ac ennill ei ryddid.

Y mae ymateb Iddewon Ewrop i'r bygythiad i ddyfodol Iddewiaeth a ddaeth trwy ryddid ac erledigaeth yn gysylltiedig â thri unigolyn dylanwadol, sef Hirsch Kalischer (1795 - 1874), Leon Pinsker (1821 - 81) a Theodor Herzl (1860 - 1904). Sylweddolodd Kalischer, rabbi uniongred o Wlad Pwyl, fod rhyddid yr un mor fygythiol â gormes i Iddewiaeth, os nad yn fwy felly. Gwir fod bywyd ganwaith gwell ar ôl 1789, diolch i Napoleon, ond yr oedd parodrwydd Iddewon y Gorllewin i gydweddu â chymdeithas eu cymdogion yn arwydd brawychus i Kalischer fod parhad y grefydd a'r genedl yn y fantol. I'r Iddew crefyddol nid dyma'r llwybr i'w ddilyn. Ond er gwaethaf ei ddaliadau uniongred, nid oedd Kalischer yn fodlon aros i'r hir-ddisgwyliedig Feseia ddatrys y broblem yn ei amser ei hun. Ofn canlyniadau rhyddid a'i hysgogodd i ysgrifennu fel hyn yn ei lyfr dylanwadol *Ceisio Seion* (1862):

Anghofia'r syniad confensiynol y bydd y Meseia ar amrantiad yn seinio'r utgorn mawr ac yn peri i holl drigolion y ddaear grynu. I'r gwrthwyneb, fe ddechreua'r Waredigaeth trwy inni ennyn cefnogaeth y dyngarwyr a chael cydsyniad y cenhedloedd i rai o wasgaredigion Israel ymgasglu yn y Wlad Sanctaidd.[5]

Mynnai Kalischer y gellid cynorthwyo'r Meseia, ac o bosibl prysuro'i ddyfodiad, trwy ledaenu'r syniad o sefydlu cartref cenedlaethol i Iddewon ym Mhalesteina. Er mwyn dechrau'r proses o ailfeddiannu'r wlad, apeliodd at ei gyd-Iddewon am arian i brynu Jerwsalem gan y Twrc, ac ym 1862 sefydlodd gymdeithas o'r enw Carwyr Seion i hyrwyddo sefydliadau amaethyddol yng Ngalilea.

Os rhyddid Iddewon y Gorllewin a symbylodd Kalischer, yr erlid yn y Dwyrain a ddwysbigodd Pinsker, meddyg yn Rwsia.

[5] Dyfynnir ef yn netholiad A. Hertzberg, *The Zionist Idea* (New York 1959), t. 111.

Ar un cyfnod tybiai Pinsker y dylai'r Iddew gydweddu â chymdeithas ei gydwladwyr, ond ar ôl yr erlid ym 1881 newidiodd ei gân. Rhoddodd ei feddwl ar bapur mewn llyfryn o'r enw *Autoemanzipation (Hunan-ryddhad)* a gyhoeddwyd yn yr Almaen ym 1882 gyda'r is-deitl 'Rhybudd i'w frodyr gan Iddew o Rwsia'. Byrdwn y rhybudd oedd na fyddai cydweddu fyth yn ateb problem yr Iddewon. Hyd yn oed pe baent yn gydradd mewn enw, ni chaent eu cyfrif yn gwbl gydradd am y rheswm syml fod gwrthsemitiaeth yn dal i ffynnu; yr oedd casineb at yr Iddew yn gyflwr parhaol mewn cymdeithas ac ni ellid ei ddileu. Beth bynnag a wnâi, ni fedrai'r Iddew ennill ei blwyf y tu allan i'r *ghetto*. Yn y cyfieithiad Saesneg coeth o eiriau'r nofelydd Jakob Wassermann :

> Vain to seek obscurity. They say : the coward, he is creeping into hiding, driven by his evil conscience. Vain to go among them and offer them once hand. They say : why does he take such liberties with his Jewish pushfulness? Vain to keep faith with them as a comrade-in-arms of a fellow citizen. They say : he is a Proteus, he can assume any shape or form. Vain to help them strip off the chains of slavery. They say : no doubt he found it profitable. Vain to counteract the poison.[6]

Er fod Wassermann yn un o'r Iddewon mwyaf 'Almaenaidd' y cyfnod yn union ar ôl y Rhyfel Byd Cyntaf, y mae'n besimistaidd iawn ynglŷn â gobaith yr Iddew i gydweddu â chymdeithas. Y mae ei ciriau yn adlewyrchu'n union syniadau Pinsker. Unig obaith yr Iddew i osgoi erlid oedd sefydlu ei wladwriaeth ei hun.

Gohebydd yn Vienna, ei ddinas enedigol, oedd Theodor Herzl pan anfonwyd ef i Baris ym 1894 i adrodd am achos Dreyfus.[7] Ar ôl y ddedfryd, gwrandawodd yn syn ar y dyrfa y tu allan i'r llys yn bloeddio 'à bas les juifs!' (I lawr â'r Iddewon.) Fel y dywed yn ei ddyddlyfr, nid 'Marwolaeth i'r bradwr!', na hyd yn oed 'Marwolaeth i Dreyfus!', oedd ar wefusau'r dorf, ond y gri wrthsemitaidd oesol, 'Marwolaeth i'r

[6] Dyfynnir ef yn W. Laqueur, *Weimar: A Cultural History 1918-1933* (London 1974), t. 75.
[7] Am Herzl gw. A. Elon, *Herzl* (New York 1975).

Iddewon!' Os dyma'r sefyllfa yn Ffrainc o bobman, yr oedd yr erlid yn sicr o fod yn waeth mewn gwledydd eraill llai rhyddfrydol, a daeth Herzl i'r casgliad na châi'r Iddew byth lonydd tra fyddai'n byw fel estron ac alltud ynghanol cenhedloedd eraill; rhaid oedd iddo gael ei wlad ei hun. Er mwyn hyrwyddo'i syniadau, ysgrifennodd ei lyfr cyntaf *Der Judenstaad (Y Wladwriaeth Iddewig)* a ddisgrifir ganddo fel 'ymgais i roi ateb cyfoes i broblem yr Iddewon'. Yn annibynnol ar Kalischer a Pinsker — ni wyddai am eu bodolaeth pan ysgrifennai'r llyfr — apeliodd at ddyhead yr Iddew am wlad. Cafodd ei syniadau groeso brwd gan Garwyr Seion a chan lawer o Iddewon blaenllaw'r Gorllewin.

Cyfraniad parhaol Herzl i hanes ei genedl oedd mynnu gwireddu breuddwydion y gorffennol. Nid un a oedd yn fodlon aros yn amyneddgar i'r oes feseianaidd wawrio mohono, eithr gweithiwr ymarferol ac egnïol. Tra oedd Iddewon crefyddol yn dioddef yn ddistaw ac yn gweddïo ar i Dduw ymyrryd, yr oedd Herzl wrthi'n ddiwyd yn trefnu a chynllunio. O dan ei lywyddiaeth ef y cyfarfu Cyngres Gyntaf y Seioniaid yn Basle ym 1897 a phasio i 'greu cartref cyfreithlon ar gyfer y genedl Iddewig ym Mhalesteina'. Ar Awst 31, 1897 ysgrifennodd yn ei ddyddlyfr y geiriau proffwydol, 'Heddiw sefydlais y wladwriaeth Iddewig. Pe bawn yn dweud hynny heddiw, byddai pobl yn fy nirmygu. Ond ymhen pum mlynedd — yn sicr ymhen hanner can mlynedd — fe welir fy mod yn iawn'. Ar Dachwedd 28, 1947 cydsyniodd y Cenhedloedd Unedig â chais yr Iddewon a chaniatáu sefydlu gwladwriaeth Israel.

Y gwrthdaro

Ac Iddewon Ewrop, dan arweiniad Herzl, yn trafod y posibilrwydd o sefydlu gwladwriaeth ym Mhalesteina, nid oes unrhyw arwydd eu bod yn cydnabod fod y wlad, ers canrifoedd, yn gartref i Arabiaid, ac nad â chwarae bach y caent hwy feddiant ohoni. Y mae'n wir fod rhai Seioniaid yn barod i ymgartrefu mewn unrhyw wlad lle y caent heddwch. Chwilio am 'wlad heb bobl i bobl heb wlad' yr oeddent hwy. Yr oedd Pinsker, os rhywbeth, yn gwrthod y syniad o ddychwelyd i Balesteina. 'Nid oes arnom ni angen dim', meddai, 'ond llain sylweddol o dir i'n brodyr tlawd; darn o dir a fydd yn perthyn i ni, ac na fedr unrhyw deyrn estron ein halltudio ohono'.[1] Cynigiodd Prydain, a oedd yn llywodraethu rhan helaeth o'r byd yn y cyfnod hwnnw, Uganda fel cartref parhaol. Ond pan drafodwyd y cynnig yn Chweched Cyngres y Seioniaid ym 1903, cerddodd Iddewon Rwsia allan am fod y fath syniad, yn eu tyb hwy, yn bradychu delfrydau'r mudiad, a mynegodd Herzl yntau ei farn mai Palesteina oedd yr unig wlad i'r Iddew fyw ynddi.

O ganlyniad i'r polisi hwn daeth y Seioniaid ym Mhalesteina wyneb yn wyneb â rhywbeth yr oeddent yn hollol amharod amdano, sef cenedlaetholdeb Arabaidd. Tra oedd Carwyr Seion yn breuddwydio am ailfeddiannu gwlad yr addewid, er mwyn byw mewn heddwch a rhyddid, yr oedd yr Arabiaid hwythau'n breuddwydio am ddianc o afael y Twrc. Er 1517 llwm o'r Ymerodraeth Otomani oedd y gwledydd Arabaidd o Foroco i Iran. Ond nid oedd gan yr Arab unrhyw gariad at ei fcistr, a phan ddaeth adfywiad cenedlaethol i'r Dwyrain Canol yr oedd yn barod iawn i wrthryfela yn erbyn y Swltan.

O'i gymharu â chenedlaetholdeb Iddewig, yr oedd cenedlaetholdeb yr Arab yn weddol syml. I'r Iddew Ewropeaidd a oedd yn barod i gydweddu â'r gymdeithas o'i gwmpas, yr oedd perthyn i'r mudiad cenedlaethol yn golygu chwyldro. Yr oedd yn rhaid iddo fod yn barod i newid gwlad, newid iaith a newid diwylliant; disgwylid iddo gefnu ar ei ffordd o fyw a mabwysiadu ffordd newydd. Ond nid felly'r Arab. I wireddu ei freuddwyd ef am annibyniaeth nid oedd angen iddo adael ei gartref, na dysgu iaith arall, na chreu diwylliant newydd. Yr oedd eisoes yn byw yn ei wlad ei hun — Syria, Yemen, Arabia, Palesteina ac yn y blaen — ac er mor anodd y dasg, yr unig anhawster a'i hwynebai oedd ennill y rhyddid i wneud fel y mynnai. Yn gynnar yn y ganrif hon aeth yn ymrafael rhwng Arab a Thwrc, a rhaid oedd i'r Seioniaid benderfynu pwy i'w gefnogi, y gwas ynteu'r meistr. Yn eu Seithfed Gyngres ym 1905 llwyddodd Max Nordau, a ddaeth i'r amlwg fel arweinydd ar ôl marw Herzl flwyddyn ynghynt, i ddarbwyllo'i gyd-aelodau

[1] Gw. A. Hertzberg, *op.cit.*, t. 194.

i gefnogi Twrci. Fel hyn yr ymresymai: petai llywodraeth Twrci'n anfon milwyr i amddiffyn ei thiroedd a gostegu gwrthryfel yn Syria a Phalesteina, oni fyddai'n falch o bresenoldeb trigolion heblaw Arabiaid yn y gwledydd hynny, pobl y gellid dibynnu arnynt i amddiffyn awdurdod y Swltan â'u holl egni? Mewn gair, penderfynodd y Seioniaid ochri gyda'r Otoman yn hytrach na chyda'r cenedlaetholwyr Arabaidd, ac i'r Arab yr oedd hyn gyfystyr â chyhoeddi rhyfel. Er hynny, camarweiniol fyddai tybio i'r Seioniaid gymryd y cam hwn am eu bod yn casáu Arabiaid ac yn cefnogi imperialaeth Twrci. Bron na ellir dweud iddynt ddod i'r penderfyniad yn ddigymell. O gofio'u dyhead dwfn am ddychwelyd i'w gwlad, nid oedd ganddynt ddewis ond cefnogi'r Swltan. Mewn cyngres ddiweddarach ym 1909 amddiffynnodd Nordau ei safbwynt trwy ddweud:

> Y mae gwlad ein gobeithion, ein dyheadau a'n hymdrechion, Gwlad Sanctaidd ein tadau, o fewn terfynau'r Ymerodraeth Otoman. Y mae milwyr Twrci'n amddiffyn ei glannau a'i ffiniau. Y mae allweddi'r tŷ y dymuna'r Seioniaid ei droi'n gartref cenedlaethol ym meddiant llywodraeth Twrci. Naturiol, felly, yw i'n holl ymdrechion ni anelu at Dwrci, fel y bydd nodwydd cwmpawd yn anelu at y pegwn magnetig.[9]

Buasai polisi gwahanol wedi cythruddo Twrci ac yn sicr o gau'r drws ar unrhyw ymgais Iddewig i ymsefydlu ym Mhalesteina. Fel y digwyddodd, ni fu raid wrth ganiatâd y Swltan. Ond amhosibl oedd rhagweld ym 1909 y byddai'r Ymerodraeth Otoman yn dechrau dadfeilio'n fuan iawn a'r Arabiaid yn cymryd lle blaenllaw yng ngwleidyddiaeth y Dwyrain Canol.

Y mae'r gwrthdaro presennol rhwng Iddew ac Arab yn deillio'n uniongyrchol o Seioniaeth, Seioniaeth fel syniad mewn Ysgrythur a thraddodiad ac fel mudiad gwleidyddol a chenedlaethol. Y mae'r Iddew crefyddol yn hawlio'r wlad am resymau diwinyddol a hanesyddol. Dyma'r wlad y tyngodd Duw ei rhoi i Abraham, y wlad a feddiannwyd gan Josua ac a ddatblygwyd gan Dafydd a Solomon. Yma y cyflwynwyd yr addewid ddwyfol ac y gwireddwyd breuddwydion y tadau. Nid syn fod Iddewon uniongred yn gwrthsefyll unrhyw ymgais i

---

[9] Gw. B. Jaffe, *A Herzl Reader* (Jerusalem 1960), t. 99.

chwalu'r pentrefi Iddewig a godwyd ar lan orllewinol yr Iorddonen er 1967 fel rhan o ymgais Israel i ailfeddiannu ei threftadaeth. Am resymau gwahanol, y mae'r Seionwr gwleidyddol yntau am ddal gafael ar y wlad ac yn anfodlon newid y ffiniau. Y mae gwewyr y gorffennol, a'r demtasiwn i gydweddu, yn fyw yn ei gof, a doed â ddel, myn gartref diogel iddo ef a'i blant. Yn ei olwg ef, ynfydrwydd fyddai rhoi tir yn ôl i'r Arabiaid a gwneud ymosod ar Israel gymaint â hynny'n haws.

Gwir nad yw'r dyhead am fynd adref i'w ganfod ymhob cyfnod o hanes Iddewiaeth wedi'r Gaethglud ym Mabilon. Serch hynny, y mae wedi bod yn ddylanwad o bwys yng nghwrs y byd ers bron canrif. Wrth grynhoi ei sylwadau ar y pwnc, meddai W. D. Davies:

> Under often harsh realities and vicissitudes, far-flung guile and the blandishments of assimilation, in many a Babylon, the sentiment for the land of Israel has often been tempered, suppressed, and even ignored and rejected by many Jews. Yet, rooted in the Scriptures, and therefore constantly meditated upon, nourished by the liturgy of the Synagogue and the home . . . that sentiment has remained tenaciously present in the depth of the consciousness of many Jews across the centuries. And, because it could draw inspiration from the potent blend of religion and peoplehood — not to speak of nationalism — which is a mark of Judaism, it has in times of necessity been easily awakened to influence powerfully the course of history.[10]

Am weddill y bennod, ystyriwn ymateb Cristnogion i'r dyhead dylanwadol hwn.

Ymateb y Cristion

Y mae gan bob crefydd o leiaf un athrawiaeth greiddiol sydd tu hwnt i ddeall y sawl nad yw'n perthyn i'r grefydd honno. Y mae'n rhwystr mewn trafodaethau ecwmenaidd ac yn anhawster mewn ymgyrch genhadol. O safbwynt Iddewiaeth, mynegir y gwirionedd hwn yn gryno gan W. D. Davies wrth drafod y dimensiwn daearyddol sy'n un o hanfodion y Ffydd:

[10] *The Gospel and the Land* (London 1974), t. 158.

To accept Judaism on its own terms is to recognise that near to and indeed within the heart of Judaism is 'The Land'. In this sense, just as Christians recognize the scandal of particularity in the Incarnation of Christ, so there is a scandal of territorial particularity in Judaism.[11]

Yn union fel y mae'r Ymgnawdoliad yn faen tramgwydd i grefyddau eraill yn eu perthynas â Christnogaeth, y mae hawl honedig yr Iddew i'w wlad, wedi mwy na deunaw can mlynedd o alltudiaeth, yn rhwystr i'r Cristion. Caiff llawer o Gristnogion cyfoes drafferth i gydnabod bodolaeth barhaol yr Iddewon fel pobl Dduw yn y Gwasgariad, heb sôn am gydnabod adfywiad y wladwriaeth Iddewig. Wrth wyntyllu'r pwnc, ailadroddant yr hen ddadleuon am Gristnogaeth yn disodli Iddewiaeth ac am gadw safle israddol yr Iddew mewn cymdeithas. Pa hawl sydd gan aelodau o grefydd a gollodd ei dilysrwydd i ddyfynnu addewidion Duw i'r cyndadau wrth chwilio am gartref? Onid oedd Paul yn golygu fod Iddewiaeth wedi marw, a'i holl obeithion wedi mynd i'r gwellt, pan ysgrifennodd yn ei lythyr at y Rhufeiniaid fod 'Crist yn ddiwedd ar y Gyfraith' (10:4) — 'diwedd' mewn mwy nag un ystyr? Oni ddysgodd Awstin mai crwydro'r ddaear am byth fel tyst i'w ddallineb ei hun ac i wirionedd Crist oedd tynged yr Iddew? Onid oedd alltudiaeth y genedl o Balesteina'n derfynol, ac yn unol ag ewyllys Duw? Oni phroffwydodd Iesu y byddai'r ddinas sanctaidd yn adfail tragwyddol a'i thrigolion ar wasgar am byth?

Cyn ystyried ymateb Cristnogion cyfoes i benderfyniad y Seioniaid i sicrhau cartref cenedlaethol i'r Iddew ym Mhalesteina, sylwn ar agwedd yr Eglwys o'r cyfnod cynnar hyd y Diwygiad Protestannaidd at y syniad fod gan Iddewon y Gwasgariad hawl i'w gwlad eu hunain.

Y traddodiad Cristnogol

Er fod dylanwad Iddewiaeth yn drwm ar y Cristnogion cyntaf, prin yw'r cyfeiriadau yn y Testament Newydd at y syniad fod arwyddocâd diwinyddol yn perthyn i ddaear Palesteina. Wrth

[11] *Jewish and Pauline Studies* (Philadelphia 1984), t. 71.

124

droi iddo o'r Hen Destament daw agwedd dra gwahanol at y wlad i sylw'r darllenydd. Y mae'n wir fod Jerwsalem a Galilea yn ganolfannau pwysig i Iesu o Nasareth a'r apostolion, ond erbyn ysgrifennu'r Testament Newydd 'roedd y cysylltiad rhwng Duw, gwlad a chenedl wedi ei chwalu. Gan mai 'yng Nghrist' ac nid yng Nghanaan y gwelai Paul gyflawni'r addewid o epil a chartref i Abraham (Gal. 3:15-18), yr oedd yn rhaid iddo wrthod un o brif ddaliadau ei gyd-Iddewon. Wrth bersonoli'r cyflawniad a thorri'r ddolen rhwng yr addewid a'r wlad, gobeithiai gael 'bendith Abraham i ymledu i'r Cenhedloedd yng Nghrist' (Gal. 3:14). Nid man arbennig sy'n bwysig i'r Cristion ond person arbennig. Y mae awdur y Llythyr at yr Hebreaid yn ystyried aberth Crist ar y groes yn 'dabernacl rhagorach a pherffeithiach' (9:11) na'r deml yn Jerwsalem i ennill gwaredigaeth i ddynolryw. Yn Llyfr Datguddiad, y Jerwsalem nefol, nid yr un ddaearol, sy'n cyfrif i'r Cristion. Nid oes ynddi hi deml 'oherwydd ei theml hi yw'r Arglwydd Dduw, yr Hollalluog, a'r Oen' (21:22). Mewn gair, y mae'r Testament Newydd yn 'ysbrydoli' materoliaeth yr Hen Destament.

Erbyn y bedwaredd ganrif, yr oedd dinistr Jerwsalem yn 70 O.C. ac alltudiaeth ei thrigolion wedi dylanwadu'n drwm ar agwedd Cristnogion tuag at yr Iddewon.[12] Yng nghwymp y deml gwelai'r Tadau arwydd eglur fod Duw wedi diarddel ei bobl oherwydd y croeshoeliad, a bod Cristnogaeth wedi disodli Iddewiaeth. Datblygiad diweddar oedd hwn, yn seiliedig, i raddau, ar aflwyddiant ymgais Jwlianus y Gwrthgiliwr i ailsefydlu'r allor Iddewig yn Jerwsalem yn 362; tystiai methiant Jwlianus i ddigofaint parhaol Duw. Yr ydym eisoes wedi nodi syniadau negyddol dau o hoelion wyth y cyfnod, Chrysostom ac Awstin, am natur a thynged yr Iddew; y maent yr un mor elyniaethus wrth sôn am ei hawl i ddychwelyd i'w wlad. Meddai Chrysostom : 'Am iddynt wrthod ufuddhau i'r Meseia, alltudiwyd yr Iddewon o'u mamwlad; crwydriaid a ffoaduriaid ydynt ar wyneb y ddaear'.[13] Gwêl Awstin, yntau, gysylltiad

[12] Gw. K. Hruby, 'The Destruction of the Temple in Christian Thought', *SIDIC* 3:1 (1970), tt. 4 ym.
[13] Yn ei draethawd 'Ar dduwdod Crist', *PG* 48, 823.

rhwng bywyd crwydrol yr Iddew a'i ran yn y croeshoeliad. Ond y mae ef yn mynd gam ymhellach ac yn mynnu hefyd fod swydd yr Iddew fel 'llyfrgellydd' y Cristion yn cyfreithloni ei statws digartref. Petai'r Iddewon yn byw yn eu gwlad eu hunain, ar wahân i bawb arall, byddai'r Eglwys yn amddifad o'r proffwydoliaethau hynny am ddyfodiad Crist sydd yn eu Hysgrythurau. A pheth arall, yr oedd presenoldeb yr Iddewon fel tystion i wirionedd yr Efengyl yn hanfodol i'r Eglwys fydeang yn ei hymgyrch genhadol.[14]

Ond camgymeriad, yn dilyn esboniadaeth wallus, oedd i'r diwinyddion cynnar dybio fod cwymp y deml wrth wraidd alltudiaeth yr Iddewon a'i fod yn arwydd mai Cristnogaeth oedd yr 'Israel Newydd'. Yn amser Crist, ymhell cyn dinistr Jerwsalem, yr oedd dwy ran o dair o Iddewon y byd eisoes yn byw yn y Gwasgariad. A'r deml yn dal mewn bri, yr oedd Paul ac awdur y Llythyr at yr Hebreaid wedi dangos fod aberth Crist yn rhagori ar aberthau Iddewiaeth. Eto, er gwaethaf y camgymeriad, llwyddodd y Tadau i argyhoeddi cenedlaethau o Gristnogion mai ewyllys Duw oedd i'r Iddew grwydro'r ddaear a pheidio byth â dychwelyd i Balesteina.

Y mae diffyg cydymdeimlad yr Eglwys â hawl yr Iddew i'w dreftadaeth yn dwysáu yn yr Oesoedd Canol. Yr ydym wedi sylwi uchod ar agwedd ddilornus y Pab Innosent III at yr Iddewon — agwedd annodweddiadol o'r pabau ar y cyfan. Er na ddylid lladd yr Iddew, rhaid i'r awdurdodau Cristnogol ofalu na chaiff fyth gartref parhaol, oherwydd crwydro yw'r gosb haeddiannol am ladd Crist. Ond yn ogystal â rhesymau diwinyddol a'u gwreiddiau yn yr Eglwys Fore, blagurodd rheswm arall yn y cyfnod hwn dros gadw'r Iddewon allan o Balesteina, sef rheswm yn ymwneud â phererindota. Datblygiad gweddol ddiweddar, o safbwynt twf Cristnogaeth, oedd yr arfer o bererindota i Jerwsalem a'r mannau cysegredig. Yn wahanol i'r Hen Destament a'r Corân, nid yw'r Testament Newydd yn sôn dim am ddyletswydd credinwyr i fynd ar bererindod. Ymddengys na welai'r Cristnogion cynnar unrhyw

[14] Gw. ymhellach G. W. H. Lampe, 'A.D. 70 in Christian Reflection', yn E. Bammel a C. F. D. Moule, *Jesus and the Politics of His Day* (Cambridge 1984), tt. 153 ym.

arwyddocâd crefyddol yng ngwlad y patriarchiaid a'r proffwydi, nac yn y lleoedd a fynychai Iesu o Nasareth. I Origen, er enghraifft, yr oedd ymlyniad yr Iddew wrth ei wlad yn nodweddiadol o fateroliaeth ddybryd y grefydd Iddewig. Y Jerwsalem nefol oedd nod y Cristion; yr oedd y syniad o 'wlad sanctaidd', wedi ei henwi ar fap a'i thir yn gysegredig i Iddew neu i Gristion, yn wrthun iddo.[15]

Daw'r cyfeiriad cyntaf at bererindod Gristnogol i Balesteina o'r drydedd ganrif. Ond prin yw'r dystiolaeth, a rhaid aros hyd ddiwedd y ganrif ganlynol, beth amser ar ôl sefydlu'r Ymerodraeth Gristnogol gan Gystennin Fawr, cyn i'r arfer ddod i rym.[16] Yn yr Oesoedd Canol, fodd bynnag, yn sgîl diwygiad crefyddol yr unfed ganrif ar ddeg a'r ddeuddegfed, rhoddwyd pwyslais arbennig ar bererindod i Jerwsalem. Rhoddwyd hwb sylweddol i'r mudiad gan y Croesgadau, pan ddywedodd y pab y byddai pawb a deithiai i Jerwsalem i ryddhau Eglwys Dduw o ddwylo'r gelyn 'yn cael maddeuant dibenyd am ei bechodau'. Dyma'r 'faddeueb gyflawn' (*plenary indulgence*) a ddileai'r penyd dyledus am oes o bechu ac a oedd, yng ngeiriau Pedwerydd Cyngor y Lateran (1215), yn 'ernes o iachawdwriaeth'.[17] Gan fod yr hawl i droedio'r wlad sanctaidd mor hanfodol i'r Cristion, pa ryfedd i'r Eglwys ymdrechu hyd at waed i'w meddiannu ac i sicrhau na châi Mwslim nac Iddew le tu fewn i'w ffiniau?

Gyda'r Diwygiad Protestannaidd y mae'r dadleuon diwinyddol yn erbyn gwladwriaeth Iddewig yn ymddangos unwaith eto. Yr oedd y ffaith fod yr Iddew'n ddigartref yn cadarnhau diwinyddiaeth y Diwygwyr. Yr oedd Luther yn ymwybodol iawn o'r ddolen gyswllt rhwng yr Iddew a'i wlad. Gwyddai, er enghraifft, ei bod yn amhosibl i'r Iddewon gadw cyfreithiau'r Pumllyfr yn gyflawn yn y Gwasgariad gan fod llawer ohonynt yn ymwneud â mannau cysegredig y grefydd. Meddai yn ei ysgrif *Yn Erbyn y Sabathyddion*:

[15] Gw. ymhellach R. L. Wilken, 'Early Christian Chiliasm, Jewish Messianism, and the Idea of the Holy Land' yn G. E. W. Nickelsburgh a G. W. MacRae, *op.cit.*, tt. 298 ym.
[16] Am hanes cynnar pererindota gw. E. D. Hunt, *Holy Land Pilgrimage in the Later Roman Empire: AD 312-460* (Oxford 1982).
[17] J. Sumption, *Pilgrimage: An Image of Mediaeval Religion* (London 1975), t. 141.

Ni all yr Iddewon gadw cyfraith Moses yn unman heblaw Jerwsalem — gwyddant hwy hyn a rhaid iddynt ei addef. Y tu allan i Jerwsalem ni chânt, ac ni allant obeithio cael, eu hoffeiriadaeth, eu teyrnas, eu teml, eu haberthau, a beth bynnag a sefydlodd Moses iddynt trwy orchymyn Duw.[18]

Os nad yw'r Iddewon mwyach yn cadw'r deddfau seremonïol a ordeiniwyd gan Dduw, y mae'r casgliad yn anochel fod eu crefydd yn annilys ac yn haeddu cael ei disodli gan Gristnogaeth. Gan Chrysostom y defnyddiwyd y ddadl hon yn wreiddiol, ond gwna Luther yntau ddefnydd helaeth ohoni wrth drafod rhagoriaeth y Ffydd Gristnogol.[19] Wrth gwrs, buasai dychweliad yr Iddew i'w wlad yn profi'r gwrthwyneb trwy dystio i ffafr Duw a gwirionedd Iddewiaeth. Pe bai hynny'n digwydd, ni fyddai gan y Cristion ddewis ond derbyn Iddewiaeth. Dyletswydd yr Iddewon, os nad ydynt am dderbyn bedydd, yw dangos eu gallu a'u parodrwydd i fyw yn ôl y Gyfraith a pharchu ewyllys Duw. Bydded iddynt ddychwelyd i'w gwlad i sefydlu teyrnas a chodi'r deml am y drydedd waith. 'Cyn gynted ag y gwnânt hynny', meddai Luther yn wawdlyd, 'darganfyddant yn gyflym ein bod ni ar eu sodlau, yn glynu wrthynt, ac fe drown ninnau hefyd yn Iddewon'. Ond ni allai hyn ddigwydd heb i 'Dduw fod yn gelwyddog a'r diafol yn eirwir, ac iddynt hwythau ailfeddiannu Jerwsalem — ac nid dim cynt'.[20] I Luther, yr oedd y Beibl yn datgan yn eglur fod Duw wedi gwrthod ei bobl a'u halltudio am byth o Balesteina. O ganlyniad, nid oedd lle i wladwriaeth Iddewig yn ei ddiwinyddiaeth ef.

Cyn symud ymlaen i'r cyfnod modern, sylwn ar un peth arall, yn ogystal â diwinyddiaeth a'r diddordeb mewn pererindota, sydd wedi effeithio ar agwedd Cristnogion o'r Oesoedd Canol ymlaen at ddychweliad yr Iddew i'w wlad. Cyfeirio yr ydym at chwedloniaeth. A bod yn fanwl, at chwedl arbennig, sef yr un am yr Iddew Crwydrol, a ymddangosodd gyntaf yn y drydedd

[18] *Luther's Works*, Cyfr. 47, t. 66. Cf. tt. 79, 83-84.
[19] Gw. John Chrysostom, yng nghyf. Saes. P. W. Harkins, *Saint John Chrysostom: Discourses against Judaizing Christians*, The Fathers of the Church, Cyfr. 68 (Washington 1979), IV:6, tt. 90 ym.
[20] 'Yn Erbyn y Sabathyddion', *op.cit.*, t. 80; 'Yn Erbyn yr Iddewon a'u Celwyddau', *op.cit.*, t. 224.

ganrif ar ddeg.[21] Y mae'r manylion yn amrywio o gyfnod i gyfnod ac o fan i fan, ond craidd y stori yw fod Iddew wedi cernodio Iesu wrth iddo gario'i groes ar hyd y *via dolorosa* a a dweud wrtho am gerdded yn gyflymach. Atebodd Iesu, 'Gwnaf. Ond cerdded y byddi dithau hefyd nes y deuaf drachefn'. O ganlyniad i'r felltith hon, tynghedwyd pob Iddew i grwydro'r ddaear yn ddigartref hyd ddiwedd y byd. Blodeuodd y chwedl yn fuan wedi sefydlu'r Chwilys yn Sbaen ym 1492 pan ddaeth Dwyrain Ewrop yn lloches i filoedd o Iddewon alltud. Tua chanol y ganrif nesaf rhoddwyd yr enw Ahasferus i'r Iddew Crwydrol a'i gyplysu â Chain, y brawd-leiddiad a yrrwyd ymaith o'i gartref fel cosb am ei anfadwaith, ac a dreuliodd y gweddill o'i oes 'yn ffoadur a chrwydryn . . . ar y ddaear' (Gen. 4:12).

Yr Eglwys Gatholig Rufeinig

Gwyddai Theodor Herzl fod ewyllys da y Fatican yn allweddol os oedd yr Iddewon am adennill eu treftadaeth. Er mai'r Swltan a reolai Balesteina, yr oedd canran sylweddol o'r boblogaeth yn Gristnogion, llawer ohonynt yn aelodau o Eglwys Rhufain, ac o'r herwydd ni ellid anwybyddu agwedd y pab at unrhyw fenter yn ymwneud â'r wlad. Er 1304, yr oedd cysegrleoedd y Cristnogion yng ngofal Urdd Sant Ffransis, ac yr oedd yr awdurdodau yn Rhufain yn awyddus iddynt barhau'n gyrchfannau pererinion. O ystyried hyn, ac o gofio agwedd yr Eglwys dros y canrifoedd at ddychweliad yr Iddew i'w gartref, nid syn mai ymateb cwbl negyddol a gaed o du'r Fatican i amcanion y Seioniaid cynnar.

Cyhoeddwyd y gwrthwynebiad cyntaf yn *La Civiltà Cattolica*, cyfnodolyn sy'n adlewyrchu meddwl y Fatican, dri mis cyn i'r Seioniaid gyfarfod yn Basle yn Awst 1897 i alw am gartref parhaol i'r Iddew ym Mhalesteina. Mewn erthygl finiog o dan y pennawd 'Gwasgariad Israel trwy'r Byd Cyfoes', dywed yr awdur fod deunaw can mlynedd wedi mynd heibio er cyflawni proffwydoliaeth Iesu o Nasareth y byddai

---

[21] Am ymdriniaeth â'r chwedl gw. G. K. Anderson, *The Legend of the Wandering Jew* (Providence 1965).

129

Jerwsalem yn cwympo, a'r Iddewon yn mynd i fyw am byth yng ngwledydd y Gwasgariad, yn gaethion ymysg y Cenhedloedd. Dyletswydd yr Eglwys oedd gwrthsefyll unrhyw ymgais gan y Seioniaid i ailfeddiannu Palesteina, pe na bai ond am y rheswm syml na ellid dychmygu trosglwyddo bedd Crist i ofal y Synagog. Ffolineb pur oedd breuddwydio am weld Jerwsalem yn brifddinas gwladwriaeth Iddewig. Onid oedd Iesu wedi darogan y byddai'r ddinas yn cael 'ei mathru dan draed estroniaid nes cyflawni eu hamserau hwy'? (Lc. 21:24) 'Hynny yw', meddai'r erthygl, 'hyd ddiwedd y byd'.[22]

Ond er gwaethaf agwedd negyddol yr awdurdodau yn Rhufain, yr oedd Herzl yn benderfynol o geisio cymorth yr Eglwys, a Ionawr 25, 1904 cafodd groeso swyddogol yn y Fatican gan Piws X, y cyfarfod cyntaf o'i fath rhwng pab a gwleidydd o Iddew. Rhoddodd Herzl adroddiad manwl o'r trafodaethau yn ei ddydd-lyfr.[23] Dridiau ynghynt, er mwyn paratoi ar gyfer ei ymweliad â'r pab, aeth i drafod ei gais gydag Ysgrifennydd Gwladol y Fatican, y Cardinal Merry del Val. Cyn gynted ag y deallodd y cardinal mai amcan Herzl oedd darbwyllo'r Fatican i gefnogi'r Seioniaid, meddai wrtho:

> Ni welaf sut y gallwn gymryd unrhyw arweiniad yn yr achos hwn. Cyn belled ag y bo'r Iddewon yn gwadu duwdod Crist, ni fedrwn eu cefnogi. Nid ein bod yn dymuno niwed iddynt. I'r gwrthwyneb. Y mae'r Eglwys erioed wedi'u hamddiffyn. I ni, y maent yn dystion angenrheidiol i bresenoldeb Duw ar y ddaear [yn Iesu o Nasareth]. Ond mynnant wadu duwdod Crist. Sut y gallwn ni, felly, heb ddiarddel ein hegwyddorion pennaf, ddatgan ein cydsyniad iddynt ailfeddiannu'r Wlad Sanctaidd? . . . I ni fod o blaid yr Iddewon, fel y dymunwch chwi, fe fyddai'n rhaid iddynt yn gyntaf dderbyn bedydd.

Wrth drafod y cysegrleoedd, megis Nasareth, Bethlehem a Jerwsalem, pwysleisiodd Herzl y byddent yn mwynhau statws arbennig y tu fewn i'r wladwriaeth (*extra-territorial status*) gydag Iddewon yn 'warchodlu anrhydeddus' o'u cwmpas. Ond

---

[22] Gw. C. Klein, 'The Theological Dimensions of the State of Israel', *JES* 10 (1973), t. 703.
[23] Daw'r dyfyniadau a ganlyn o M. Lowenthal (gol.), *The Diaries of Theodor Herzl* (London 1958), tt. 421-430.

ateb y cardinal oedd y byddai'n 'amhosibl meddwl am y Cysegrleoedd wedi eu hamgylchu fel hyn'. Ymddengys fod presenoldeb y Mwslim ym Mhalesteina yn cael ei dderbyn yn ddi-brotest, ond nid felly bresenoldeb yr Iddew.

Dilynodd sgwrs Herzl â'r pab yr un patrwm, ac fel y buasem yn disgwyl, tebyg iawn i adwaith Merry del Val oedd adwaith Piws X i gais y Seioniaid. Meddai wrth Herzl :

Ni allwn gefnogi'r mudiad hwn. Ni fedrwn rwystro'r Iddewon rhag mynd i Jerwsalem, ond ni allwn fyth eu cymeradwyo. Y mae daear Jerwsalem, os nad yn gysegredig o'r dechrau, wedi ei chysegru trwy fywyd Iesu Grist . . . Nid yw'r Iddewon wedi cydnabod ein Harglwydd, felly ni allwn ninnau gydnabod y genedl Iddewig . . . Ni hoffwn weld ein Cysegrleoedd yn nwylo'r Twrciaid. Ond nid oes gennym ddewis ynglŷn â hynny. Fodd bynnag, cwbl amhosibl yw inni annog yr Iddewon i gymryd meddiant o'r mannau hyn . . . Y Ffydd Iddewig oedd sylfaen ein Ffydd ni. Ond fe'i disodlwyd gan ddysgeidiaeth Crist, ac ni allwn addef ei bod bellach yn grefydd ddilys . . . Os ewch chwi i Balesteina a sefydlu eich cenedl yno, byddwn yn barod ag eglwysi ac offeiriaid i fedyddio pob un ohonoch.

Daeth y cyfarfod i ben yn ddisymwth, ac aeth Herzl adref yn waglaw.

Y mae ôl dylanwad esboniadaeth gamarweiniol Tadau'r Eglwys Fore a chwedloniaeth yr Oesoedd Canol ar *La Civiltà Cattolica* ac ar Piws X a'i gynghorwyr. Er gwaethaf gwewyr Iddewon Ewrop ar droad y ganrif, y mae'n eglur nad oedd gan y Fatican unrhyw gydymdeimlad â dyheadau dyfnaf y Seioniaid. Y mae'n wir i'r Pab Benedict XV dderbyn dirprwyaeth arall o Iddewon ym Mai 1917 ac iddo fod yn fwy caredig a chadarnhaol na'i ragflaenydd. Ond ni newidiodd Eglwys Rhufain ei pholisi.

Er mor ddiysgog y gwrthwynebiad cynnar i gais yr Iddew, pan sefydlwyd Gwladwriaeth Israel ym 1948 ni chlywyd yr un gair croes o'r Fatican. Yn wyneb y gyflafan ddiweddar yn yr Almaen efallai i'r awdurdodau deimlo mai purion oedd cadw'n ddistaw. Ond Holocost neu beidio, nid oedd y Fatican yn fodlon cydnabod y wladwriaeth newydd. A hyd yn oed yn y ddogfen oleuedig *Nostra aetate* (1965), y cyfeiriwyd ati yn y Rhagarweiniad, nid oes sôn am Wladwriaeth Israel. Daw un o'r cyfeiriadau cynharaf ati yn y llythyr apostolaidd *Redemptionis anno (Ym mlwyddyn prynedigaeth)* a gyhoeddodd y Pab Ioan Paul II Ddydd Gwener y Groglith 1984. Llythyr yw hwn sy'n cyfeirio'n benodol at 'dynged y Ddinas Sanctaidd', ac ynddo ceir y geiriau canlynol:

> Ar ran yr Iddewon sy'n byw yng Ngwladwriaeth Israel, ac yn diogelu tystiolaethau mor werthfawr i'w hanes a'u ffydd yn y wlad honno, rhaid inni ofyn am y diogelwch angenrheidiol ac am yr heddwch dyledus hwnnw sy'n rhagorfraint pob cenedl, ac sy'n amod bywyd a ffyniant pob cymdeithas.[24]

Yn y datganiad hwn cadarnheir hawl yr Iddewon i fyw fel cenedl mewn heddwch a sicrwydd yn eu gwlad eu hunain. Blwyddyn yn ddiweddarach cyhoeddodd y Fatican esboniad ac ehangiad ar *Nostra aetate,* sef *Nodiadau ar y Ffordd Gywir i gyflwyno'r Iddewon ac Iddewiaeth mewn Pregethu a Dysgu yn yr Eglwys Gatholig Rufeinig* (1985). Yn y chweched bennod ceir cyfeiriad diamwys at 'fodolaeth Gwladwriaeth Israel' ac at y 'cysylltiad crefyddol' rhwng yr Iddew a'i wlad, cysylltiad 'sydd a'i wreiddiau yn y traddodiad beiblaidd', a gelwir ar Babyddion i roi ystyriaeth fanwl i hyn. Gwrthodir hefyd y syniad fod yr Iddew'n haeddu cosb ddiderfyn am y croeshoeliad ac mai unig ddiben ei fodolaeth yw tystio i wirionedd Crist.[25]

Cred rhai fod y Fatican, yn y ddwy ddogfen yma, yn gosod sylfaen newydd ar gyfer ei berthynas â'r Iddewon a Gwladwriaeth Israel.[26] Yn ddiamau newidiodd Eglwys Rhufain ei safbwynt tuag at Iddewiaeth yn ystod y degawd diwethaf. Ac eto, parhaodd yr anhawster sylfaenol: cydnabod y wladwriaeth, cam y gwrthododd y Fatican ei gymryd tan fis Rhagfyr 1993. Pam? Ym marn rhai sylwedyddion, ystyriaethau gwleidyddol, dyngarol a chymdeithasol oedd y rhwystr. Gwrthododd y Fatican gydnabod Israel a chyfnewid llysgenhadon ym 1948

---

[24] Fe'i dyfynnir gan E. H. Flannery, 'Israel, Jerusalem and the Middle East', yn E. J. Fisher *et al.* (gol.), *Twenty Years of Jewish-Catholic Relations* (New York 1986), t. 75.,
[25] Gw. testun llawn y *Nodiadau* yn G. Wigoder, *Jewish-Christian Relations since the Second World War* (Manchester 1988), tt. 149-59.
[26] E. J. Fisher, 'The Holy See and the State of Israel: the Evolution of Attitudes and Policies', *JES* 24 (1987) t. 209; M. Saperstein, *Moments of Crisis in Jewish-Christian Relations* (London 1989), t. 52.

am ei fod ofn i wladwriaeth sosialaidd agor y drws i gomiwn-yddiaeth yn y Dwyrain Canol, am ei fod yn awyddus i gysegrleoedd Cristnogol beidio â syrthio i ddwylo Iddewon, am ei fod yn pryderu ynghylch dyfodol Cristnogion yn byw mewn gwledydd Arabaidd, ac am iddo ragweld anawsterau dybryd gyda ffoaduriaid.

Y mae'n ddigon posibl i'r fath ystyriaethau ddylanwadu ar agwedd y Fatican ym 1948, ond nid oes sôn amdanynt cyn hynny. Yn eu trafodaeth â Herzl ym 1904 ni soniodd y pab na'r cardinal am y rhwystrau gwleidyddol a fyddai'n siwr o godi petai'r Iddewon yn dychwelyd i'w gwlad, na dangos unrhyw anesmwythyd ynglŷn â dyfodol y Palestiniaid, ac ychydig iawn o sylw a roesant i'r cysegrleoedd. Craidd eu gwrthsafiad hwy oedd diwinyddiaeth wrth-Iddewig yr Eglwys. Yn y bôn yr oedd y Fatican yn amharod i gynorthwyo'r Seioniaid am fod yr Iddewon yn dal i wadu Crist. Yr oedd ymyrraed rhoi cartref sefydlog i'r Iddew crwydrol yn mynd yn gwbl groes i ddaliadau diwinyddol Eglwys Rhufain. Fel y dengys *Nostra aetate,* ysgubwyd y ddiwinyddiaeth hon ymaith gan Ail Gyngor y Fatican ym 1965 pan fynegodd yr Eglwys ei chred na ddylid cosbi Iddewon cyfoes am gamweddau eu tadau. Mewn egwyddor, felly, ar ôl 1965 nid oedd unrhyw wrthwynebiad diwinyddol i'r Iddew ailfeddiannu Palesteina. Ond yn wyneb agwedd ddi-ildio'r Fatican, anodd yw peidio â chredu nad oedd dylanwad y ddiwinyddiaeth draddodiadol yn parhau. Yng ngeiriau Meir Mendes, llysgennad o Israel a chanddo gysylltiad agos â'r Fatican, wrth iddo drafod yr hyn fu wrth wraidd agwedd negyddol yr Eglwys:

> It is impossible to deny the existence of something which is not of a political, contingent or profane nature, without necessarily having to speak of traditional antisemitism, a *quid* not easily definable, which produces a resistance by the Church — who considers itself the New Israel — to accept the existence of 'another New Israel'.[27]

Y mae â wnelo'r *quid,* yr elfen na ellir ei disgrifio, â syniadau diwinyddol a fu'n lliwio ymateb yr Eglwys i fodolaeth Israel am ganrifoedd.

[27] 'The Catholic Church, Judaism and the State of Israel', *CJR* 21 (1988), t. 35.

133

Bu agwedd negyddol Eglwys Rhufain at y wladwriaeth Iddewig yn siom i lawer o'i haelodau mwyaf blaenllaw, yn offeiriaid, ysgolheigion ac athrawon. Cynrychiola'r ddau offeiriad Americanaidd John Oesterreicher ac Edward Flannery garfan ddiwyd a llafar, os bechan, o ddiwinyddion Pabyddol sy'n anghytuno â safbwynt y Fatican. Meddai Oesterreicher mewn traethawd yn ystyried goblygiadau diwinyddol Gwladwriaeth Israel i'r Cristion: 'I, at least, cannot see how the renewal of the land could be anything to the theologian but a wonder of love and vitality, how the reborn State could be anything but a sign of God's concern for his people'.[28] I Flannery bu amharodrwydd yr Eglwys i gydnabod Israel, ar y naill law yn siom ac yn syndod oherwydd yr erlid a fu dros y canrifoedd ar yr Iddewon yn enw Crist. Oni ddylai'r Eglwys syrthio ar ei bai am gamweddau'r gorffennol a llawenhau fod cenedl a ddioddefodd gymaint, yn enwedig o dan Hitler, wedi ailsefydlu ei hen gartref? Y mae'r ffaith na fu'n fodlon gwneud hyn yn mynnu esboniad. Ond ar y llaw arall, nid yw agwedd y Fatican yn peri unrhyw syndod iddo. 'Given the lingering anti-Judaism of traditional Christian theology, the all but total ignorance of so many Christians of the age-old antisemitic record and its Christian origins, . . . the reluctance becomes an expectable reaction'.[29]

Er Ail Gyngor y Fatican gwnaeth Oesterreicher a Flannery a'u tebyg gyfraniad sylweddol i'r trafodaethau mynych ar y pwnc llosg hwn, ac y mae nifer cynyddol o Gatholigion Rhufeinig yn yr Unol Daleithiau yn cytuno â hwy. Ond y mae angen amynedd a dyfalbarhad i frwydro yn erbyn canrifoedd o wrth-Iddewiaeth. Gyda chanmlwyddiant Cyngres Gyntaf y Seioniaid ar y gorwel, da yw gweld bendith y Fatican ar y syniad o gartref parhaol i'r Iddew yn ei famwlad a chydnabyddiaeth swyddogol o Wladwriaeth Israel. Mewn

---

[28] 'The Theologian and the Land of Israel', *The Bridge* 5 (1970), t. 235. Y mae gwaith Malcolm Hay, John Pawlikowski, Gerard Sloyan, Gregory Baum, Hans Küng ac Eugene J. Fisher hefyd yn adlewyrchu'r agwedd hon.

[29] *Op.cit.*, yn E. J. Fisher *et al* (gol.), *Twenty Years of Jewish-Catholic Relations* (New York 1986), t. 76.

egwyddor, bu newid trawiadol ym mholisi Eglwys Rhufain er 1897, ond mewn gweithred cymrodd amser maith i'w wireddu.

Yr Eglwysi Protestannaidd

Am nad oes gan Brotestaniaid awdurdod canolog, tebyg i'r Fatican, i fynegi safbwynt swyddogol ar faterion ffydd a threfn, ni ellir disgwyl gweld adwaith unfryd yn eu plith i'r syniad o wladwriaeth Iddewig. Y mae pob enwad yn rhydd i lunio ac i fynegi ei farn ei hun. Ond i hwyluso'r drafodaeth, er gwaethaf y perygl o orsymleiddio pwnc dyrys, rhennir aelodau'r eglwysi hyn yn dair carfan : gwrthwynebwyr Israel, cefnogwyr Israel am resymau diwinyddol, a chefnogwyr Israel am resymau moesol a chyfreithiol.

Yn gyntaf, y rhai sy'n gwrthwynebu polisi'r Seioniaid ac yn manteisio ar bob cyfle i gollfarnu'r wladwriaeth. Am dros ganrif bu gan amryw o enwadau genhadaeth i'r Arabiaid yn y Dwyrain Canol. Y mae Eglwys Bresbyteraidd America, er cnghraifft, yn flaenllaw mewn addysg, meddygaeth a gwasanaeth cymdeithasol yn Syria, Lebanon a'r Aifft. Fel y buasem yn disgwyl, y mae ei chenhadon wedi ochri gyda'r Arabiaid yn erbyn Israel er 1948, a bu eu dylanwad yn drwm ar ddatganiadau swyddogol yn ymwneud ag Iddewiaeth gan y Presbyteriaid. Ar gyfer y Gymanfa Gyffredinol ym 1987, cyhoeddwyd dogfen astudio yn dwyn y teitl 'A Theological Understanding of the Relationship between Christians and Jews'.[30] Ynddi gwyntyllir saith pwnc perthnasol, gan gynnwys y wlad ac agwedd Cristnogion tuag ati.

Er i'r awduron gadarnhau hawl yr Iddew i ddychwelyd adref, y maent yn gwadu arwyddocâd diwinyddol y wladwriaeth gyfoes. 'We believe that no government at any time can ever be the full expression of God's will . . . The State of Israel is a geopolitical entity and is not to be validated theologically'. Y mae'n wir fod yr addewid am wlad wedi bod yn gred ddiysgog ymhlith Iddewon am dair mil o flynyddoedd, ond

---

[30] Y mae testun y ddogfen i'w gael yn A. Brockway *et al.* (gol.), *The Theology of the Churches and the Jewish People: Statements by the World Council of Churches and its Member Churches* (Geneva 1988), tt. 105-120. Dyfynnir isod o bennod 6.

beth yw'r dehongliad cywir ohoni? Meddai'r ddogfen, 'To understand that promise solely in terms of a specific entity on the eastern shore of the Mediterranean is inadequate'. Yn y Beibl, golyga 'gwlad' fwy na llain o dir. Y mae'n cynnwys y syniad o ffyniant materol, ffiniau diogel a sicrwydd ar gyfer y dyfodol. Ac fel pob cenedl arall, y mae gan yr Iddewon hawl i fywyd yn ei lawnder. Ond yn ôl y Beibl, y mae meddiant ar wlad yn cario cyfrifoldeb at y dieithryn ac at y sawl sy'n fyr o freintiau'r meddiannwr. Yn hyn o beth, methodd Gwladwriaeth Israel â chyrraedd y safonau a osodir yn y Beibl. Yn ei pherthynas â'r Palestiniaid, anwybyddodd farn a chyfiawnder — sef prif neges y proffwydi gynt.

Er i'r ddogfen wadu fod unrhyw arwyddocâd diwinyddol yn perthyn i'r wladwriaeth gyfoes, y mae'n barod iawn i ddefnyddio'r Beibl yn llinyn mesur wrth gloriannu ei pholisïau. Ymddengys fod y dull o farnu Israel, trwy ddyfynnu ei phroffwydi ei hun yn ei herbyn, yn wahanol iawn i'r dull o farnu gwledydd eraill. Ond prin y gall y Presbyteriaid ddisgwyl i'r Iddewon ymateb yn gadarnhaol os ydynt hwy yn eu hannog i ddilyn dysgeidiaeth foesol y proffwydi, ond yn dewis anwybyddu neges broffwydol arall, sydd yn un mor amlwg, sef mai bwriad Duw oedd arwain ei bobl yn ôl i'w gwlad eu hunain.[31]

Daw gwrthwynebiad i sefydlu Gwladwriaeth Israel o gyfeiriad arall hefyd, cyfeiriad cwbl wahanol, sef o du Efengyleiddwyr Ceidwadol. Gelwir y garfan hon yn 'geidwadol' i'w gwahaniaethu oddi wrth yr Efengyleiddwyr Ffwndament-alaidd a ystyriwn yn nes ymlaen. Un sy'n cynrychioli safbwynt y Ceidwadwyr yw William Hendriksen yn ei lyfr *Israel in Prophecy* a gyhoeddwyd ym 1968. Ym marn Hendriksen, nid oes gan yr Iddewon fwy o hawl i'r wlad na neb arall. Y mae am i'r Cristion ddweud y gwir wrthynt, oherwydd, 'the attempt to inspire them with false hope, as if somehow, *in spite* of their rejection of Christ, they are still God's special favourites, is inexcusable. Our Lord wants the Jews to come

---

[31] Am ymdriniaeth â'r ddogfen gw. P. Heldt a M. Loewe, 'Theological Significance of the Rebirth of the State of Israel: Different Christian Attitudes', *Immanuel* 23 (1989), tt. 137-8.

to him. Establishing a home in the state of Israel is not the solution of their deep-seated spiritual problem'.[32] Troi at Grist yw tynged yr Iddewon, nid sefydlu eu gwladwriaeth eu hunain gan dybio mai dyna ewyllys Duw. Dim ond pan ymaelodant yn yr Eglwys Gristnogol y byddant yn wir 'etholedigion yr Arglwydd'.

Seiliwyd agwedd negyddol y garfan Efengylaidd a gynrychiolir gan Hendriksen ar athrawiaeth draddodiadol y Pabyddion a'r Protestaniaid fod yr Eglwys wedi disodli Iddewiaeth. Y mae'r addewidion ysgrythurol am ddyfodol sicr y genedl a'i dychweliad i'w gwlad wedi eu cyflawni'n 'ysbrydol' gan Eglwys Crist. Camgymeriad yw eu hystyried yn broffwyd-oliaethau llythrennol yn cyfeirio at ailfeddiannu hen wlad y tadau.

Yn ail, trown at y 'Seioniaid Cristnogol', y Cristnogion hynny sy'n cefnogi Israel am rrsymau diwinyddol. Ymhell cyn i Seioniaeth ymddangos fel mudiad gwleidyddol yn y ganrif ddiwethaf, yr oedd Protestaniaid o bob enwad eisoes yn hybu'r syniad y dylai'r Iddew ddychwelyd i'w wlad. Yn nhyb Richard Hurd, esgob Anglicanaidd o'r ddeunawfed ganrif, nid ar ddamwain y goroesodd yr Iddewon a chadw'u cenedligrwydd, er gwaethaf canrifoedd o erlid; yr oedd diben arbennig i'w parhad. 'All this hath something prodigious in it which could be none other but what He had spoken through his prophets of their destiny in the Latter Days when He would gather them to their ancient land and to himself in true faith'.[33] Yn gynnar yn y ganrif ganlynol pregethai sylfaenwyr Brodyr Plymouth a'r Cristadelphiaid mai ewyllys Duw oedd dychweliad yr Iddew, ac ymhell cyn geni Seioniaeth yr oedd y Cristadlephiaid yn cefnogi mudiad Carwyr Seion ymysg Iddewon Ewrop. Anglicanwr arall a gredai'n ddiffuant yn hawl yr Iddew i'w wlad oedd William Hechler, un o gefnogwyr mwyaf selog Theodor Herzl. Treuliodd Hechler chwarter canrif (1885-1910) yn gaplan y Llysgenhadaeth Brydeinig yn Vienna, lle y daeth i adnabod ac i edmygu Herzl. Ond deuddeng

---

[32] *Israel in Prophecy* (Grand Rapids 1958), t. 63.
[33] Dyfynnir ef gan M. J. Pragai, *Faith and Fulfilment: Christians and the Return to the Promised Land* (London 1985), t. 17.

mlynedd cyn i lyfr Herzl, *Y Wladwriaeth Iddewig,* ymddangos, cyhoeddodd Hechler draethawd gyda'r teitl 'The Restoration of the Jews to Palestine according to the Prophets', lle y mae'n darogan, ar sail proffwydoliaethau'r Hen Destament, y byddai Palesteina yn nwylo'r Iddewon erbyn 1897. I Hechler yr oedd y wladwriaeth Iddewig yn rhan annatod o ddiwinyddiaeth Gristnogol am ei bod yn cyflawni proffwydoliaethau'r gorffennol.[34]

Y mae safbwynt y Seioniaid Cristnogol cyfoes at Israel i'w ganfod gliriaf yng ngweithiau'r Efengyleiddiwr Ffwndament-alaidd John Walvoord, a fu, hyd yn ddiweddar, yn brifathro Coleg Diwiniyddol Dallas. Mewn llyfr gyda'r un teitl â'r eiddo Hendriksen, *Israel in Prophecy,* y mae Walvoord yn esbonio dychweliad yr Iddew i'w wlad yng ngoleuni dysgeidiaeth ei garfan ef o'r Efengyleiddwyr am ail ddyfodiad Crist ac anffaeledigrwydd y Beibl. Ar sail ystyr lythrennol Datguddiad 20:1-6, cred y ffwndamentalydd y daw'r Meseia i'r ddaear eto cyn i'r mil blynyddoedd o heddwch a ffyniant ddechrau, ac mai un arwydd sicr o'i ail ddyfodiad yw dychweliad yr Iddewon i'w cartref a'u tröedigaeth at Grist. Y mae proffwydoliaethau'r Hen Destament am ailsefydlu'r wladwriaeth i'w derbyn yn llythrennol; ni wna esboniad ysbrydol mo'r tro. Trwy fynd adref, y mae'r Iddewon yn cyfranogi'n uniongyrchol ym mwriad Duw ar gyfer dynoliaeth ac yn gwireddu neges y Testament Newydd. I Walvoord, felly, y mae sylfaenu Gwladwriaeth Israel yn ddigwyddiad o bwys diwinyddol:

> The partial restoration of the nation of Israel to their ancient land in the middle of the twentieth century should be recognised by all careful students of the Bible as a most remarkable event. It seems to be a token that God is about to fulfil His Word concerning the glorious future of his chosen people . . . The fact that in our day there is again movement and development in relation to this ancient nation is a sign that the stage is being set for the final world drama.[35]

[34] *Ibid.,* tt. 58 ym.
[35] *Israel in Prophecy* (Grand Rapids 1962), tt. 115, 131. Gw. hefyd D. A. Rausch, *Zioninsm within Early American Fundamentalism 1878-1918: A convergence of Two Traditions* (New York 1979), pen. 1.

Adargraffwyd llyfr Walvoord dair gwaith ar ddeg er 1962, ac amcangyfrifir fod tua 90 miliwn o Gristnogion ledled y byd yn diwinydda fel hyn. Daw miloedd ohonynt ar bererindod i Israel bob blwyddyn, ac y maent yn barod i gefnogi polisi'r llywodraeth i amddiffyn y wlad, pa mor wrthun bynnag y bo.

Yn olaf, ystyriwn Gristnogion sy'n bleidiol i Wladwriaeth Israel am resymau tra gwahanol. Nid addewidion ysgrythurol am ddychweliad y genedl, na gweledigaethau astrus Llyfr y Datguddiad, sy'n symbylu'r rhain, ond ystyriaethau moesol a chyfreithiol. Sail eu cefnogaeth hwy yw'r ffaith fod yr Iddewon wedi dioddef ar gam am bron deunaw can mlynedd, a hynny yng ngwledydd cred. Digwyddodd y trychineb garwaf yn hanes Iddewiaeth ar ddaear un o'r gwledydd mwyaf 'Cristnogol' yn Ewrop, crud y Diwygiad Protestannaidd, a chyn hynny yn gartref yr Ymerodraeth Rufeinig Sanctaidd. Gwaith Cristnogion hedyddiedig, megis IIitha, TIlllllllel a Goering, oedd yt Holocost. Canlnyiad canrifoedd o erledigaeth gan yr Eglwys, ac o ddysgu sarhad ar yr Iddew gan ei diwinyddion, oedd y gyflafan o dan y Natsïaid. Y mae'r sawl sy'n arddel y safbwynt hwn ac yn gofidio am gamweddau'r gorffennol yn cyfaddef na fedr cefnogaeth y Cristion i Wladwriaeth Israel ryddhau'r Eglwys o fai. Serch hynny, yn ei dyb ef y mae parodrwydd Cristnogion i sefyll yn y bwlch gyda'r Israeliaid a chadarnhau eu dyhead am gartref diogel, yn ffordd ddiriaethol o wneud iawn am bechodau'r tadau trwy ddangos fod moeseg a chyfiawnder o blaid yr Iddew.

Hyd ei farw ym 1971, bu'r diwinydd enwog Reinhold Niebuhr, athro yn Efrog Newydd, yn gefnogol i Wladwriaeth Israel. Yn ystod yr Ail Ryfel Byd, pan oedd gwewyr yr Iddew yn dod yn fwyfwy amlwg, yr oedd Niebuhr yn olygydd y cyfnodolyn dylanwadol *Christianity and Crisis*. Yn rhifyn Ebrill 3, 1944 dywed yn ei nodiadau golygyddol: 'The homeless Jews must find a home; and Christians owe their Jewish brethren something more than verbal sympathy as they face the most tragic plight which has ever faced a people'. Mewn pwyllgor Eingl-Americanaidd a gyfarfu'n gynnar ym 1946 i drafod achos ffoaduriaid Iddewig Ewrop, cefnogodd

Niebuhr y cais i sefydlu gwladwriaeth ym Mhalesteina.
Meddai :

> I belong to a Christian group in this country who believe
> that the Jews have a right to a homeland. They are a nation
> scattered among the nations of the world. They have no
> place where they are not exposed to the perils of minority
> status and where they can be what they are without anyone's
> 'by your leave' . . . A bi-national Palestinian state is hardly
> a solution of the problem, for a bi-national state would lead
> to conflict. Arab sovereignty over a portion of debated
> territory must undoubtedly be sacrificed for the sake of
> establishing a world homeland [for the Jews].[36]

Ym marn Niebuhr, yr oedd y ffaith fod gan yr Arabiaid lawer
o wledydd i fyw ynddynt yn y Dwyrain Canol, a'r Iddewon
ar y llaw arall heb unman, yn cyfreithloni achos yr Iddew.
Apeliodd Niebuhr ar Gristnogion i feithrin agwedd ymarferol
at Seioniaeth, ac er parchu'r addewidion beiblaidd, i ganol-
bwyntio'n hytrach ar gyflwr presennol y genedl Iddewig, cyflwr
a hawliai ymateb cyflym a chadarnhaol ar dir cyfiawnder a
moeseg. Yn ei olwg ef, nid cyflawniad disgwyliedig proffwyd-
oliaethau ysgrythuol oedd Gwladwriaeth Israel, ond un o
ganlyniadau uniongyrchol yr Holocost, a gellid cyfiawnhau ei
bodolaeth fel lloches i ddioddefwyr oddi wrth y gyflafan ddieflig
honno. Rhai wythnosau cyn y rhyfel rhwng Israel a'r Aifft ym
1956 mynegodd ei edmygedd o'r wladwriaeth newydd fel hyn :

> The state of Israel is, whatever its limitations, a heartening
> adventure in nationhood. It has gathered Jews of all nations,
> the remnants of the victims of Hitlerism and other forms of
> nationalistic persecution and given them of their own.
> Whatever our political or religious positions may be, it is not
> possible to withhold admiration, sympathy and respect for
> such an achievement.[37]

Bu dylanwad Niebuhr yn gryf ar y cannoedd o fyfyrwyr a fu'n
eistedd wrth ei draed dros y blynyddoedd. Yn yr America gyfoes

[36] Dyfynnir ef gan Pragai, op.cit., tt. 139 ym.
[37] Christianity and Crisis, Mai 28, 1956. Gw. hefyd R. Stone, 'The Zionism
of Paul Tillich and Reinhold Niebuhr' yn 1980-81 Yearbook of the
Ecumenical Institute for Theological Research, Tantur (Jerusalem 1981),
tt. 219-234. (Adargraffwyd yn CJR 15 (1982), tt. 31-43).

y mae Franklin Littell a Roy Eckardt ymysg y Protestaniaid blaenllaw hynny sy'n coleddu'r un agwedd am yr un rhesymau.[38]

Ar y cyfan, llugoer fu ymateb Cyngor Eglwysi'r Byd i sefydlu gwladwriaeth Iddewig. Gwrthododd cyfarfod cyntaf y Cyngor ym 1948 ddatgan barn ar y mater, ac ni wnaed unrhyw benderfyniad o sylwedd, yr un ffordd na'r llall yn y cyfarfodydd canlynol. Y ddogfen Brotestannaidd gyntaf i fynegi agwedd gadarnhaol tuag at y wladwriaeth oedd un gan Eglwys Ddiwygiedig yr Iseldiroedd, sef 'Israel: Cenedl, Gwlad a Gwladwriaeth. Awgrymiadau ar gyfer Gwerthfawrogiad Diwinyddol' (1970).[39] Y mae'r Eglwys Ddiwygiedig yn 'llawenhau yn yr aduniad hwn rhwng y genedl a'r wlad' am iddo gadarnhau arbenigrwydd yr Iddewon ymysg cenhedloedd y byd, a phrofi parhad cariad Duw tuag atynt. Ond ar wahân i'r arwyddrw 2.1 diwinyddol, y mae'i dateunllud yn cydnabod yr angen am wladwriaeth Iddewig am reswm ymarferol. Yn y byd sydd ohoni, y mae'n rhaid i'r Iddew wrth ei wlad ei hun er mwyn diogelu ei ddyfodol ac er mwyn cael bod yr hyn ydyw. 'Yr ydym yn argyhoeddedig y dylai pawb sy'n derbyn aduniad y genedl â'r wlad am resymau ffydd, hefyd gydnabod hawl y genedl, yn yr amgylchiadau presennol, i'w gwladwriaeth ei hun'. Cafwyd prawf effeithiol o'r gefnogaeth hon ym 1988, pan anfonodd yr Eglwys Ddiwygiedig lythyr at Arlywydd Israel yn llongyfarch y wladwriaeth ar ei phenblwydd yn ddeugain oed.

Casgliadau

Ni ellir amgyffred gwir natur Iddewiaeth heb ystyried pwyslais digamsyniol y grefydd ar y cysylltiad agos sy' rhwng yr Iddew a'i wlad. Er i filiynau o Iddewon dros y canrifoedd fyw yn y Gwasgariad, er i'r Aifft, Sbaen a Babilon ragori ar Balesteina fel canolfannau diwylliant Iddewig, er i'r ymlyniad wrth

[38] Am syniadau chwyldroadol y ddau ddiwinydd yma gw. F. H. Littell, *The Crucifixion of the Jews* (New York 1975); A. Roy Eckardt, *Elder and Younger Brothers: The Encounter of Jews and Christians* (New York 1967).

[39] Am y testun cyflawn gw. H. Croner (gol.), *Stepping Stones to Further Jewish-Christian Relations* (New York 1977), tt. 91-107. Ceir pigion ohono hefyd yn A. Brockway *et al.* (gol.), *op.cit.*, tt. 51-60.

Gyfraith Moses awgrymu mai 'Pobl y Llyfr' yn hytrach na 'Pobl Israel' yw'r Iddewon, deil y teyrngarwch i hen wlad y tadau. Rhoddwyd ystyr newydd i'r 'dimensiwn tiriogaethol' hwn gan yr erlid yn Ewrop yn y ganrif ddiwethaf. Er fod cenedlaetholdeb yn anathema i Iddewon rhyddfrydol, pan ailgydiodd gwrthsemitiaeth yn Rwsia a Ffrainc, ysgubwyd ymaith syniad Mendelsshon a'i ddisgyblion y dylai'r Iddew gydweddu â chymdeithas ei gymdogion a'i ystyried ei hun yn Almaenwr neu'n Americanwr yn perthyn i grefydd Moses. Yn ystod yr Holocost gwnaeth Hitler yn gwbl eglur i Iddewon Ewrop nad oedd bod yn 'ddinasyddion y byd' o unrhyw werth iddynt. Hil, nid diwinyddiaeth, oedd yn cyfrif i'r Natsïaid, oherwydd yn ei waed, nid ei gred, yr oedd anfantais yr Iddew. Yr unig ffordd i'r genedl sicrhau ei dyfodol oedd dilyn trywydd y Seioniaid a mynnu dychwelyd at ei gwreiddiau. Yn y mudiad i ennill cartref parhaol ym Mhalesteina, felly, cyfunwyd dyhead y diwinydd a gweledigaeth y gwleidydd.

Ond er gwaethaf y cyfuniad cadarnhaol hwn, pan wireddwyd breuddwydion y Seioniaid ym 1947, yr oedd llawer iawn o Gristnogion yn gyndyn i gefnogi dyfarniad y Cenhedloedd Unedig. Gall rhesymau gwleidyddol Eglwys Rhufain dros beidio â chydnabod y wladwriaeth newydd am bum mlynedd a deugain fod yn destun dadl, ond o safbwynt diwinyddiaeth, yr oedd ei hamharodrwydd o leiaf yn ddealladwy. Nid oedd dim yn ei dysgeidiaeth draddodiadol am yr Iddewon wedi ei pharatoi i ystyried hyd yn oed y posibilrwydd o wladwriaeth Iddewig. Crwydro'r ddaear oedd tynged dragwyddol yr Iddew. Er i'r Fatican gydymdeimlo â gwewyr yr Iddewon, mynegodd droeon er troad y ganrif na fedrai gydnabod Gwladwriaeth Israel heb i'r genedl droi at Grist. Ni fynegwyd yr amod hon lawn mor eglur wedi'r Holocost, y mae'n wir, ond parhau i atal cydnabyddiaeth wnaeth Rhufain. Yr oedd yr Eglwys fel petai'n gwrthod derbyn fod gan Iddewon anghenion tymhorol yn ogystal â rhai ysbrydol, a hynny er mwyn osgoi delio â phwnc dyrys, ond un sydd o dragwyddol bwys i bob Iddew — ei hawl i'w wlad.

Ond nid i Eglwys Rhufain yn unig y bu Israel yn faen tramgwydd. Y mae nifer o Brotestaniaid hefyd yn methu â dygymod â pholisi'r Seioniaid. Yn eu barn hwy, gweithred o anghyfiawnder gan yr Iddewon yn erbyn Arabiaid Palesteina oedd sefydlu'r wladwriaeth, ac o'r herwydd, ni welant unrhyw arwyddocâd hanesyddol na diwinyddol ynddi. Pwysleisiant hwy yr anawsterau gwleidyddol a chymdeithasol sy'n wynebu'r ffoaduriaid yn y Lebanon, Gasa a Iorddonen. Eilardd, yn y cyswllt hwn, yw ystyriaethau megis diogelwch a dyfodol Israel — a chymryd eu bod yn cael sylw o gwbl. A yw gwrth-Seioniaeth o'r math yma yn golygu fod gwrthsemitiaeth heb fod ymhell dan yr wyneb? Nid o angenrheidrwydd; y mae'n bosibl gwrthsefyll Seioniaeth a gwrthsemitiaeth yr un pryd. Ond yn y byd sydd ohoni, pan mae gwledydd Arabaidd yn llythrennol am waed y Seioniaid, a gwrthsemitiaeth ar gynnydd yn Ewrop, anodd tybio fod y rhai sy'n gwrthod cefnogi Israel yn rhydd o'r rhagfarn oesol hon.

Er fod Cristionogol yn bod ers canrifoedd, ni chafodd lawer o sylw gan ddiwinyddion hyd yn ddiweddar. Erbyn heddiw gwnaed amryw o astudiaethau cynhwysfawr o hanes a datblygiad y ffenomen hwn ymysg Efengyleiddwyr Ffwndamentalaidd.[40] Nid ymateb i wewyr yr Iddew, nac i apêl gan Israel am gydymdeimlad, yw Seioniaeth Gristnogol. Symbylir y mudiad hwn gan athrawiaeth sy'n honni mai arwyddion cyntaf ailddyfodiad y Meseia mewn gogoniant yw dychweliad yr Iddewon adref a'u tröedigaeth at Grist. Yn ôl yr amserlen ddwyfol, y mae sefydlu'r wladwriaeth yn tystio fod y diwedd yn agos. Cwestiwn a ofynnir yn aml gan y ffwndamentaliaid yw : pa bryd yr ailgodir y deml yn Jerwsalem? — cwestiwn sy'n profi mai diddordeb diwinyddol yn unig, yn y bôn, sydd gan yr Efengyleiddwyr hyn yng Ngwladwriaeth Israel, a chred fod tröedigaeth yn hanfodol. Gwneud defnydd o angen parhaol yr Iddew am gartref y maent er mwyn cadarnhau eu dehongliad hwy o neges y Beibl. Pa ryfedd iddynt dramgwyddo'r Iddewon?

[40] Yn ogystal â chyfrolau M. J. Pragai a D. A. Rausch a nodwyd uchod, gw. M. Davis, *America and the Holy Land* (Jerusalem 1974); H. Fishman, *American Protestantism and a Jewish State* (Detroit 1973); Y. Malachy, *American Fundamentalism and Israel* (Jerusalem 1978); A. J. Rudin ac M. R. Wilson (gol.), *A Time to Speak: The Evangelical-Jewish Encounter* (Grand Rapids 1987).

Rhaid i Gristnogion ddatblygu diwinyddiaeth sy'n cymryd o ddifrif ddychweliad yr Iddewon i'w gwlad, ond ar yr un pryd rhaid iddynt beidio â rhoi'r argraff eu bod yn cefnogi'n ddigwestiwn pob gweithred o eiddo llywodraeth Israel. I lawer y man cychwyn yw angen y genedl am gartref diogel.

O Draethu i Drafod: Wedi Auschwitz (1948 - 1990 O.C.)

Y mae disgrifio Iddewiaeth a Christnogaeth fel crefyddau hanesyddol' yn golygu fod yr hyn sy'n digwydd ar lwyfan hanes yn rhan annatod o'u cred. Cysylltir eu syniad canolog, sef achubiaeth neu iachawdwriaeth, â digwyddiadau penodol a gofnodir yn y Beibl. Yn y naill grefydd a'r llall ceir 'profiadau allweddol' (*orienting experiences*). Mewn Iddewiaeth, y mae'r Exodus, pan ymyrrodd Duw yng nghwrs y byd i achub ei bobl o gaethiwed yn yr Aifft, yn un o'r profiadau hyn. Y mae dychweliad y genedl o'r Gaethglud ym Mabilon yn un arall. Yn ôl Jeremeia, bydd dychwelyd i Jwda yn brofiad mwy arwyddocaol o fewn y traddodiad Iddewig na hyd yn oed yr Exodus:

> "Am hynny, y mae'r dyddiau ar ddod", medd yr ARGLWYDD, "pryd na ddywedir mwyach, 'Byw fyddo'r ARGLWYDD a ddygodd feibion Israel i fyny o wlad yr Aifft', ond, 'Byw fyddo'r ARGLWYDD a ddygodd feibion Israel i fyny o dir y gogledd, o'r holl wledydd lle gyrrodd hwy'. Ac fe'u dychwelaf i'w gwlad, y wlad a roddais i'w tadau". (16 : 14-15; cf. 23 : 7-8).

Digwyddiad hanesyddol yw cnewyllyn Cristnogaeth hefyd, sef bywyd, marwolaeth ac atgyfodiad Iesu o Nasareth. Credu yn yr Ymgnawdoliad, credu fod Duw wedi troedio'r ddaear, yw hanfod y grefydd Gristnogol.

Ar sail eu cefndir hanesyddol a daearyddol yn nhir y Dwyrain Canol, y mae Iddewiaeth a Christnogaeth yn unfryd ar ddau bwynt. Yn gyntaf, fod hanes yn berthnasol wrth ystyried y cysylltiad rhwng Duw a dyn. Y mae'r Exodus a'r Ymgnawdoliad yn pwysleisio gwerth anhraethol y ddynoliaeth yng ngolwg Duw. Fel y dywed Ioan yn ei efengyl, 'Carodd Duw y byd gymaint nes iddo roi ei unig Fab' (3 : 16). Bydd digwyddiadau hanesyddol yn effeithio ar ein dirnadaeth o ddiben bywyd. Yn ail, fod y datguddiad o Dduw a gafwyd yn y profiadau allweddol hyn yn derfynol. Oherwydd ei ffyddlondeb i gyfamod Sinai, y mae'r Iddew yn gwrthod y gred fod 'Duw yng Nghrist yn cymodi'r byd ag ef ei hun' (2 Cor. 5 : 19). Y mae'r Cristion yntau'n gwrthod dysgeidiaeth Islam mai gan y proffwyd Mahomet y cafwyd y gair olaf; cred ef i Dduw ddatguddio'i ewyllys unwaith ac am byth yn Iesu o Nasareth.

O gofio'r pwyslais hwn ar derfynoldeb y datguddiad beiblaidd, hawdd deall amharodrwydd yr Iddew a'r Cristion i ystyried yr Holocost yn 'brofiad allweddol' o safbwynt diwinyddiaeth. Aeth ymron ugain mlynedd heibio cyn i neb ddechrau trafod, yn gyhoeddus beth bynnag, oblygiadau diwinyddol y gyflafan. Ar wahân i'w gred yn natguddiad terfynol Sinai, ni fedrai'r Iddew feddwl am godi'r llen ar y fath drychineb ac ail-fyw cyfnod mor erchyll; yr oedd ei brofiad wedi ei barlysu. Yr oedd y Cristion yntau'n hwyrfrydig i drafod y pwnc, efallai am nad oedd yn awyddus i wybod mwy am gyfraniad anuniongyrchol yr Eglwys dros y canrifoedd i wrthsemitiaeth yr ugeinfed ganrif; efallai, hefyd, am fod methiant yr Eglwys i wrthsefyll Natsïaeth yn codi cywilydd arno. Ond erbyn canol y chwedegau yr oedd diwinyddion y ddwy grefydd yn dechrau gweld ystyr pellach i'r Holocost na hil-lofruddiaeth chwe miliwn o Iddewon. Yr oedd i'r lladd yn yr Almaen oblygiadau diwinyddol. Amcan y bennod hon yw nodi rhai o'r goblygiadau hynny o safbwynt athrawiaeth a chenhadaeth yr Eglwys Gristnogol.

146

Athrawiaeth

I'r Iddew, cyfyd yr Holocost gwestiynau sylfaenol ynglŷn â
bodolaeth Duw a'i natur. Ble'r oedd y Duw hollalluog a
ddygodd ei genedl etholedig allan o'r Aifft, yr achubwr a
wnaeth gyfamod â'i bobl, ble'r oedd Duw trugaredd rhwng
1939 a 1945? Yn nhraddodiad Llyfr Job a'r salmau galar,
protestia'r Iddew yn erbyn anghyfiawnderau anesboniadwy
bywyd ac yn erbyn difaterwch Duw. Y mae'r un benbleth yn
wynebu'r Cristion, ond iddo ef y mae ystyriaeth bellach, sef y
posibilrwydd nad mater ymylol oedd safiad gwrth-Iddewig yr
Eglwys cyn ac yn ystod yr Holocost, ond agwedd a ddeilliai o'i
dysgeidiaeth a'i chredoau. Erbyn heddiw, wedi chwarter canrif
o drafod, barn amryw o ddiwinyddion blaenllaw yw fod y
trychineb ar y Cyfandir yn argyfwng ffydd i'r Cristion lawn
cymaint ag i'r Iddew. Yng ngeiriau Franklin Littell yn ei
cyfeiriad at yr Holocost, 'More than anything else that has
happened since the fourth century, it has called into question
the integrity of the Christian people and confronted them with
an acute identity crisis'.[1] Os yw'r Eglwys wedi hybu gwrth-
Iddewiaeth, nid yn unig trwy beidio â gwrthsefyll y Natsïaid
ond hefyd trwy ei phregethu a'i datganiadau, y mae'n bryd
iddi ailystyried ei syniadau a llunio diwinyddiaeth a fydd yn
meithrin agwedd decach at yr Iddew. Os yw'n euog o greu'r
fath atgasedd at Iddewon ag sy'n gwneud holocost yn bosibl,
y mae'n bryd iddi ailddiffinio'i pherthynas ag Iddewiaeth.
Ond cyn troi at rai o'r athrawiaethau hynny a gyfrifir yn wrth-
Iddewig, ystyriwn effaith yr Holocost ar y darlun traddodiadol
o Dduw ac o'i berthynas â'i greadigaeth.

Natur Duw

Er mai dylanwad Auschwitz ar syniad y Cristion am Dduw
sydd dan sylw yma, nid amherthnasol yw nodi'n gyntaf effaith
y gyflafan ar yr Iddewon, oherwydd yr un anhawster, yn y
bôn, sy'n wynebu Cristion ac Iddew. Y mae'r Iddewon wedi
ymateb i'r trychineb mwyaf yn eu hanes mewn amryw o

[1] *The Crucifixion of the Jews* (New York 1975), t. 129.

147

wahanol ffyrdd. Barn llawer o Iddewon Uniongred yw mai ar Iddewon Ewrop yr oedd y bai am Auschwitz, oherwydd cosb am bechod oedd yr Holocost; dial Duw ar genedl wrthryfelgar.[2] Hyn fu ateb traddodiadol y rabbiniaid i bob trychineb ar hyd y canrifoedd, ateb sy'n amddiffyn Duw ac yn cyfiawnhau ei ffyrdd. Ond yng nghysgod Auschwitz fe'i hystyrir yn annerbyniol hyd yn oed gan rai o'r Uniongred eu hunain. Meddai Irving Greenberg, rabbi sy'n perthyn i'r garfan hon o Iddewiaeth :

> To account for the holocaust as God's punishment of Israel for its sins is to betray and mock the agony of its victims. Now that they have been cruelly tortured and killed, boiled into soap, their hair made into pillows and their bones into fertilizers, the theologian would commit the only indignity left to inflict on them — that is, insist that it was done because of their sins.[3]

Diwinydd Uniongred arall sy'n methu â derbyn yr ateb traddodiadol yw Eliezer Berkovitz. Haws ganddo ef feddwl am Dduw yn cilio am ysbaid o ŵydd pechaduriaid, yn 'cuddio ei wyneb' yn ystod yr Holocost, fel y gwnaeth, hyd yn oed oddi wrth y dieuog yn Salm 13 : 1 a 44 : 24. Dim ond y merthyron, y gweddill ffyddlon o Iddewon crediniol, a welai ei wedd trwy fwg yr amlosgfa. Ond os oedd Duw ynghudd yn Auschwitz, yr oedd yn gwenu'n dirion pan sefydlwyd Gwladwriaeth Israel. I Berkovitz, tystia bodolaeth Israel i benarglwyddiaeth Duw ac i atgyfodiad y genedl.[4]

Un arall sy'n canfod yr ateb i'r Holocost yng Ngwladwriaeth Israel yw Emil Fackenheim. Ond er i Fackenheim weld ystyr yn y gyflafan, nid yw ef yn sôn am bechod na merthyrdod. Yn hytrach, gorchymyn oedd y lladdfa i'r Iddewon oroesi, rhag rhoi'r fuddugoliaeth derfynol i Hitler. Meddai :

> Jews are forbidden to hand Hitler posthumous victories. They are commanded to survive as Jews, lest the Jewish

---

[2] Gw. N. Solomon, *Jewish Responses to the Holocaust* (Birmingham 1988); D. Cohn-Sherbok, *Holocaust Theology* (London 1989), pen. 2.
[3] 'Cloud of Smoke, Pillar of Fire: Judaism, Christianity and Modernity after the Holocaust' yn Eva Fleischner (gol.), *Auschwitz: Beginning of a New Era?* (New York 1977), t. 25.
[4] Gw. ei lyfr *Faith after the Holocaust* (New York 1973). Hefyd D. Cohn-Sherbok, *op.cit.*, pen 5.

people perish. . . . They are forbidden to despair of the God of Israel, lest Judaism perish. . . . A Jew may not respond to Hitler's attempt to destroy Judaism by himself co-operating in its destruction.[5]

Yr oedd Duw yn bresennol yn Auschwitz fel un yn gorchymyn i'w bobl oroesi, ac y mae ufudd-dod y genedl i'w ganfod yng Ngwladwriaeth Israel. Y wladwriaeth newydd oedd 'na' yr Iddew, ar ran dynoliaeth, i ellyllon y gwersylloedd cadw. Ymateb mwy eithafol, a fynegwyd yn huawdl gan Richard Rubenstein, yw gwadu bodolaeth Duw a gwrthod y gred fod yr Iddewon yn genedl etholedig. 'We learned in the crisis', meddai, 'that we were totally and nakedly alone, that we could expect neither support nor succour from God nor from our fellow creatures. Therefore the world will forever remain a place of pain, suffering, alienation and ultimate defeat'.[6] Priodoli Anianwitz i Rubenstein fod Duw wedi marw. Bellach, yn ei olwg ef, gwerth hanesyddol a chymdeithasol yn unig sydd i wyliau ac arferion Iddewig.

Fodd bynnag, nid pob Iddew crediniol sy'n gweld arwyddocâd diwinyddol yn yr Holocost. Y mae rhai yn hwyrfrydig i roi lle mor amlwg i'r digwyddiad hwn yn y grefydd ac yn rhybuddio'u cyd-Iddewon rhag y perygl o bwysleisio 'holocostyddiaeth' yn lle 'diwinyddiaeth'. Anghytuna'r rabbi Uniongred Michael Wyschogrod yn llwyr â Fackenheim fod llais Duw i'w glywed yn Auschwitz yn gorchymyn ei bobl i oroesi. Meddai, 'There is no salvation to be extracted from the Holocaust, no faltering Judaism can be revived by it, no new reason for the continuation of the Jewish people can be found in it'.[7] I Wyschogrod, un llais a glywir yn Auschwitz, llais y diafol. Y mae'r ysgolhaig enwog Jacob Neusner yntau o'r farn nad yw diwinyddion sy'n mynnu gweld yr Holocost fel trobwynt mewn Iddewiaeth yn gwneud unrhyw gymwynas â chredinwyr. Mewn ateb i'r cwestiwn 'Beth yw goblygiadau'r Holocost?' meddai :

[5] *God's Presence in History: Jewish Affirmations and Philosophical Reflections* (New York 1970), t. 84.
[6] *After Auschwitz* (Indianapolis 1968), t. 129.
[7] 'Faith and the Holocaust', *Judaism* 20 (1971), t. 294.

In one sense, I claim there is *no* implication — none for Judaic theology, none for Jewish community life — which was not present before 1933. . . . One who did not believe in God before he knew about the Holocaust is not going to be persuaded to believe in him on its account. One who believed in the classical perception of God presented by Judaic theologians is not going to be forced to change his perception on its account. . . . Jews find in the Holocaust no new definition of Jewish identity because we need none. Nothing has changed. The tradition endures.[8]

Rhaid cydnabod, gyda Wyschogrod a Neusner, y perygl sydd ynghlwm wrth feddwl am yr Holocost fel 'profiad allweddol' o safbwynt diwinyddiaeth Iddewig. Ond y mae angen cydbwysedd. Rhaid gochel hefyd rhag ei anwybyddu a gwadu ei arwyddocâd.

Trown yn awr at Gristnogaeth. Yn ddiweddar, rhoddodd Cristnogion sylw arbennig i ddwy nodwedd yn perthyn i Dduw sy'n achosi penbleth i'r sawl a fyn ddiwinydda yng nghysgod Auschwitz : ei allu hollalluog a'i anhyboenedd (*impassibility*), nodweddion amlwg yn y darlun traddodiadol o Dduw'r Cristion.

Yn gyntaf, ei allu. Wedi Auschwitz, a fedrwn haeru fod Duw yn hollalluog? Ateb negyddol a geir gan Hans Jonas, Iddew o'r Almaen a gollodd ei fam yn y fflamau. Nodir syniadau Jonas yma am iddo drafod y pwnc yn drwyadl a chael cryn ddylanwad ar ddiwinyddion Cristnogol.[9] Yn ei farn ef, ni ellir mwyach gysoni'r gred fod Duw yn hollalluog ac yn ddaionus â'r syniad fod ei ffyrdd yn ddealladwy i ddynion. Y mae dewis o dri pheth i'w gredu. Os yw Duw yn hollalluog ac yn ddaionus, nid oes modd dirnad pam nad ataliodd y fath greulondeb, ac o'r herwydd y mae'n gwbl annealladwy. Os yw'n hollalluog ac yn ddealladwy, os peidiodd ag atal y gyflafan er fod y gallu ganddo, nid yw'n Dduw daionus. Os

[8] 'The Implications of the Holocaust', *JR* 53 (1973), tt. 307 ym.
[9] Gw. ei erthygl ddylanwadol 'The Concept of God after Auschwitz', *JR* 67 (1987), tt. 1-13. Am drafodaeth ar yr un pwnc o safbwynt Cristnogol gw. Dorothee Sölle, 'God's Pain and our Pain: How Theology has to change after Auschwitz', yn Y. Bauer *et al.* (gol.), *Remembering for the Future* (Oxford: Pergamon Press 1989), Cyf. 3, tt. 2728 ym.

yw'n ddaionus ac yn ddealladwy, yna y mae Auschwitz yn tystio i'w anallu i ymyrryd. Yn ôl Jonas, ni ellir bellach ddefnyddio'r tri ansoddair yma gyda'i gilydd i ddisgrifio Duw. Yr ail a'r trydydd yw ei ddewis ef. Y mae'n barod i gredu mewn Duw daionus a dealladwy, hyd yn oed ar ôl Auschwitz, ond nid mewn Duw hollalluog.

Yn ail, ei anhyboenedd, sef y gred nad yw Duw yn dioddef. Yn ôl diwinyddiaeth draddodiadol, nid yw poen a thrallodd y byd yn cael unrhyw effaith ar Dduw. Sail yr athrawiaeth hon yw fod y gallu i ddioddef yn arwydd o wendid, ac yn tynnu oddi wrth fawredd trosgynnol y Creawdwr. Ond wedi Auschwitz, ailystyriwyd y gred hon hefyd. Yng ngoleuni'r profiadau erchyll yn y gwersylloedd cadw, y mae'r syniad o Dduw digyfnewid, dideimlad a disymud, sydd uwchlaw treialon ei greadigaeth, yn wrthun i rai. Sut y gallai unrhyw Fod daionus beidio â theimlo gwewyr y diniwed? Gwyntyllwyd y syniad hwn o Dduw, dioddefus gan Jürgen Moltmann o Brifysgol Tübingen yn ei lyfr *The Crucified God* (Cyf. Saes. 1974). Daw Moltmann i'r casgliad fod Duw ei hun yn dioddef ym mhob trychineb sy'n digwydd i'w blant. Wedi Auschwitz, nid yw Duw anhyboen yn gwneud unrhyw synnwyr.

Diwinyddiaeth ddisodli

Yn ei esboniad ar Genesis 35 : 16-20, adnodau sy'n cyfeirio at farw Rachel ar enedigaeth Benjamin, y mae Martin Luther yn dweud hyn, 'Cyn gynted ag y mae'r Efengyl a roddwyd trwy Grist a'r apostolion yn dechrau, y mae Rachel yn mynd i orwedd ac yn marw : dyna'r Synagog neu Iddewiaeth. Genir y plentyn, ond rhaid i'r fam farw'.[10] Y mae'r gred fod Cristnogaeth wedi disodli Iddewiaeth, a bod Iddewiaeth o'r herwydd yn grefydd farw, yn rhedeg fel llinyn trwy ugain canrif o ddiwinyddiaeth Gristnogol. Yr ydym eisoes wedi sylwi arni yng ngweithiau'r Tadau cynnar megis Melito, Chrysostom ac Awstin, ond yn yr Oesoedd Canol, daeth i amlygrwydd pellach yn nwylo seiri ac arlunwyr. Er budd y ffyddloniaid

---

[10] Fe'i dyfynnir gan P. von der Osten-Sacken, *Christian-Jewish Dialogue* (Philadelphia 1986), t. 179, n. 58.

151

anllythrennog, fe'i hatgynhyrchwyd ar femrwn, ar garreg, ar bren ac ar wydr. Y mae darlun ymyl-ddalen mewn Beibl o'r bymthegfed ganrif yn portreadu angladd y Synagog. Gorwedd mewn arch gyda llechau'r Gyfraith yn ei dwylo. Wrth ei thraed saif yr Iesu atgyfodedig, ac wrth ei phen Eglwys goronog a buddugoliaethus.[11] Mewn ffenestr liw yng Nghadeirlan Bourges darlunnir y Synagog a'r Eglwys yn sefyll o ddeutu'r Crist croeshoeliedig. Ar y dde i'r Gwaredwr y mae'r Eglwys orfoleddus, yn dalsyth, a choron ar ei phen, ac yn ei llaw gwpan i dderbyn y gwaed sy'n llifo o'i ystlys friwedig. Ar y chwith saif y Synagog gyda mwgwd ar ei llygaid, ei choron yn llithro dros ei thalcen a'i theyrnwialen yn ddau ddarn — arwyddion ei bod yn ddall i'r gwirionedd, fod ei statws breintiedig fel pobl Dduw wedi edwino a bod ei gogoniant yn perthyn i arall.[12]

Yr hyn sydd tu cefn i'r darlun difrïol hwn o Iddewiaeth fel crefydd farw, a'r Iddewon fel cenedl wrthodedig, yw cred y Cristion mewn etholedigaeth. O'r dechrau, ystyriai'r Eglwys mai hi oedd parhad cydnabyddedig cenedl Israel. Trwy ffydd yng Nghrist fel cyflawniad bwriadau Duw, yr oedd yr addewidion a wnaed i Israel yn yr Hen Destament, ar sail ei hetholiad, yn awr yn perthyn iddi hi. Hi oedd 'gwir' bobl Dduw, yr Israel 'newydd' a oedd wedi disodli'r hen. Gorchwyl gyntaf yr Eglwys, felly, oedd diffinio'i pherthynas â'r Iddewon. Trwy gyfrwng y Testament Newydd gwna hyn mewn dwy ffordd. Y mae'r gyntaf i'w chanfod yn Efengyl Mathew.

Pwysleisia Mathew fod yr hen Israel wedi troseddu droeon yn erbyn cyfraith Duw. Ond ei throsedd pennaf oedd gwrthod derbyn Iesu o Nasareth fel y Meseia. Am y pechod anfaddeuol hwn, diddymodd Duw ei gyfamod â hi a gwneud cyfamod newydd, trwy waed y groes, â phawb a gredai yng Nghrist. O hynny allan, yr Eglwys oedd pobl Dduw a hi yn unig oedd yn etifeddu addewidion a bendithion yr Israel gyntaf. Testun a ddyfynnir yn aml i gadarnhau'r syniad hwn o ragoriaeth yr Eglwys ar Iddewiaeth yw hanes Iesu'n melltithio'r ffigysbren

[11] *Ibid.*, t. 13.
[12] Gw. W. S. Seiferth, *Synagogue and Church in the Middle Ages: Two Symbols in Art and Literature* (New York 1970), darlun 26.

(Math. 21 : 18-22). Er mwyn dangos ei awdurdod dros fyd natur, melltithia Iesu'r pren am mai dail yn unig oedd arno, ac yntau'n newynog. Meddai, ' "Na ddeled ffrwyth arnat ti byth mwy". Ac ar unwaith crinodd y ffigysbren'. Trwy ddefnyddio alegori, sef hoff ddull y Tadau cynnar o drin y Beibl, gellid anwybyddu'r ystyr llythrennol a gweld yn y ffigysbren crin ddrych o dynged Iddewiaeth, crefydd a drengodd ar atgyfodiad Crist. Esboniad camarweiniol yn sicr, ond serch hynny, y mae'n cynrychioli safbwynt Mathew, safbwynt a fu, ac a ddeil i fod, yn hynod boblogaidd yn yr Eglwys Gristnogol ac a adlewyrchir mewn llyfrau eraill yn y Testament Newydd, megis Efengyl Ioan.

Ond yn yr Ysgrythur ceir darlun arall, tra gwahanol, o'r berthynas rhwng yr Eglwys ac Iddewiaeth. Yn ei lythyr at y Rhufeiniaid y mae Paul yn ystyried Eglwys Crist fel olewydden wyllt a impiwyd i mewn i olewydden ardd, sef Israel (11 : 17 '21). Awgryinir felly fod Israel yn dal i fyw, oherwydd y gwreiddyn sy'n cynnal yr impiad. Ar draul y darlun yma, y mae agwedd Paul at yr Iddewon, o leiaf yn Rhufeiniaid, yn fwy haelionus o bell ffordd nag agwedd Mathew. Ni all Paul gredu fod Duw wedi cefnu ar Israel. 'A yw'n bosibl fod Duw wedi gwrthod ei bobl ei hun? Nac ydyw, ddim o gwbl! . . . Nid yw Duw wedi gwrthod ei bobl, y bobl a adnabu cyn eu bod' (11 : 1-2). Y mae'n wir mai gelynion Duw ydynt o safbwynt yr Efengyl, eto 'o safbwynt eu hethol gan Dduw, y maent yn annwyl ganddo, ond y maent felly o achos y tadau. Oherwydd nid oes tynnu'n ôl ar roddion graslon Duw, a'i alwad ef' (11 : 28-29). Y mae'r addewidion a wnaeth Duw ar Sinai yn parhau mewn grym, ac yn y diwedd 'caiff Israel i gyd ei hachub' (11 : 26).

O'r ddau safbwynt yma at Iddewiaeth, agwedd ddilornus Mathew a gafodd y lle blaenaf yn nysgeidiaeth yr Eglwys. O'r Tadau cynnar trwy'r Oesoedd Canol, o Luther i'r ganrif bresennol, bu'r pwyslais yn gyson ar statws eilradd Iddewiaeth, ac o ganlyniad, ar statws eilradd y genedl Iddewig. Hyd yn oed wedi Auschwitz, pan ddaeth goblygiadau'r fath bregethu'n frawychus o amlwg, y mae rhai diwinyddion blaenllaw yn dal i feithrin yr hen athrawiaeth. Cymerwn ddwy enghraifft. Mewn erthygl ar y berthynas rhwng Iddewiaeth a Christnogaeth yn y geiriadur diwinyddol *Sacramentum Mundi* (1969), y mae'r ysgolhaig o Babydd, Clemens Thoma, yn anwybyddu cyfraniad ysbrydol Iddewiaeth trwy ddweud, 'The people of Israel have been provisionally left to one side, eliminated in the matter of election'.[13] Nid pobl Dduw mo'r Iddewon mwyach, oherwydd yr hyn sy'n creu pobl Dduw yw ffydd yng Nghrist. Y mae Cristnogaeth wedi disodli Iddewiaeth. Ceir adwaith Brotest-annaidd mewn adroddiad ar yr Eglwys a'r Iddewon a gyflwynwyd i'r Comisiwn ar Ffydd a Threfn, Cyngor Eglwysi'r Byd, ym 1967. Methodd aelodau'r pwyllgor dethol gytuno ynglŷn â statws presennol Iddewiaeth. Yng ngeiriau'r adroddiad:

> Some are convinced that, despite the elements of continuity that admittedly exist between present-day Jews and Israel, to speak of the continued election of the Jewish people alongside the Church is inadmissible. It is the Church alone, they say, that is theologically speaking, the continuation of Israel as the people of God, to whom now all nations belong. Election and vocation are solely in Christ, and are to be grasped in faith.[14]

Y mae gwadu fod cysylltiad di-dor rhwng Iddewon cyfoes a chenedl Israel cyn Crist yn cadarnhau dysgeidiaeth draddodiadol yr Eglwys mai hi yw'r Israel newydd.

Ond er i'r hen ddiwinyddiaeth, sy'n seiliedig ar Efengyl Mathew a'i thebyg, barhau'n ddylanwadol, y mae arwyddion eglur fod syniadau Paul am Iddewiaeth yn Rhufeiniaid 9-11 yn ennill tir. Fel y dengys dogfen y Comisiwn ar Ffydd a Threfn, yr oedd gwahaniaeth barn hyd yn oed ymysg aelodau'r pwyllgor ynglŷn â statws yr Iddewon. Tra oedd rhai yn derbyn y ddysgeidiaeth draddodiadol mai'r Eglwys yn unig oedd pobl Dduw, yr oedd eraill yn ei gwrthod:

> Others of us are of the opinion that it is not enough merely to assert some kind of continuity between the present-day

[13] K. Rahner *et al.* (gol.), *Sacramentum Mundi* (New York 1969), Cyf. 3, t. 220.
[14] A. Brockway *et al.* (gol.), *The Theology of the Churches and the Jewish People: Statements by the World Council of Churches and its Member Churches* (Geneva 1988), t. 20. Am y ddogfen wreiddiol gw. *New Directions in Faith and Order, Bristol 1967* (Faith and Order Paper No. 50, Geneva, WCC, 1968).

Jews — whether religious or not — and ancient Israel, but that they actually are still Israel, i.e., that they still are God's elect people. These would stress that after Christ the one people of God is broken asunder, one part being the Church which accepts Christ, the other part Israel outside the Church, which rejects him, but which even in this rejection remains in a special sense beloved by God.[15]

Ceir pwyslais tebyg yn nogfennau'r Fatican. Yn y cyswllt hwn, rhydd *Nostra aetate* sylw arbennig i ddisgrifiad Paul o'i 'frodyr o ran cenedl' yn Rhufeiniaid 9.[16] Er nad yw Tadau Ail Gyngor y Fatican yn cydnabod yn eglur ddilysrwydd parhaol Iddewiaeth, y mae eu defnydd o amser presennol y ferf yn y dyfyniad o Rhufeiniaid yn awgrymu mai dyna'u bwriad. 'Theirs *is* the sonship and the glory and the covenant and the law and the worship and the promises' (Rhuf. 9:4), yw'r cyfieithiad Saesneg o Ladin gwreiddiol y ddogfen.[17] Y mae brenhiniaeth Iddew, felly, yn parhau.

Nid safbwynt Eglwys Rhufain yn unig mo hwn. Ym 1970 rhoddodd Synod Eglwys Ddiwygiedig yr Iseldiroedd ateb cadarnhaol i'r cwestiwn ynglŷn â dilysrwydd y grefydd Iddewig a statws yr Iddewon fel cenedl etholedig Duw.[18] Y mae'r Eglwys Anglicanaidd hefyd wedi datgan yn ddigyfaddawd ei chred yn nilysrwydd Iddewiaeth. Wrth drafod yr amodau sy'n angen-rheidiol ar gyfer deialog rhwng Iddew a Christion, dywedodd yr esgobion yng Nghynhadledd Lambeth 1988 mai'r gyntaf oedd addefiad gan Gristnogion fod Iddewiaeth yn grefydd fyw:

Judaism is a living and still developing religion, which has shown spiritual and intellectual vitality throughout the mediaeval and modern periods despite its history of being maligned and persecuted. . . . We firmly reject any view of Judaism which sees it as a living fossil, simply superseded by Christianity. When Paul reflects on the mystery of the continued existence of the Jewish people (Rom. 9:11) a full

[5] *Ibid.*, t. 21.
[16] Gw. H. Croner, *Stepping Stones to Further Jewish-Christian Relations* (New York 1977), t. 1.
[17] Cym. cyfieithiad *Beibl Jerwsalem*, fersiwn a gydnabyddir gan yr Eglwys Gatholig Rufeinig: 'They were adopted as sons, they were given the glory and the covenants . . .'
[18] Gw. A. Brockway *et al.* (gol.), *op.cit.*, t. 51 ym.

half of his message is the unequivocal proclamation of God's abiding love for those whom he first called. . . . God continues to fulfil his purposes among the Jewish people.[19]

Y mae Iddewiaeth yn dal i dystio i wirionedd Duw; nid crefydd farw mohoni wedi ei disodli gan Gristnogaeth er yr Atgyfodiad.

Sut y mae esbonio'r newid syfrdanol hwn yn agwedd y Cristion at yr Iddew? Beth sydd wedi cymell sawl carfan o'r Eglwys Gristnogol i ddatgan nad yw diwinyddiaeth ddisodli'n dderbyniol bellach — os bu erioed? Yr Holocost, dyna'r unig ateb. I lawer o ddiwinyddion, y mae bodolaeth y genedl Iddewig, er gwaethaf pob ymdrech i'w difa, yn arwydd sicr o ffafr a gras Duw tuag ati. Trwy oroesi'r gyflafan, tystia'r genedl i rym yr addewidion a gafodd yn y gorffennol pell. Nid yw Duw wedi gwrthod ei bobl nac wedi eu hanghofio. Ond yn oygstal â gweld yn yr Holocost dystiolaeth i statws etholedig yr Iddew, y mae Cristnogion yn sylweddoli fwyfwy faint eu cyfraniad hwy i'r lladdfa. Trwy bregethu israddoldeb yr Iddew a dysgu fod yr Eglwys wedi disodli Iddewiaeth yr oedd y Cristion, yn fwriadus neu beidio, yn agor y drws i erledigaeth. Ar ôl canrifoedd o wrth-Iddewiaeth Gristnogol, yr oedd Almaenwyr y tridegau yn barod i wrando neges y Natsïaid ac i anwybyddu gwewyr yr Iddew. Y mae cywilydd ac euogrwydd am ei difaterwch yn achos 'ateb terfynol' Hitler wedi symbylu'r Eglwys i newid ei dysgeidiaeth.

Y cyfamod

Ym 1965, pan gyhoeddwyd *Nostra aetate*, yr oedd cynrychiolwyr y Fatican mewn penbleth. Ar y naill law, yr oeddent yn awyddus i gydymffurfio ag anogaeth y Cyngor i gydnabod dilysrwydd Iddewiaeth trwy roi lle iddi o fewn eu fframwaith diwinyddol. Ond ar y llaw arall, yr oeddent yn gwbl ddi-ildio ar y gred sylfaenol fod Crist wedi cyflawni addewidion yr Hen Destament, ac mai trwyddo ef yn unig y ceid iachawdwriaeth. Ni wnaethant unrhyw ymdrech i gysoni'r

<hr>

[19] *The Truth Shall Make you Free: The Lambeth Conference 1988* (London 1988), tt. 299, 302 ym.

ddau safbwynt yma, dim ond bodloni ar ddisgrifio'r tyndra rhyngddynt yng ngeiriau Paul fel rhan o 'ddirgelwch' y duwdod (Rhuf. 11 : 25). Yr oedd parhad Iddewiaeth fel crefydd fyw ochr yn ochr â Christnogaeth, pan ddylai yn ôl dysgeidiaeth yr Eglwys fod wedi trengi ers canrifoedd, yn enghraifft iddynt hwythau hefyd o 'farnedigaethau anchwiliadwy' yr Arglwydd (Rhuf. 11 : 25-36).[20]

Ond yn y saithdegau rhoddwyd ystyriaeth bellach i'r cwestiwn gan ddiwinyddion mwy mentrus a rhyddfrydol. Yn lle dilyn Paul a sôn am ffyrdd dirgel Duw o ddwyn ei waith i ben, aeth y rhain ati i chwilio am esboniad amgenach ar y syniad beiblaidd o gyfamod, esboniad a fyddai'n rhoi lle i'r Iddewon yng nghynllun terfynol Duw. Y cwestiwn llosg yw hwn : Os yw'r 'hen gyfamod' yn parhau'n ddilys, beth yw'r berthynas rhyngddo a'r 'cyfamod newydd'? Os yw gras Duw yn dal i gynnal ei bobl trwy gyfrwng cyfamod Sinai, pa ddiben sydd i'r cyfamod a wnaed yng Nghrist? Y mae cydnabod dilysrwydd y grefydd Iddewig yn golygu ailystyried diwinyddiaeth sydd wedi annog gwrth-Iddewiaeth. Gellir dosbarthu'r ysgolheigion sydd wedi ymgymryd â'r fenter hon yn ddwy garfan : y rhai sy'n sôn am un cyfamod yn cynnwys Iddew a Christion, a'r rhai sy'n sôn am ddau gyfamod cyfochrog ond ar wahân, Sinai a Chalfaria.

Y mae Monika Hellwig, diwinydd Catholig Rhufeinig, o'r farn fod cyfamod Sinai yn dal mewn grym a bod Duw, felly, yn parhau i ddatguddio'i hun trwy Iddewiaeth gyfoes.[21] Cyfraniad arbennig Crist oedd rhoi cyfle i'r Cenhedloedd gyfranogi o etholedigaeth yr Iddew a dod i berthynas â Duw Abraham. Ei fod yn cynnwys Iddewon a Christnogion, hynny sy'n newydd yng nghyfamod Calfaria. Ond os dwy agwedd o'r un cyfamod yw Cristnogaeth ac Iddewiaeth, y mae'n rhaid i Gristnogion ailfeddwl rhai o hanfodion eu Ffydd, yn enwedig y gred mai Iesu o Nasareth oedd hir-ddisgwyliedig Feseia'r Iddewon. 'Even for the Christian', meddai Hellwig,

[20] Gw. e.e. A. Bea, *The Church and the Jewish People* (London 1966).
[21] Am syniadau Hellwig gw. 'Christian Theology and the Covenant of Israel' *JES* 7 (1970), tt. 37-51; 'Bible Interpretation: Has anything Changed?' yn L. Boadt *et al.* (gol.), *Biblical Studies: Meeting Ground of Jews and Christians* (New York 1980), tt. 172-189.

'there is a most important sense in which Jesus is not yet Messiah'. Gwrthodir y gred draddodiadol ganddi oherwydd nad oes yn y byd cyfoes unrhyw argoel am yr arwyddion hynny o'r Oes Feseianaidd a nodir gan y proffwydi. 'What may be expected in the Messianic fulfilment has not yet become manifest in the world — that there shall be peace among men; that the weak shall have no cause to fear the strong; that a spirit of healing and joy shall be all pervasive'. Y mae Hellwig yn defnyddio hanes i ddatbrofi diwinyddiaeth ac i awgrymu fod gan Iddew a Christion, o fewn yr un cyfamod, genhadaeth Feseianaidd sy'n ymestyn i'r dyfodol pell.

Ar yr ochr Brotestannaidd y mae'r Isalmaenwr Coos Schoneveld yn gefnogol iawn i'r syniad o un cyfamod. Cred yntau, fel Hellwig, fod Iesu wedi agor y drws i Gristnogion addoli Duw Israel. Mynn, hefyd, na ddylid ystyried Iesu fel y Meseia Iddewig am na wawriodd yr Oes Feseianaidd pan ddaeth ef i'r byd. O bawb sydd wedi trafod y pwnc, Schoneveld sydd wedi mynegi'r gwrthwynebiad cryfaf i'r syniad o newydd-deb yng Nghrist:

> When we look at the Church's life and teaching, has anything been added to the Torah? I have searched for a long time for anything new. In fact nothing new is there, which goes beyond a certain change of emphasis or a certain different nuance in comparison with Jewish teachings of the first century, except that through Jesus the Gentiles have been admitted and the range of the teaching of the Torah has become much wider. What is given in the Torah comes to us Gentiles through Jesus Christ.[22]

Ym marn Schoneveld, mynediad i'r hen gyfamod yw'r cyfamod newydd.

Trown yn awr at y syniad o ddau gyfamod cyfartal, Sinai a Chalfaria. Er i amryw o ddiwinyddion Pabyddol, yn ysgrifennu ar ôl Ail Gyngor y Fatican, ffafrio'r ddamcaniaeth hon, neu o leiaf agweddau arni, yr arloeswr oedd yr offeiriad Anglicanaidd James Parkes.[23] Man cychwyn Parkes yw'r

---

[22] 'Israel and the Church in the Face of God: A Protestant Point of View' *Immanuel* 3 (1973-74), tt. 80.
[23] Diwinyddion Pabyddol sy'n dilyn y trywydd hwn yw Clemens Thoma, Frank Mussner, Gregory Baum, Eugene Fisher a Norbert Lohfink.

gwahaniaeth sylfaenol rhwng y ddau gyfamod. Er mai'r un diben sydd i Sinai a Chalfaria, sef datguddio Duw ar waith yn y byd, gwnânt hynny mewn gwahanol ffyrdd. Bwriadwyd cyfamod Sinai ar gyfer cymdeithas, a chyfamod Calfaria ar gyfer yr unigolyn. Meddai :

That highest purpose of God which Sinai reveals to men as community, Calvary reveals to man as an end in himself. The difference between the two events, both of which from the metaphysical standpoint are identical as expressions of the infinite in the finite, of the eternal in the world of space and time, lies in the fact that the first could not be fulfilled by a brief demonstration of a divine community in action; but the second could not be fulfilled except by a life lived under human conditions from birth to death.[24]

Dengys Parkes sut y daeth y pwyslais ar yr unigolyn i'r brig mewn Iddewiaeth yng nghyfnod y Gaethglud ym Mabilon, fel y tystia Jeremia, Eseciel a Llên Ddoethineb. Dyma gefndir Iesu o Nasareth. Ond ni wnaeth y datguddiad ar Galfaria ddisodli'r un a gaed ar Sinai; nid oedd y newydd yn gwrth-ddweud yr hen. Ac eto, ni allai Sinai ei lyncu a pharhau'n ddigyfnewid. Y mae'r ddau yn sefyll gyda'i gilydd gan rannu'r un etifeddiaeth.

Er nad oes gytundeb rhyngddynt, y mae diwinyddion o bob enwad wedi ceisio esbonio'r berthynas rhwng y ddau gyfamod, am y rheswm syml mai dyma un o bynciau craidd unrhyw drafodaeth rhwng Iddew a Christion. Un o rag-dybiaethau deialog rhwng dwy grefydd yw fod y ddwy'n gyfartal o ran gwerth. Ond wrth gydnabod dilysrwydd parhaol cyfamod Sinai, y mae'r diwinydd o Gristion yn meiddio gwadu dysgeidiaeth draddodiadol sy'n bod ers canrifoedd. Rhag i neb dybio mai mympwy ysgolheigaidd yw'r cwbl, i gloi nodir tri datganiad swyddogol a wnaed ar y pwnc gan wahanol Eglwysi. Daw'r cyntaf oddi wrth Undeb Eglwysi Efengylaidd y Swistir ym 1977 :

Gan nad yw Duw wedi gwrthod ei bobl, ni ddichon fod yr Eglwys wedi cymryd lle Israel fel 'pobl newydd Duw'. Er

---

[24] *Judaism and Christianity* (Chicago 1948), t. 30. Gw. hefyd *The Foundations of Judaism and Christianity* (London 1960).

i'r Eglwys, eisoes yn y Testament Newydd, gymhwyso iddi ei hun amryw o'r addewidion a wnaed i'r genedl Iddewig, nid yw'n disodli pobl y cyfamod, sef Israel. Yn hytrach, saif Israel a'r Eglwys ochr yn ochr, ac y mae ganddynt berthynas â'i gilydd mewn amryw o ffyrdd er eu bod, ar yr un pryd, ar wahân mewn hanfodion.[25]

Y mae'r ail yn ymddangos mewn araith gan y pab presennol i gynrychiolwyr Iddewon yr Almaen ym Mainz ym 1980. Wrth drafod yr angen am ddeialog rhwng Iddew a Christion cyfeiriodd at y Llythyr at y Rhufeiniaid 11:29, 'Nid oes tynnu'n ôl ar roddion graslon Duw a'i alwad ef', a disgrifio'r genedl Iddewig fel 'pobl Dduw yn ôl yr hen gyfamod nas diddymwyd erioed gan Dduw'.[26] Ni all datganiad o'r fath ond golygu fod Ioan Paul II yn credu fod cyfamod Sinai mewn grym o hyd, a bod Duw'n bresennol ym mywyd ac addoliad y Synagog. Y mae'n wir nad datganiad swyddogol yr Eglwys mo hwn, ond go brin y buasai pab mor geidwadol yn mynegi barn a fyddai'n groes i feddwl yr Eglwys, fel y mynegwyd hwnnw yn Ail Gyngor y Fatican.

Yn olaf, trown at Eglwysi Protestannaidd yr Iseldiroedd. Ym 1981 mynegasant hwythau'r gred na ddiddymodd Duw yr addewidion a roddodd i'w bobl trwy'r patriarchiaid, na'r cyfamod a wnaeth â hwy trwy Foses. Meddant, 'Yr ydym ni Gristnogion yn galw'r cyfamod hwn yn "hen gyfamod" — ymadrodd sydd wedi peri llawer o gamddealltwriaeth. Ni ddiddymwyd y cyfamod hwn, ac ni chymerwyd ei le gan "gyfamod newydd" yn nyfodiad Iesu Grist'.[27]

Duwladdiad

Ym 1942 apeliodd rabbi yn Iwgoslafia ar yr archesgob Pabyddol lleol i rwystro'r Natsïaid rhag anfon Iddewon i'r gwersylloedd cadw. Ni wyddai'r rabbi ddim am y lladd â nwy gwenwynig

[25] Gw. H. Croner, *More Stepping Stones to Jewish-Christian Relations* (New York 1985), tt. 199 ym.
[26] Gw. E. J. Fisher, *Seminary Education and Christian-Jewish Relations* (Washington 1983), t. 88. Am oblygiadau y datganiad hwn gan y pab gw. N. Lohfink, *The Covenant Never Revoked: Biblical Reflections on Christian-Jewish Dialogue* (New York 1991).
[27] Gw. H. Croner, *More Stepping Stones . . .*, t. 211.

a'r amlosgi diarbed; pwysleisiodd enbydrwydd y daith a'r perygl i weiniaid a babanod oddi wrth newyn a haint. Atebodd yr archesgob, 'Nid mater o alltudio'n unig yw hwn. Ni fyddwch farw yno o newyn a salwch. Lleddir pob un ohonoch ar unwaith, yn hen ac ifanc, yn ferched a phlant. Dyma'r gosb a haeddwch am roi ein Harglwydd a'n Gwaredwr i farwolaeth'.[28] Ym marn yr archesgob, mae'n amlwg mai hilladdiad oedd yr unig gosb addas am dduwladdiad. Cyfrifid Iddewon yr ugeinfed ganrif yn genedl a felltithiwyd gan Dduw a'u dyfarnu i farwolaeth am i rai o'u cyndadau gymryd rhan yn y croeshoeliad, am iddynt, un ai'n fwriadus neu mewn anwybodaeth, ladd Duw.

Y mae adwaith yr archesgob yn dangos pa mor fyw, hyd yn oed ynghanol y ganrif hon, oedd y syniad fod plant yn talu am bechodau'r tadau. A'r Ail Ryfel Byd yn ei anterth, a'r Natsïaid eisoes wedi deddfu beth fyddai natur 'yr ateb terfynol', yr oedd a lliaf un diwunydd eglwysig yn ystyried amlosgi'n gosb haeddiannol ar ddisgynyddion y rhai a groeshoeliodd Grist. Hyd yn oed yng nghysgod y gyflafan, pan oedd drygioni'r Natsïaid yn wybyddus i bawb, mynegodd Eglwys Efengylaidd yr Almaen y farn mai 'dial Duw ar yr Iddewon oedd yr Holocost am iddynt wrthod Crist a'i groeshoelio; ni allant feio neb ond hwy eu hunain'.[29] Ond mewn un ystyr ni ellir beio'r archesgob na'r Efengyleiddwyr, oherwydd nid oeddent yn gwneud dim amgen na glynu wrth ddysgeidiaeth yr Eglwys. Onid rhagdybiaeth y Cristion, o Melito ymlaen, oedd fod yr Iddew yn haeddu cosb dragwyddol am ei anfadwaith ar Golgotha? Ymddangosodd y syniad yn yr ail ganrif, ac erbyn y bedwaredd, canrif dyngedfennol yn hanes yr Eglwys a'r Synagog, yr oedd wedi gwreiddio'n ddwfn yn y meddwl Cristnogol. Meddai Edward Flannery, 'The most ominous development in this crucial century was without question the definitive elaboration of the theme of a divine curse and punishment upon Jews for their role in the crucifixion of Christ

---

[28] Fe'i dyfynnir gan I. Greenberg, 'Judaism and Christianity after the Holocaust', *JES* 12 (1975), t. 525.

[29] Fe'i dyfynnir gan R. Rubenstein a J. Roth (gol.), *Approaches to Auschwitz* (London 1987), t. 309.

— the deicide accusation'.[30] Y cyhuddiad o ladd Duw oedd wrth wraidd bygythion Chrysostom, a'i anogaeth i'w braidd ddial ar y Synagog bob cyfle a gaent. Dyma'r trosedd anfaddeuol a arweiniodd Awstin i sôn am 'nod Cain' ac am yr 'Iddew crwydrol'. Duwladdiad oedd y sbardun i erledigaeth yn yr Oesoedd Canol. Yr Wythnos Fawr, sef y chwe diwrnod rhwng Sul y Blodau a Sul y Pasg, oedd y cyfnod pwysicaf yn y flwyddyn eglwysig, a hyd heddiw, mewn gwledydd lle y mae dylanwad yr Eglwys Babyddol yn gryf, y mae i Ddydd Gwener y Groglith fwy o arwyddocâd diwinyddol nag sydd i'r Pasg.

Yn sicr, nid oes cyhuddiad yn erbyn unrhyw genedl wedi bod yn fwy parhaol, yn fwy brawychus nac yn fwy niweidiol na'r cyhuddiad fod yr Iddewon yn dduwleiddiaid. Ond erbyn heddiw, y farn gyffredin ymysg ysgolheigion yw nad oes iddo sail foesol, hanesyddol na diwinyddol. Yn foesol, ni ellir cyfiawnhau beio plant am gamweddau eu tadau. Er mor ffiaidd oedd polisi'r Natsïaid, nid bai'r genhedlaeth bresennol o Almaenwyr yw'r hyn a ddigwyddodd yn eu gwlad hwy rhwng 1939 a 1945. Y mae'r un peth yn wir am Iddewon. O safbwynt hanes, y mae'r ymchwil ddiweddaraf ar brawf Iesu yn pwysleisio tuedd yr efengylwyr i wyngalchu Peilat a rhoi'r bai am y croeshoeliad yn gyfan gwbl ar yr awdurdodau Iddewig. Erbyn ail hanner y ganrif gyntaf yr oedd Cristnogion yn awyddus i ennill ffafr Rhufain er mwyn sicrhau ffyniant yr Eglwys, ac o'r herwydd yr oedd yn fanteisiol beio'r Iddewon yn hytrach na Pheilat. Y mae'n sicr fod rhai Iddewon, megis yr offeiriadaeth a ofnai dramgwyddo Rhufain am resymau personol, yn erbyn Iesu. Ond nid oes sôn am wrthwynebiad o gyfeiriad y Phariseaid yn ystod y prawf, ac y mae lle i gredu fod gan Iesu gefnogaeth sylweddol ymhlith y dyrfa. Awgrymir mai er mwyn osgoi cynddaredd y dorf y trefnodd ei elynion i'w arestio yn ystod y nos.[31]

Nid yw diwinyddiaeth chwaith yn cynnal y cyhuddiad damniol hwn. Fel y dengys y toreth dogfennau, y mae'r

[30] *The Anguish of the Jews* (New York 1985), t. 63.
[31] Ymysg y toreth o lyfrau perthnasol gw. P. Winter, *On the Trial of Jesus* (Berlin 1961); G. Sloyan, *Jesus on Trial: The Development of the Passion Narratives and their Historical and Ecumenical Implications* (Philadelphia 1973).

Eglwysi'n unfryd bellach na ddylid beio'r Iddewon fel cenedl am ladd Duw. Y mae *Nostra aetate* yn cydnabod fod yr awdurdodau Iddewig wedi pwyso am farwolaeth Iesu, ond serch hynny ni ellir beio pob Iddew yn y cyfnod hwnnw, ac yn sicr ni ellir beio pob Iddew sy'n fyw heddiw. Mewn dogfen a luniwyd ym 1975 i hybu syniadau Ail Gyngor y Fatican yn esgobaeth Babyddol Houston, yn yr Unol Daleithiau, ceir adran arbennig ar y cyfrifoldeb am farwolaeth Crist. Cynnwys y geiriau canlynol: 'Catholics should avoid all language or impressions which would imply that we hold all the Jewish people collectively, whether past or present, responsible for the death of Jesus. . . . We ask forgiveness of our Jewish brothers and sisters if in the past or present we have consciously or unconsciously contributed to anti-Semitism in the world by attributing to them the guilt for the crucifixion of Jesus'.[32]

Yn y cyswllt hwn, y mae'r geiriau canlynol o Hollwyddowig a luniwyd gan Gyngor Trent yn yr unfed ganrif ar bymtheg o ddiddordeb arbennig. Meddai, wrth gyfeirio at y Croeshoeliad:

Y mae pawb sy'n mynych ymollwng i bechod yn gyfrannog o'r euogrwydd hwn; oherwydd fel y bu i'n pechodau draddodi Crist yr Arglwydd i ddioddef angau'r groes, yn bendifaddau y mae'r rhai sy'n ymdrybaeddu mewn pechod ac anwiredd yn croeshoelio Mab Duw eto fyth, hyd eithaf eu gallu, iddynt hwy eu hunain, ac yn ei wneud yn destun gwawd. Ymddengys yr euogrwydd hwn yn anferthach ynom ni nag yn yr Iddewon, oblegid yn ôl tystiolaeth yr un apostol : Pe buasent wedi gwybod, ni fuasent hwy erioed wedi croeshoelio Arglwydd y gogoniant; ond nyni, i'r gwrthwyneb, a ninnau'n proffesu'n bod yn ei nabod ac eto'n ei wadu drwy'n gweithredoedd, sydd rywfodd megis yn ei dreisio.[33]

Hyd yn oed mewn canrif anoddefgar, ac Eglwys Rhufain yn ymateb yn chwym i'r heresi Brotestannaidd ac i'r perygl o Iddeweiddio, mynegodd Tadau Cyngor Trent yr athrawiaeth mai'r ddynolryw sy'n euog o groeshoelio Crist.

[32] Gw. H. Croner, *More Stepping Stones* . . ., t. 70.
[33] Fe'i dyfynnir gan E. J. Fisher, *Faith without Prejudice* (New York 1977), t. 76.

163

Cenhadaeth

Y mae cenhadu ymhlith Iddewon cyn hyned â'r grefydd Gristnogol. Cyfeiriodd Paul at ei alwad i bregethu'r Efengyl i'r 'Iddew yn gyntaf' (Rhuf. 1:16), ac ar gorn esboniad y Tadau ar adnodau allweddol yn yr Efengylau, gallai'r Eglwys gyfreithloni ei hymdrechion i droi'r Iddew at Grist. Trwy bwysleisio agwedd negyddol yr awduron beiblaidd at yr Iddewon, ar draul yr agwedd gadarnhaol, lluniodd yr Eglwys ddiwinyddiaeth a ddibrisiai Iddewiaeth a gwadu ei dilysrwydd. Dros y canrifoedd, aeth diwinyddiaeth ddisodli o nerth i nerth nes datblygu'n ddiwinyddiaeth lywodraethol yr Eglwys yn ei pherthynas â'r Iddew. Gan mai Cristnogaeth oedd y wir grefydd, a'r Eglwys y wir Israel, nid oedd lle mwyach i Iddewiaeth. Polisi swyddogol yr Eglwys felly, am ymron ugain canrif, oedd y dylid gwneud pob ymdrech, boed gyfiawn neu beidio, i gymell yr Iddew i dderbyn bedydd. Er fod y safbwynt hwn yn adlewyrchu cred miliynau o Gristnogion cyfoes, y mae ail hanner y ganrif hon wedi esgor ar agwedd dra gwahanol at genhadu ymhlith Iddewon. Heddiw, y mae mwy o bwyslais nag a fu erioed ar yr angen am gydystyriaeth rhwng y ddwy grefydd.

Am weddill y bennod trafodwn y ddwy agwedd yma gan sylwi'n gyntaf ar y ddadl o blaid troi'r Iddew at Grist, ac yna ar y ddadl yn erbyn hynny.

Tröedigaeth

Y mae'r Cristnogion hynny sydd am genhadu ymhlith Iddewon yn cyfiawnhau eu safbwynt mewn dwy ffordd. Yn gyntaf, trwy ddatgan fod neges Crist yn berthnasol i bawb yn ddieithriad. Dyletswydd yr Eglwys yw ufuddhau i orchymyn ei Harglwydd. 'Ewch i'r holl fyd a phregethwch yr Efengyl i'r greadigaeth i gyd' (Mc. 16:15). Ei gorchwyl gyntaf yw 'gwneud disgyblion o'r holl genhedloedd' (Mt. 28:19), gan gynnwys Iddewon. Nid oes unrhyw awgrym yma fod Iddewiaeth yn grefydd israddol ac anghyflawn a ddisodlwyd gan Gristnogaeth. Yr hyn sy'n symbylu cenhadaeth yr Eglwys at yr Iddew, fel at bawb arall, yw angen pob un am ras a maddeuant Duw ac am yr iachawdwriaeth a geir yng Nghrist. Y mae 'newyddion da' y deyrnas o bwys i'r ddynoliaeth gyfan, ac o'r herwydd ni ellir cyfyngu ar y cenhadon. Ar yr un pryd, nid oes galw am genhadaeth arbennig at Iddewon. Os ydynt o fewn cylch cenhadol eglwys neu gynulleidfa, dylid ymdrechu i ledaenu'r Efengyl yn eu plith. Ond nid oes lle i broselyteiddio, hynny yw, i geisio hyrwyddo Cristnogaeth trwy ddefnyddio dulliau anghymeradwy. Yr oedd Cyngor Eglwysi'r Byd yn fyw i hyn, wrth drafod agwedd y Cristion at yr Iddew, yn ei gynhadledd gyntaf ym 1948. Y mae dau o argymhellion y gynhadledd honno yn berthnasol yma :

> To the member churches of the World Council we recommend : that they seek to recover the universality of our Lord's commission by including the Jewish people in their evangelistic work; . . . that in mission work among the Jews they scrupulously avoid all unworthy pressure and inducement.[34]

Er fod yr Iddew yn wrthrych teilwng cenhadaeth fyd-eang yr Eglwys, nid oes angen rhoi sylw arbennig iddo. Ac yn sicr, nid oes unrhyw gyfiawnhad dros wthio'r Efengyl arno trwy broselyteiddio yn enw Crist. Hyd yn ddiweddar iawn, dyma bolisi cydnabyddedig y mwyafrif o Eglwysi Cristnogol.

Ond cyfiawnheir cenhadu ymhlith Iddewon mewn ffordd arall. Y mae'n wir mai cenhadaeth gyffredinol yw cenhadaeth yr Eglwys; fe'i galwyd i efengyleiddio'r holl genhedloedd. Ar yr un pryd, y mae ganddi ddyletswydd arbennig tuag at Iddewon, a hynny am nifer o resymau. Y cyntaf yw fod Iddewiaeth yn grefydd farw a gollodd ei dilysrwydd ar ddyfodiad Crist. Y mae'r gwir ddatguddiad o Dduw Abraham a Moses yn awr ym meddiant y Cristion. Lle yr Eglwys, sef yr 'Israel Newydd' a ddisodlodd yr hen, yw dileu unrhyw gystadleuaeth rhyngddi a'r Synagog trwy ddarbwyllo'r Iddew fod y Meseia wedi dod yn Iesu o Nasareth. Yr ail yw'r cysylltiad agos, ym meddwl nifer fawr o Gristnogion, rhwng tröedigaeth yr Iddew ac ail ddyfodiad y Meseia. Yn ôl traddodiad sy'n tarddu o'r ganrif gyntaf, bydd parodrwydd

---

[34] Gw. A. Brockway *et al.* (gol.), *op.cit.*, t. 8.

yr Iddewon i dderbyn bedydd yn arwydd sicr fod Crist ar fin dychwelyd i'r ddaear. Onid dyletswydd yr Eglwys yw hybu'r ail ddyfodiad trwy bregethu'r Efengyl i'r Iddew a'i annog i dderbyn Cristnogaeth? Ac y mae rheswm pellach : credu yng Nghrist yw'r unig ffordd i'r Iddew osgoi'r dioddefaint a haedda am y croeshoeliad. Y gosb am dduwladdiad yw erledigaeth, a dim ond trwy dderbyn y maddeuant a gaed ar Galfaria y daw'r erlid i ben. Cymwynas fwyaf yr Eglwys i'r Iddew yw rhannu ag ef y newydd da i Grist farw dros ei bechodau. Ac yn olaf dyna'r berthynas unigryw sy rhwng Iddewiaeth a Christnogaeth. Y mae llawer o Gristnogion am ddangos i'r Iddew eu gwerthfawrogiad o'r etifeddiaeth amhrisiadwy a ddaeth yn eiddo iddynt trwy'r grefydd Iddewig, megis y datguddiad o Dduw yn y Gyfraith a'r Proffwydi. Eu dyhead hwy yw gweld Israel yn adennill ei lle yng ngolwg Duw ac yn cael ei chyfrif unwaith eto 'yn oleuni i'r cenhedloedd'. Ond i wneud hyn rhaid iddi dderbyn Iesu fel y Meseia.

Y mae'r awydd hwn i neilltuo'r Iddewon ar gyfer ymgyrch genhadol arbennig i'w ganfod yn y rhan fwyaf o'r prif enwadau. Gwelsom eisoes fod presenoldeb y Synagog o fewn y gymdeithas Gristnogol wedi achosi penbleth ddiwinyddol i'r Eglwys am ganrifoedd. Methu amgyffred cynnydd Iddewiaeth, a hyd yn oed bodolaeth yr Iddewon, ar ôl cwymp y deml, sy'n cyfrif am ymdrech ddyfal yr awdurdodau eglwysig i ddenu pob Iddew at y fedyddfan. Serch hynny, dim ond yn ystod y bedwaredd ganrif ar bymtheg y brigodd y syniad o genhadaeth arbennig ar ei gyfer. Mewn llai na chanrif, ffurfiwyd nifer o gymdeithasau cenhadu y tu fewn i'r Eglwysi sefydledig gyda'r diben penodol o ledaenu'r Efengyl ymysg Iddewon. Nodwn ddwy ohonynt.

Ym 1809 sefydlwyd *The Church's Mission to the Jews (CMJ)* o fewn Eglwys Loegr. Er i'r gymdeithas hon newid ei henw'n ddiweddar i *The Church's Ministry among the Jews,* am fod yr Iddewon ar ôl yr Holocost mor sensitif i'r syniad o genhadu, yr un yw'r sail ddiwinyddol, sef fod y grefydd Iddewig yn farw. Meddai un o'i chyhoeddiadau diweddar, 'Not to share the good news of Jesus with Jewish people today would compound our disobedience to God, for it is only through

166

Jesus that true reconciliation with God and one another is possible'.[35] Rhai blynyddoedd ar ôl cychwyn cenhadaeth yr Anglicaniaid, sefydlwyd cymdeithas o leianod yn Eglwys Rhufain i'r un diben yn union. Tua 1850 cafodd Theodore ac Alphonse Ratisbonne, cyn-Iddewon o Strasbourg a ordeiniwyd yn offeiriaid, ganiatâd y Fatican i sefydlu Urdd Chwiorydd Seion. Gwnaed natur arbennig gwaith yr urdd yn glir o'r dechrau. Meddai un o'r aelodau, Charlotte Klein, wrth ddisgrifio'r blynyddoedd cynnar, 'On receiving the cross, the ladies working in the catechumenate pronounced this solemn promise: "I undertake to employ all my zeal for the conversion of the Jewish people, to devote my time, my efforts, my sufferings, my prayers, my whole life to obtain their Salvation through the knowledge of the Gospel" '.[36]

Y mae'r ddwy gymdeithas yma yn nodweddiadol o nifer o gymdeithasau tebyg a sefydlwyd yn Ewrop a'r Unol Daleithiau. Y mae'n amlwg y tybiai'r arloeswyr y dylai iachawdwriaeth yr Iddew fod o ddiddordeb neilltuol i'r Cristion.

Trafodaeth

Er mor gadarn y gred ymysg Cristnogion o bob enwad fod i'r Iddew le arbennig yng nghenhadaeth yr Eglwys, yn ystod chwedegau'r ganrif hon fe ddatblygodd diwinyddiaeth sy'n gwadu hyn yn llwyr. Y mae cynrychiolwyr y safbwynt newydd hwn yn gwbl groes i fynnu tröedigaeth gan yr Iddewon. Yn eu barn hwy, y mae gan yr Eglwys genhadaeth i bawb *ond* yr Iddew. Yn lle sôn am Gristnogaeth yn disodli Iddewiaeth, pwysleisiant hwy ddyletswydd y ddwy grefydd i gydnabod ei gilydd ac i drafod eu gwahaniaethau. Yng ngeiriau H. H. Ditmanson, diwinydd Lutheraidd a fu'n amlwg iawn yn y drafodaeth rhwng Cristnogion ac Iddewon yn yr Unol Daleithiau, 'In contrast to the theology of rejection and substitution, this approach might be called a theology of mutual recognition and co-existence'.[37] Mynegir yr un farn gan

[35] *Is the Gospel for the Jewish People?* (CMJ: London 1980), t. 9.
[36] 'From Conversion to Dialogue — the Sisters of Zion and the Jews: A Paradigm of Catholic-Jewish Relations? *JES* 18 (1981), t. 389.
[37] 'Some Theological Perspectives on the Nature of Christian Mission', *Face to Face* 3-4 (1977), t. 8.

167

ysgolheigion eraill o bob enwad. Cyfeiria'r Anglicanwr Paul van Buren at 'the strange modern idea of "mission to the Jews" '. Y mae ef yn llawenhau yn aflwyddiant yr Eglwys i droi Iddewon at Grist :

> It has been even more of a blessing for the church than it has for Israel that its various attempts at converting Jews have been so singularly unsuccessful. Every such effort is in effect an attempt to rid the world of Jews, and where would the church be if it were to succeed in such an undertaking? Of course, the church is mission, nothing but mission, but it is the mission of the God of Israel. A God of Israel who had lost his Israel, the God of the covenant who had lost the covenant partner, could hardly be the God who had called together a Gentile church in fullfilment of part of his promise to Abraham and in confirmation of all his promises to his people Israel. A church without an Israel could hardly confirm Israel and God's promises to it. It could only be a sign of the failure of the covenant and so of the failure of God. It would be living a stark contradiction.[38]

Cynrychiola Gregory Baum garfan o ysgolheigion Pabyddol sy'n cynnwys Rosemary Ruether a John Pawlikowski; y mae yntau'n gwbl wrthwynebus i genhadu, ac ymfalchïa yn y ffaith fod y prif enwadau wedi gweld y goleuni. Meddai, 'The major Christian churches have altogether abandoned any intention to convert Jews to Christianity'.[39] Seilia Baum ei ddatganiad ar agwedd chwyldroadol Ail Gyngor y Fatican at yr Iddewon, ond y mae'r un casgliad yn bosibl ar gorn dealltwriaeth Cyngor Eglwysi'r Byd yntau o natur yr Eglwys Gristnogol. Mynegodd Comisiwn y Cyngor ar Ffydd a Threfn (Bristol 1967) safbwynt yr eglwysi fel hyn :

> If the main emphasis is put on the concept of the Church as the body of Christ, the Jewish people are seen as being outside. The Christian attitude to them is considered to be in principle the same as to men of other faiths and the mission of the Church is to bring them . . . to the acceptance of Christ, so that they become members of his body. . . . If, on the other hand, the Church is primarily seen as the

[38] *A theology of the Jewish-Christian Reality: Part 2* (New York 1983), tt. 324, 327.
[39] 'Chosenness in Christian Tradition', *The Ecumenist* 16:1 (1978), t. 8.

people of God, it is possible to regard the Church and the
Jewish people together as forming the one people of God,
separated from one another for the time being, yet with the
promise that they will ultimately become one. Those who
follow this line of thinking would say that the Church should
consider her attitude towards the Jews theologically and in
principle as being different from the attitude she has to all
other men who do not believe in Christ. It should be thought
of more in terms of ecumenical engagement in order to heal
the breach than of missionary witness in which she hopes for
conversion.[40]

Fel yr awgryma'r ddogfen, nid yw'r Eglwysi Protestannaidd yn
unfryd ar y pwynt. Ond y mae'n amlwg nad yw rhai yn eu
mysg yn cael anhawster i dderbyn bodolaeth dwy 'Bobl Dduw'
a ddaw rhyw ddiwrnod yn un, ac sydd, o'r herwydd, yn credu
na ddylid cenhadu ymhlith Iddewon.

Y mae amryw o ffactorau yn cyfrif am y datblygiad
diweddar hwn yn agwedd y Cristion at yr Iddew. Un yw'r
berthynas unigryw sy rhwng y ddwy grefydd, perthynas sy'n
rhwymo Cristnogaeth ac Iddewiaeth â'i gilydd ac yn
gwahaniaethu rhyngddynt hwy a phob crefydd arall. Heb
Iddewiaeth ni fyddai Cristnogaeth yn bod. Y mae Efengyl Crist
yn rhagdybio neges y Gyfraith a'r Proffwydi, a'r Ysgrythur
Iddewig oedd Beibl y Cristnogion cyntaf. Yn yr Hen Destament
a'r Testament Newydd yr un Duw sy'n llefaru; Duw Abraham,
Isaac a Jacob yw Duw y Cristion hefyd. Dim ond gydag
Iddewiaeth, nid gydag Islam, Bwdaeth na Hindwaeth, y mae
gan y Cristion y cysylltiad arbennig hwn. Oni ddylai hyn ei
annog i betruso cyn mynnu fod pob Iddew yn troi at Grist?
Ac y mae rheswm arall dros beidio â chenhadu ymhlith
Iddewon, sef euogrwydd y Cristion am drychinebau'r
gorffennol, yn enwedig yr Holocost. Erbyn hyn, y mae'r Eglwys
yn fyw i'r posibilrwydd fod llwyddiant y Tadau cynnar i
ddysgu sarhad, chwedlau di-sail yr Oesoedd Canol am
ddrygioni'r Iddew, ac agwedd fileinig Luther wedi cyfrannu'n
sylweddol tuag at lwyddiant y Natsïaid i droi cenhedlaeth o
Almaenwyr yn erbyn yr Iddewon. Cred llawer o Gristnogion

[40] Gw. A. Brockway *et al.* (gol.), *op.cit.*, tt. 23 ym.

mai gwrth-Iddewiaeth ddiwinyddol yr Eglwys oedd sylfaen gwrthsemitiaeth hiliol Hitler. Os felly, gofynnant: Sut y gall yr Eglwys gyfiawnhau unrhyw ymdrech i ennill yr Iddewon i Grist? Onid ar y Cristion y mae angen ei achub?

Dylanwad pellach ar yr agwedd hon at genhadaeth yw'r sylw cynyddol a roddir i Rufeiniaid 9-11. Yng nghysgod Auschwitz, y mae diwinyddion wedi ailddarganfod y penodau allweddol hyn, ac wedi gwneud astudiaeth fanwl ohonynt. Yr ydym eisoes wedi nodi'r agwedd gadarnhaol a geir ynddynt tuag at Iddewiaeth wrth drafod diwinyddiaeth ddisodli. Yr hyn sydd o ddiddordeb yma yw lle'r dair pennod hyn yng nghorff y llythyr. Yn ôl Krister Stendahl, nid cyfiawnhad drwy ffydd yw craidd yr Epistol at y Rhufeiniaid, ond dealltwriaeth Paul o'r berthynas rhwng yr Eglwys a'r Synagog. Felly, yn ei farn ef, nid pennod 8, ond penodau 9-11 yw uchafbwynt yr epistol. Nid ar y gwrthgyferbyniad rhwng Efengyl a Chyfraith, rhwng Cristnogaeth ac Iddewiaeth, y mae'r pwyslais, ond ar y berthynas rhwng dwy gymuned — Cristnogion ac Iddewon. Y genedl Iddewig, nid Iddewiaeth fel crefydd, sy'n cael y sylw pennaf. Y mae'n amlwg fod yr Apostol yn poeni am dynged ei bobl 'o ran cenedl', ond nid yw'n awgrymu am funud y bydd Israel yn derbyn Iesu fel Meseia pan wawria teyrnas Dduw. (Sylwer nad yw enw Iesu Grist yn ymddangos unwaith rhwng 10:17 ac 11:36). Yr unig beth a ddywed yw y daw'r amser pan 'gaiff Israel i gyd ei hachub' (11:26). Cyfeiriad yw hwn at ail ddyfodiad Crist ac at ddiwedd y byd, oherwydd credai Paul (fel pawb o'i gyfoedion Cristnogol) y byddai Crist yn dychwelyd i'r ddaear yn y dyfodol agos. Diau fod dallineb ysbrydol ei gyd-Iddewon yn peri gofid iddo, ond sonia am eu hystyfnigrwydd fel 'dirgelwch', rhag i Gristnogion Rhufain fynd yn ddoeth yn eu tyb eu hunain (11:25). Cedwir yn ddirgel gynllun arbennig Duw ar gyfer bodolaeth barhaol Israel, er mwyn ffrwyno balchder yn Cenhedloedd. Wrth fyfyrio ar ddysgeidiaeth Paul, dewisodd yr Eglwys bwysleisio ochr negyddol y dirgelwch, sef dallineb Israel, gan anghofio'r anogaeth i Gristnogion beidio ag ymfalchïo. Ond gwêl Stendahl y dirgelwch mewn goleuni gwahanol. Meddai, 'Paul's reference to God's mysterious plan is an affirmation of a Godwilled coexistence between Judaism and Christianity in which the missionary urge to convert Israel is held in check'.[41]

Y mae'r agwedd eangfrydig hon tuag at Iddewiaeth, yr agwedd sy'n cadarnhau dilysrwydd y grefydd ac yn pwysleisio dyletswydd Iddew a Christion i gydnabod ei gilydd ac i gydfyw (*mutual recognition and coexistence*), yn arwain maes o law i drafodaeth. Y mae cydnabod fod i'r ddwy grefydd le yn arfaeth Duw yn golygu mai deialog nid cenhadaeth yw cyweirnod y berthynas rhyngddynt. Ond rhaid cofio nad oes gwir ddeialog heb i'r sawl sy'n trafod dderbyn y posibilrwydd y caiff ei niweidio. Os yw'r Cristion am drafod y Meseia gyda'r Iddew, rhaid iddo gymryd o ddifrif y dadleuon yn erbyn y gred fod y Meseia wedi dod yn Iesu o Nasareth. Os yw'r Iddew am drafod y Gyfraith gyda'r Cristion, rhaid iddo yntau fodloni gwrando ar farn un sy'n methu cyfiawnhau cadw llu o fân ddeddfau seremonïol. Y mae'r sawl sy'n ymuno mewn gwir ddeialog yn cynfod cydnabod y gall y grefydd arall, a'i grefydd ei hun, ymddangos mewn goleuni newydd iddo o ganlyniad i'r trafod. Y mae i drafodaeth ei phris.

Casgliadau

Un o'r cwestiynau sylfaenol i Gristnogion wedi Auschwitz yw hwn: a ddylid diwygio dysgeidiaeth yr Eglwys yng ngoleuni'r Holocost? Yn ystod y chwarter canrif diwethaf, ateb cadarnhaol a gafwyd gan nifer cynyddol o ddiwinyddion blaenllaw. Fel y buasem yn disgwyl, y mae'r rhestr yn cynnwys ysgolheigion sydd â diddordeb arbennig yn y berthynas rhwng yr Eglwys a'r Synagog, megis James Parkes, Roy Eckardt a Franklin Littell. Anogant hwy eu cyd-gredinwyr i gymryd yr Holocost o ddifrif o safbwynt cred a diwinyddiaeth trwy ailystyried yr athrawiaethau hynny sydd, yn eu barn hwy, wedi meithrin gwrth-Iddewiaeth ymysg Cristnogion ac wedi gosod y sylfaen i bolisi gwrthsemitaidd y Natsïaid. Ond nid arbenigwyr yn hanes yr Holocost yn unig sydd wedi rhoi ateb cadarnhaol i'r fath gwestiwn. Y mae ysgolheigion adnabyddus a gysylltir ag agweddau eraill ar ddiwinyddiaeth hefyd yn

[41] *Paul among Jews and Gentiles* (Philadelphia 1976), t. 5.

171

credu fod i'r Holocost oblygiadau hollbwysig i'r traddodiad Cristnogol. Yn eu mysg y mae Hans Küng, Paul van Buren, J-B. Metz, Jurgen Moltmann a Rosemary Ruether, enwau cyfarwydd i'r sawl sy'n astudio diwinyddiaeth gyfoes.

Ond nid ar chwarae bach y newidir dysgeidiaeth draddodiadol a ddatblygodd dros y canrifoedd ac sydd wedi gwreiddio'n ddwfn yn ymwybyddiaeth y Cristion. Serch hynny, yn y chwedegau aeth y Catholigion Rhufeinig a'r prif enwadau Protestannaidd ati'n ddyfal i ailystyried rhai o'r athrawiaethau Cristnogol. Trwy gyfrwng Ail Gyngor y Fatican a Chyngor Eglwysi'r Byd, rhoddwyd llais i syniadau mwy rhyddfrydol ynglŷn â'r berthynas rhwng Iddewiaeth a Christnogaeth. Awgrymir bellach mai darlun unochrog o ddysgeidiaeth y Testament Newydd am Iddewiaeth a geir yn y ddiwinyddiaeth ddisodli a fu'n sylfaen i gredo'r Eglwys, ac mor andwyol i'r Iddew, o'r cyfnod cynnar ymlaen. Yng nghysgod Auschwitz, rhoddir y sylw dyladwy i syniadau cadarnhaol Paul am yr Iddewon yn Rhufeiniaid 9-11. Y mae'r un peth yn wir am ddiwinyddiaeth y cyfamod. Gan ddilyn Paul, cred llawer o Gristnogion, y pab presennol yn eu mysg, fod cyfamod Sinai'n parhau mewn grym; ni diddymwyd mohono gan Dduw. Golyga hyn fod yr Iddewon yn parhau i fod yn genedl etholedig yr Arglwydd. Cyfrifir y cyhuddiad yn erbyn yr Iddew o ladd Duw hefyd yn ddi-sail. Cofiwn mai hwn, yn ôl rhai, oedd y cyhuddiad mwyaf damniol a wnaed gan yr Eglwys yn erbyn y genedl Iddewig. Meddai Edward Flannery, 'The deicide accusation. It was this theological construct that provided the cornerstone of Christian antisemitism and laid the foundation upon which all subsequent antisemitism would in one way or another build'.[42] Erbyn heddiw y mae pob enwad o bwys wedi datgan yn swyddogol mai camgymeriad dybryd oedd i'r Eglwys dros y canrifoedd bregethu fod yr Iddewon yn dduwleiddiaid.

Beth yw goblygiadau 'diwinyddiaeth wedi Auschwitz' i agwedd y Cristion tuag at yr Iddew? Os nad yw Iddewiaeth wedi ei disodli, os yw cyfamod Sinai'n parhau mewn grym, os na ellir cyhuddo Iddewon o dduwladdiad, yna y mae'n rhaid

---

[42] *Op.cit.,* t. 288.

derbyn nad yw Duw wedi gwadu ei bobl. Ac y mae parhad y genedl, er gwaethaf yr holl erlid, yn arwydd fod gan Dduw orchwyl arbennig iddi i'w chyflawni. Os yw Iddewiaeth yn grefydd ddilys, onid yw'n fwy addas i'r Cristion yn ei berthynas â'r Iddew feddwl yn nhermau trafodaeth yn hytrach na thröedigaeth? Oni ddylai'r pwyslais fod ar gyd-fyw yn hytrach na chenhadu?[43]

Rhown y gair olaf i Almaenwr. Ar ôl astudiaeth fanwl o ystyr yr Holocost i'r Cristion ac o oblygiadau'r gyflafan i genhadaeth yr Eglwys, daw Rolf Rendtorff, Athro Ysgrythur ym Mhrifysgol Heidelberg, i'r casgliad yma: 'It is quite clear that under such altered conditions any Christian mission to Jews becomes anachronistic. I hope that Christians will be able to go step by step in this direction. It will take a lot of time, but the first steps have been taken'.[44]

---

[43] Gw. ymhellach H. H. Ditmanson, 'Judaism and Christianity: A theology of Co-Existence', yn R. W. Rousseau (gol.), Christianity and Judaism: The Deepening Dialogue (Scranton: Pen. 1983), tt. 183 ym.
[44] 'The Effect of the Holocaust on Christian Mission to Jews', SIDIC 14:1 (1981), t. 25.

Chwilio'r Ysgrythurau: Y Testament Newydd

Er pan gwblhaodd James Parkes ei astudiaeth arloesol o agwedd yr Eglwys at yr Iddew, *The Conflict of the Church and the Synagogue,* ym 1934, cafwyd sawl arolwg trylwyr o wrth-Iddewiaeth Gristnogol. Y mae'r mwyafrif ohonynt yn dechrau trwy ystyried syniadau diwinyddion yr ail ganrif. Bron yn ddieithriad, fe fydd y bennod gyntaf yn cynnwys dadansoddiad manwl o weithiau gwrth-Iddewig rhai o'r Tadau blaenllaw megis Iestyn Ferthyr, Melito o Sardis, Origen a Tertulian. Am eu bod yn credu fod cysylltiad rhwng y gyflafan o dan y Natsïaid a gwrth-Iddewiaeth Gristnogol, y mae ysgolheigion wedi gwyntyllu'r gweithiau hyn ac, yn eu barn hwy, wedi darganfod ynddynt hadau gwrthsemitiaeth yr ugeinfed ganrif. Dengys eu hymchwil fod casineb at yr Iddew yn agos iawn i'r wyneb yn nysgeidiaeth yr Eglwys o'r ail ganrif ymlaen. Ond er fod llawer o Gristnogion yn barod i fynd trwy lên yr Eglwys Fore â chrib mân am enghreifftiau o 'ddysgu sarhad', y maent yn anfodlon archwilio dogfennau sylfaenol eu Ffydd yn yr un modd. Tra gellir beio'r Tadau am osod sail yr erlid a ddioddefodd yr Iddew dros y canrifoedd, ni ellir cyhuddo awduron y Testament Newydd o'r un trosedd.

Amcan y bennod hon yw ystyried y drafodaeth gyfoes ynglŷn â seiliau beiblaidd gwrth-Iddewiaeth trwy nodi dwy agwedd wrthgyferbyniol tuag at y Testament Newydd, rhoi sylw i destunau allweddol, ac yn olaf, amlinellu rhai o'r atebion a gynigir i'r cyhuddiad fod yr Ysgrythur yn wrth-Iddewig.

Y Cwestiwn: Gwraidd Gwrth-Iddewiaeth?

Un o brif nodweddion astudiaeth gyfoes o'r Testament Newydd yw'r pwyslais a roddir ar gefndir Iddewig y llyfrau, yn enwedig y pedair efengyl. Cyhoeddwyd nifer o gyfrolau meistrolgar yn ymdrin â gwahanol agweddau ar y testun beiblaidd, megis y disgrifiad difrïol o'r Phariseaid, ymateb Iesu i'r traddodiad Iddewig, a safbwynt Paul ar ofynion Cyfraith Moses. At ei gilydd, cytuna'r arbenigwyr fod hwn yn bwyslais cywir, a chredant y dylid hybu'r math yma o ymchwil pe na bai ond er mwyn gwella'r berthynas rhwng Cristnogion ac Iddewon. Ond y mae un maes ymchwil lle nad oes gytundeb. Pan gyfyd cwestiwn y cysylltiad honedig rhwng y Testament Newydd a siambrau nwy Auschwitz, bydd ygollieiglon yn anghytuno.

Gwahaniaeth barn

Y mae amryw o ysgolheigion yn argyhoeddedig nad oes unrhyw gysylltiad rhwng rhagfarn wrth-Iddewig y Testament Newydd a gwrthsemitiaeth anwaraidd Hitler. Mynnant nad yw'r disgrifiad amharchus o'r Phariseaid a briodolir i Iesu yn Matthew 23, a'r cyfeiriadau gan Paul at statws israddol Iddewiaeth, wedi cyfrannu dim at drallod yr Iddew dros y canrifoedd. Gwrthodant gredu fod gan wrthsemitiaeth ddiwinyddol yr Eglwys seiliau beiblaidd. Y mae barn Gregory Baum, a fynegwyd ym 1961, yn nodweddiadol o farn nifer o Gristnogion sydd wedi trafod y pwnc. Er iddo addef fod diwinyddion Cristnogol wedi dwyn sarhad a dirmyg ar yr Iddewon o'r ganrif gyntaf ymlaen, mynega'n ddiamwys, 'There is no foundation for the accusation that a seed of contempt and hatred for the Jews can be found in the New Testament'.[1] Yn ei farn ef, yr oedd gwrth-Iddewiaeth yr Eglwys Fore yn perthyn i'r cyfnod ar ôl y Testament Newydd; ond nid oedd yn

[1] *The Jews and the Gospel* (Westminster: Md. 1961), t. 5. Ond gweler y rhagarweiniad i Rosemary R. Ruether, *Faith and Fratricide* (New York 1974), lle y mae Baum yn dweud iddo newid ei feddwl ar ôl darllen llyfr Ruether.

deillo o'r Ysgrythur ei hun. Y mae agwedd ddi-ildio Baum i'w chanfod yng ngwaith ysgolheigion eraill. Mewn erthygl o dan y pennawd 'Are the Gospels Anti-Semitic?', y mae Bruce Vawter yr un mor bendant. Meddai, 'To suggest, as some seem prepared to do, that no Jew had anything to do with the crucifixion, and that there is a straight ideological line linking the Gospels with the furnaces of Auschwitz, is another extreme that is obvious nonsense. Gruesome as are the annals of anti-Semitism, Christian and other, it is doubtful that the Gospels have had very much of a real part to play in any of them'.[2] Er fod Vawter yn cydnabod bodolaeth atgasedd at Iddewon yn y Testament Newydd, y mae o'r farn mai ar genedlaethau diweddarach o Gristnogion y mae'r bai am ddioddefaint yr Iddew, oherwydd iddynt hwy ddefnyddio'r Ysgrythur i gefnogi eu polisi gwrth-Iddewig. Ni heuwyd had yr elyniaeth gan yr awduron beiblaidd.

Ond ni fu prinder ysgolheigion, yn enwedig ymhlith Iddewon, sy'n barod iawn i herio datganiadau o'r fath. Y mae Eliezer Berkovitz, sydd wedi ymdrin droeon â her yr Holocost i Iddewiaeth, yn gwneud y sylw deifiol yma :

> Christianity's New Testament has been the most dangerous antisemitic tract in history. Its hatred-charged diatribes against the Pharisees and the Jews have poisoned the hearts and minds of millions and millions of Christians for almost two millennia. No matter what the deeper theological meaning of the hate passages against the Jews might be, in the history of the Jewish people the New Testament lent its support to oppression, persecution and mass murder of an intensity and duration that were unparalleled in the entire history of man's degradation. Without Christianity's New Testament, Hitler's *Mein Kampf* could never have been written.[3]

Geiriau hallt sy'n gwbl annerbyniol i'r mwyafrif o Gristnogion. Ond cefnogir Berkovitz, Iddew Uniongred, gan Samuel Sandmel a fu unwaith yn athro yn Hebrew Union College, Cincinnati, canolfan Iddewiaeth Ddiwygiedig a Rhyddfrydol yn yr Unol Daleithiau. Yr oedd Sandmel yn ysgolhaig teg a gofalus a

---

[2] 'Are the Gospels Anti-Semitic'?, *JES* 5 (1968), t. 487.
[3] 'Facing the Truth', *Judaism* 27 (1978), t. 325.

dreuliodd y rhan fwyaf o'i yrfa academaidd yn ceisio hybu dealltwriaeth rhwng Cristion ac Iddew. Yn ei lyfr olaf, *Anti-Semitism in the New Testament?* lle y mae'n archwilio'r Ysgrythur yn fanwl, daw i'r casgliad anochel ei bod yn cynnwys haen sylweddol o wrth-Iddewiaeth. 'It is simply not correct', meddai, 'to exempt the New Testament from anti-Semitism and to allocate it to later periods of history. It must be said that innumerable Christians have indeed purged themselves of anti-Semitism, but its expression is to be found in Christian Scripture for all to read'.[4]

Ond nid safbwynt Iddewig yn unig yw hwn; y mae i'w gael ymysg Cristnogion hefyd, er iddo gael ei fynegi mewn modd tra gwahanol ganddynt hwy. Yn ei hastudiaeth ddadleuol o wreiddiau gwrthsemitiaeth, *Faith and Fratricide*, y mae Rosemary Ruether yn honni mai diben rhannau o'r Testament Newydd oedd troi Cristnogion yn erbyn Iddewon. Yn ei thyb hi, llaw chwith Cristoleg yw gwrth-Iddewiaeth. Hynny yw, y mae pregethu mai Iesu yw'r Crist yn golygu difrïo'r Iddewon am iddynt hwy wrthod credu ynddo. Cwestiwn sylfaenol Ruether yw hwn : 'Is it possible to say "Jesus is the Messiah" without, implicitly or explicitly, saying at the same time "and the Jews be damned"?'[5] Casgliad James Parkes yntau, wedi hanner can mlynedd o astudio'r pwnc, yw ei bod yn anonest bellach i ni wrthod wynebu'r ffaith fod prif wreiddyn gwrthsemitiaeth gyfoes i'w ganfod yn y Testament Newydd.[6] Hyd yma, yr archwiliad mwyaf trylwyr o atgasedd at Iddewon yn yr Ysgrythur yw eiddo N. A. Beck, athro Lutheraidd yn Texas. Daw yntau i'r casgliad fod yr Iddewon, ar ôl cael eu disodli gan yr Eglwys, wedi eu dedfrydu gan awduron y Testament Newydd i grwydro'r ddaear am byth a dioddef erlid didrugaredd y Cenhedloedd.[7]

---

[4] *Op.cit.*, (Philadelphia 1978), t. 144.
[5] *Op.cit.*, t. 246. Am feirniadaeth ar syniadau Ruether gw. T. A. Idinopulos a R. B. Ward, 'Is Christology Inherently Anti-Semitic?' *JAAR* 45 (1977), tt. 193-214; M. Lowe, 'Real and Imagined Anti-Jewish Elements in the Synoptic Gospels and Acts', *JES* 24 (1987), tt. 267-284.
[6] Rhagair i A. T. Davies (gol.), *Antisemitism and the Foundations of Christianity* (New York 1979), t. xi.
[7] *Mature Christianity: The Recognition and Repudiation of the Anti-Jewish Polemic of the New Testament* (London 1985).

Wrth ystyried gwreiddiau gwrth-Iddewiaeth, felly, rhaid rhoi sylw i ddwy agwedd wrthgyferbyniol. Ar y naill ochr a'r llall ceir ysgolheigion enwog sy'n ymwybodol iawn o ddioddefaint yr Iddewon, ac sy'n benderfynol o ddileu'r posibilrwydd o Holocost arall. Fodd bynnag, y mae'r anghytundeb sylfaenol rhyngddynt yn awgrymu y bydd y pwnc yn parhau i fod yn destun trafod ar yr agenda ddiwinyddol am beth amser.

Y mae'r ddwy agwedd yma yn seiliedig ar syniadau tra gwahanol am natur a phwrpas yr Ysgrythur. Ystyriaethau athrawiaethol sydd y tu cefn i'r agwedd gyntaf, agwedd y rhai sy'n gwadu cysylltiad rhwng y Testament Newydd ac erledigaeth ddiweddarach. Y mae ei chefnogwyr yn awyddus i amddiffyn yr Ysgrythur rhag y cyhuddiad o wrth-Iddewiaeth. Yn eu barn hwy, nid oes sail i'r fath gyhuddiad oherwydd y mae galw'r Ysgrythur yn 'sanctaidd' yn gyfystyr â dweud ei bod yn anffaeledig. Yng ngeiriau J. B. Sheerin, 'The Gospels are the vehicles that convey the pure doctrine'.[8] 'Gair Duw' yw'r Beibl. Gan nad yw eu gweithiau'n ysbrydoledig, gellir cyhuddo'r Tadau cynnar a diwinyddion yr Oesoedd Canol o wrth-Iddewiaeth; ni ellir gwneud yr un cyhuddiad yn erbyn y Testament Newydd gan fod y darllenydd yn sefyll ar dir cysegredig.

Y mae cefnogwyr yr ail safbwynt, yr Iddewon a'r Cristnogion rhyddfrydol hynny sy'n gweld perthynas rhwng Auschwitz a'r Efengylau, yn barotach i feirniadu'r Beibl. Er fod yr Ysgrythur yn sanctaidd, y mae'n perthyn i'w chyfnod ei hun ac yn adlewyrchu amgylchiadau hanesyddol arbennig. Cafodd ei hysgrifennu a'i chadw gan feidrolion ffaeledig ac felly ni all fod yn gwbl rydd o wallau. Y mae tensiynau ac anawsterau'r Eglwys yn y ganrif gyntaf i'w canfod yn eglur yn nhudalennau'r Testament Newydd, ac fe ddylai'r amgylchiadau hynny gael eu hystyried yn ofalus gan y sawl sy'n dehongli neges y Beibl yn y byd cyfoes. Beth bynnag oedd bwriad yr awduron, y mae yna amryw o adnodau yn y Testament Newydd sydd, a dweud y lleiaf, yn difrïo Iddewon, ac wedi eu ddefnyddio i gyfiawnhau gwrthsemitiaeth, boed ddiwinyddol neu hiliol. Rhaid cydnabod

---

[8] 'Evaluating the Past in Catholic-Jewish Relations' yn P. Scharper (gol.), *Torah and Gospel* (New York 1966), t. 25.

potensial gwrthsemitaidd yr adnodau hyn, a rhywfodd neu'i gilydd ei ddirymu.

Beirniadu'r Beibl

Yr hyn sydd wrth wraidd y ddadl rhwng y ddau safbwynt yma yw natur awdurdod. Dyma'r cwestiwn sylfaenol: a oes gennym hawl i feirniadu ein traddodiadau crefyddol? A yw'n gyfreithlon i ni farnu'r Ysgrythur? A ellir cyfiawnhau diarddel rhai adnodau yn y Testament Newydd am eu bod yn niweidiol i Iddewon? Y mae'r rhai sy'n disgrifio'r Beibl fel casgliad o lyfrau anffaeledig yn gwadu'r fath hawl. Yn y gorffennol, fodd bynnag, ni fu gan Gristnogion unrhyw anhawster i roi ateb cadarnhaol i gwestiynau fel hyn. Yr oedd y diwinyddion cynnar yn barod iawn i ddyfynnu rhannau arbennig o'r Beibl Hebraeg ac anwybyddu'r gweddill ohono. Gwnaeth yr Eglwys Fore ddefnydd helaeth o broffwydoliaethau meseianaidd, a oedd, ym marn eu hathrawon, yn darogan dyfodiad y Crist yn Iesu o Nasareth, tra bo cyfreithiau'n ymwneud â bwyd, ag enwaediad ac â seremonïau'r deml un ai wedi eu hanwybyddu neu wedi eu hesbonio. Os oedd yr esboniwr o Gristion am arddel y testunau hynny o'r Beibl Iddewig nad oeddent yn ymwneud â'r Meseia, yr oedd yn rhaid iddo roi ystyr ysbrydol iddynt.

Ond nid testunau o'r Beibl Hebraeg yn unig a ddehonglid fel hyn, yr oedd yr un dull yn berthnasol i'r Testament Newydd hefyd. Y mae'r gorchmynion ynglŷn ag elusen (Mt. 5:42), gwyryfdod (1 Cor. 7), hunan-ymwadiad (Mt. 16:24), gwrthod dial (Mt. 5:39) a lle merched yn yr Eglwys (1 Tim. 2:12), un ai wedi cael eu hanwybyddu gan y mwyafrif o Gristnogion, neu wedi cael eu hesbonio mewn dull sy'n osgoi ymgodymu â'r ystyr llythrennol. Yn yr unfed ganrif ar bymtheg, credai Martin Luther fod ganddo hawl i wrthod derbyn Epistol Iago ac i wadu bod lle iddo rhwng cloriau'r Beibl. Cyfeiriodd ato fel 'llythyr gwellt' oherwydd bod yr awdur, trwy fynnu fod ffydd heb weithredoedd yn farw, yn gwrthddweud ei syniad ef am graidd yr Efengyl Gristnogol, sef athrawiaeth Paul mai trwy rad ras Duw yn unig y mae iachawdwriaeth i'w chael. Os oes cyfiawnhad dros ddiarddel rhai agweddau ar ddysgeidiaeth y Testament Newydd, yn yr ystyr nad yw'r Cristion cyfoes yn rhwym o'u derbyn, oni ellir cymhwyso'r un egwyddor at adnodau sydd wedi achosi niwed am ymron ddwy fil o flynyddoedd i rai nad ydynt yn perthyn i'r Eglwys?

Heb golli golwg ar y gwahaniaeth barn ymysg ysgolheigion ynglŷn â natur wrth-Iddewig dogfennau sylfaenol Cristnogaeth, a chan gofio fod y ddadl rhwng y ddwy garfan ymhell o gael ei thorri, rhoddir sylw yn awr i destunau penodol yn y Testament Newydd. Y mae'r fath restr yn sicr o fod yn oddrychol, ond fel y mae awduron Cristnogol yn y cyfnod ar ôl y Beibl wedi dangos, dros y canrifoedd fe defnyddiwyd pob un ohonynt i gyfreithloni erlid Iddewon. Y maent yn destunau sy'n meddu potensial gwrthsemitaidd.

Y Dystiolaeth: Adnodau Allweddol

I'r athro a'r pregethwr o Gristion, y mae'r demtasiwn i dderbyn yn ddigwestiwn ac i atgynhyrchu'r darlun negyddol o'r Iddew a geir yn y Testament Newydd yn fawr, a hynny am ddau reswm. Y cyntaf yw ei bod gymaint yn haws esbonio'r testun beiblaidd yn llythrennol yn hytrach nag ymchwilio i'r rhagdybiaethau diwinyddol a'r amgylchiadau cymdeithasol sydd y tu cefn iddo. Yr ail yw tuedd y mwyafrif mawr o ddarllenwyr i ystyried bod sylwadau awduron y Testament Newydd ar wahanol bynciau yn ffeithiol gywir ac awdurdodol am eu bod yn y Beibl. Fodd bynnag, gan fod y dystiolaeth *prima facie* i'r gwrthwyneb, ni all y Cristnogion hynny sy'n gwadu cysylltiad rhwng y Testament Newydd a'r Holocost osgoi darllen ffynonellau cynharaf y Ffydd yn fwy gofalus os ydynt am gynnal trafodaeth â'r Iddew a dangos eu bod yn gwrando ar gri'r lleisiau o'r lludw.

Ystyrir y testunau detholedig o dan benawdau sy'n adlewyrchu'r prif themâu ym mhregethu gwrth-Iddewig Cristnogaeth dros y canrifoedd. Ym mhob achos, ceisir dangos y cysylltiad tebygol rhwng gwrth-Iddewiaeth yr Eglwys, os nad gwrthsemitiaeth y Natsïaid, a'r portread negyddol o'r Iddew yn y Testament Newydd. Y mae'n ofynnol ailystyried llawer o adnodau yng ngoleuni beirniadaeth feiblaidd cyn y gellir bellach eu defnyddio, fel y gwnaeth y traddodiad Cristnogol am ganrifoedd, i gyfiawnhau safiad gwrth-Iddewig. Nid yr esboniad traddodiadol ar ddatganiadau'r Testament Newydd ar Iddewiaeth yw'r unig un sy'n bosibl.

Digofaint Duw

Oherwydd daethoch chwi, frodyr, i efelychu eglwysi Duw yng Nghrist Iesu sydd yn Jwdea, oherwydd yr ydych chwi wedi dioddef yr un pethau yn union oddi ar law eich cydwladwyr ag y maent hwythau oddi ar law yr Iddewon, y bobl a laddodd yr Arglwydd Iesu, a hefyd y proffwydi, ac a'n herlidiodd ni. Nid ydynt yn boddhau Duw, ac y maent yn elyniaethus i bob dyn, gan eu bod yn ein rhwystro ni rhag llefaru i'r Cenhedloedd er mwyn iddynt gael eu hachub. Felly y maent bob amser yn cyflawni mesur eu pechodau. Ond y mae'r digofaint wedi dod arnynt o'r diwedd (neu, yn derfynol; neu, am byth). (1 Thesaloniaid 2 : 14-16).

Tua deng mlynedd yn ôl, achosodd gweinidog gyda'r Bedyddwyr yn yr Unol Daleithiau gryn gynnwrf pan ddywedodd o'i bulpud nad oedd gweddi Iddew yn cyrraedd gorsedd gras. Rhesymai'r pregethwr fod y genedl Iddewig yn wrthodedig gan Dduw am iddi groeshoelio Crist. Sut y gallai Duw wrando gweddi rhai a fu'n gyfrifol am y fath anfadwaith? Oni thywalltwyd y llid dwyfol arnynt unwaith am byth, fel y dywedodd Paul wrth y Thesaloniaid? Dyma esgus Martin Luther hefyd dros beidio â chyfathrachu ag Iddewon ym mlynyddoedd olaf ei oes. Er honni iddo unwaith eu hymgeleddu, nid oedd y diwygiwr am wneud hynny eto, gan iddo sylweddoli eu bod yn golledig, ac i ategu ei safbwynt dyfynna ddatganiad Paul fod 'y digofaint' wedi syrthio arnynt.[9] Mae'n amlwg i eiriau miniog yr apostol yn 1 Thesaloniaid 2 gael cryn ddylanwad ar agwedd y Cristion at yr Iddew o'r ganrif gyntaf hyd heddiw.

Yn ôl yr arbenigwyr, y llythyr at y Thesaloniaid oedd y cyntaf o lythyrau Paul. Ynddo y mae'n calonogi Cristnogion Thesalonica trwy ganmol eu teyrngarwch. Fe'u cymeradwya am efelychu gwydnwch eu cyd-gredinwyr yn Jwdea a fu'n driw i Grist yn wyneb gelyniaeth yr Iddewon. Wrth gyfeirio at ei

9 'Ar yr Iddewon a'u Celwyddau', *Luther's Works* (Philadelphia 1971), Cyf. 47, t. 192.

181

weinidogaeth yn Thesalonica, y mae'n cyferbynnu'r croeso a gafodd gan yr Eglwys gyda gwrthwynebiad y Synagog (Ac. 17 : 1-9). Am i'r Iddewon lofruddio'r proffwydi, croeshoelio Iesu a gwneud ymgais fwriadus i lesteirio pregethu'r Efengyl, fe'u cyfrifir ganddo'n genedl golledig a felltithiwyd gan Dduw. Beth bynnag fo'r cyfieithiad cywir o'r geiriau Groeg amwys *eis telos* yn adnod 16, ymddengys mai neges yr apostol yw fod yr Iddewon yn llwyr haeddu eu trybini ac nad oes ganddynt le i ddisgwyl dim ond dicter cyfiawn Duw.

Am fod yr adnodau hyn yn cynnwys un o'r cyfeiriadau mwyaf damniol at Iddewon yn y Testament Newydd, ac am fod y fath atgasedd yn unigryw yn llythyrau Paul, y mae nifer o esbonwyr yn anfodlon eu priodoli i Paul ei hun. Dyna farn un o ysgolheigion beiblaidd enwocaf y ganrif ddiwethaf, yr Almaenwr C. F. Baur, barn a ddaliodd ei thir hyd heddiw.[10] Dibynna'r ddadl yn erbyn awduraeth Paul ar ystyriaethau sy'n ymwneud ag arddull y darn ac â'i ddiwinyddiaeth. Myn y sawl sy'n craffu ar arddull fod yr adran yn torri ar rediad y penodau, a'i bod yn annodweddiadol o weddill y llythyr. O safbwynt diwinyddol, nodir fod y darlun o Iddewiaeth a geir yma yn wahanol iawn i'r un sydd i'w ganfod mewn mannau eraill yn ysgrifeniadau Paul. Y mae Rhufeiniaid 9-11, er enghraifft, lle y ceir trafodaeth lawn o le'r Iddew yn arfaeth Duw, yn gwrth-ddweud yr adnodau hyn. Ac ymhellach, nid yw Paul yn unman arall yn cyhuddo'r Iddewon o groeshoelio Iesu.

Ar sail y gymhariaeth hon, y mae hyd yn oed ysgolhaig ceidwadol fel F. F. Bruce yn dod i'r un casgliad â Baur. Meddai, yn ei esboniad ar adnodau 15 a 16, 'Unless he [Paul] changed his mind radically on this subject in the interval of seven years between the writing of I Thessalonians and of Romans, it is difficult to make him responsible for the viewpoint expressed here. . . . Such sentiments are incongruous on the lips of Paul'.[11] Barn Bruce yw fod llaw ddiweddarach nag eiddo Paul i'w

[10] *Paul the Apostle of Jesus Christ*, cyf. Saes. (London 1875), Cyfr. 2, t. 87.
[11] *I and II Thessalonians*, Word Bible Commentaries (Waco: Tx. 1982), tt. 48 ym.

gwcld yma, a phurion yw tybio fod yr adran o dan sylw'n tarddu o'r cyfnod ar ôl 70 O.C., pan oedd y berthynas rhwng Iddew a Christion yn gwaethygu'n gyflym. Os felly, cyfeiria'r cymal olaf yn adnod 16, 'Ond y mae'r digofaint wedi dod arnynt o'r diwedd', at ddigwyddiad yn y gorffennol, sef cwymp y deml a dinistr Jerwsalem. Cafodd y genedl gyfan ei haeddiant.

Ond defnyddir Rhufeiniaid 9-11 hefyd i brofi'r gwrthwyneb. Tra bo cymhariaeth rhwng ambell gymal o'r penodau hyn a 1 Thesaloniaid 2:14-16 yn awgrymu awdur arall, nid yw agwedd gadarnhaol Paul at yr Iddewon yn parhau trwy gydol y tair pennod o Rufeiniaid, fel y dengys detholiad gwahanol o adnodau. Cynnwys pennod 11 gyfeiriadau diamwys at fethiant a ffaeleddau'r Iddewon. Er enghraifft: 'Y peth y mae Israel yn ei geisio, nid Israel a'i cafodd, ond yr ychydig a etholodd Duw; dallineb a gafodd y lleill, fel y mae'n ysgrifenedig: "Rhoddodd Duw iddynt ysbryd swrth, llygaid i beidio a gweld, a chlustiau i beidio â chlywed hyd y dydd heddiw" ' (ad. 7 ac 8); 'Am iddynt hwy droseddu y mae iachawdwriaeth wedi dod i'r Cenhedloedd' (ad. 11); 'Os nad arbedodd Duw y canghennau naturiol', hynny yw o'r goeden yr impiwyd yr Eglwys arni, sef Iddewiaeth, 'nid arbeda dithau chwaith' (ad. 21). Dengys yr adnodau hyn na ellir defnyddio Rhufeiniaid 9-11 yn ddieithriad i brofi fod Paul o blaid Iddewon. Trwy danlinellu'r ochr negyddol i'r traethiad, gellir cysoni'r adnodau yn Thesaloniaid â syniadau Paul yn ei drafodaeth lawnaf ar statws yr Iddew.

Ond hyd yn oed pe cyfrifid agwedd gadarnhaol Rhufeiniaid 9-11 at yr Iddewon yn agwedd lywodraethol y llythyr, nid yw hyn o anghenraid yn gwrthbrofi mai Paul oedd awdur 1 Thesaloniaid 2:14-16. Gellir dadlau fod dealltwriaeth Paul o gynllun Duw ar gyfer yr Iddewon wedi newid yn y cyfnod rhwng ysgrifennu'r ddau lythyr, oherwydd amgylchiadau gwahanol. Pan ysgrifennodd Thesaloniaid, yn gynnar yn ei yrfa apostolaidd, credai fod Crist ar ddychwelyd i'r ddaear ac y deuai'r byd i ben yn ebrwydd. Byddai'n gyfnod o farn a dial ar anghredinwyr, ond fe gâi gweddill ffyddlon ei gipio i'r awyr i gyfarfod â'r Arglwydd yn y cymylau (1 Thes. 4:15-17). Fodd bynnag, un o arwyddion y diwedd oedd y gorthrymder a ddioddefai'r cyfiawn ar law'r drygionus (1 Thes. 3 : 3-4). Gan mai'r Iddewon oedd yn gyfrifol am hyn, ym marn Paul, pa ryfedd i ddigofaint Duw ddod arnynt? Y mae adwaith yr apostol, yn Thesaloniaid, i ymgais yr Iddewon i erlid Cristnogion ac i rwystro lledaeniad yr Efengyl, wedi ei liwio gan ei syniadau am ddiwedd y byd. Meddai W. D. Davies, 'This first response of his to Jewish opposition in I Thess. ii. 14-16 was unsophisticated, perhaps the unreflecting (and impetuous?) reaction of an early Paul'.[12] O na fyddai wedi ei fynegi ei hun yn llai creulon yn ei lythyr cyntaf! Ond erbyn iddo ysgrifennu Rhufeiniaid, yr oedd ei gred fod y byd ar ddod i ben yn pylu. Er nad yw'n diddymu'r hyn a ddywedodd yn Thesaloniaid, ychwanega ddimensiwn arall i'w ddadl pan ddywed y bydd Duw, ar ddydd y farn, yn datguddio'i drugaredd i'r Iddewon mewn ffordd newydd (Rhuf. 11 : 25-36). Yn y cyfamser, daeth i amgyffred cliriach o gariad anfeidrol Duw.

Y mae un cwestiwn pellach yn aros : pwy yw 'yr Iddewon' yn adnod 14? Ai cyfeiriad at y genedl Iddewig yn ei chrynswth sydd yma, ynteu at gwmni penodol o Iddewon? Ai collfarnu ei bobl ei hun yn ddieithriad y mae Paul, ynteu anelu ei ddigasedd at gymunedau Iddewig a fu'n ofid iddo ef a'i gyd-Gristnogion? Yr esboniad traddodiadol, wrth gwrs, yw mai'r genedl gyfan a gollfernir, a dyma sy'n cyfrif am y defnydd cyson a wnaed o'r adnodau hyn gan yr awdurdodau eglwysig dros y canrifoedd i gyfiawnhau erlid Iddewon. Ond yn ddiweddar cynigiwyd dehongliad arall sy'n ddibynnol ar ddileu'r coma ar ddiwedd adnod 14.[13] Yn ôl rhai ysgolheigion, dylai adnod 15 gydio yn 14 heb doriad, am mai cymal esboniadol ydyw sy'n egluro i'r darllenydd pwy yn hollol a olygir wrth 'yr Iddewon'. (Cofier mai dim ond yn y chweched ganrif y dechreuwyd cynnwys atalnodau yn llawysgrifau'r Testament Newydd.) Nid â'r genedl gyfan y mae cweryl Paul, ond â'r garfan ohoni a laddodd y Crist a'r proffwydi, ac a'i herlidiodd yntau. Y mae'r ystyr cyfyngedig hwn yn haws i'w ganfod yn y cyfieithiad Saesneg. O dynnu'r coma ar ôl adnod 14 fe

[12] 'Paul and the People of Israel', *NTS* 24 (1978), t. 8.
[13] Gw. y drafodaeth gan F. D. Gilliard, 'The Antisemitic Comma between 1 Thessalonians 2:14 and 15', *NTS* 35 (1989), t. 298.

fyddai'r testun yn darllen fel hyn : 'For you suffered the same things from your own countrymen as they did from the Jews who killed both the Lord Jesus and the prophets and drove us out and displease God and oppose all men by hindering us from speaking to the Gentiles that they may be saved'. Os dyma'r dehongliad cywir, dylid darllen adnod 16 gyda'r pwyslais priodol : 'Y mae'r digofaint wedi dod arnynt *hwy* o'r diwedd', hynny yw, ar garfan arbennig o'r genedl.

Gellir esbonio'r adnodau hyn, felly, mewn dwy ffordd. Ar y naill law, fel ychwanegiad at y llythyr wedi marw Paul; mynegant deimladau Cristion anhysbys tuag at Iddewon a rwystrai genhadon cynnar rhag pregethu'r Efengyl. Ar y llaw arall, fel adran a gyfansoddwyd gan Paul ei hun yn gynnar yn ei weinidogaeth pan ddisgwyliai ail ddyfodiad Crist unrhyw ddiwrnod. Pa esboniad bynnag a fo'n apelio atom, cofiwn ddau beth. Y cyntaf, nid y genedl gyfan a gollfernir yma. Yr ail, nid dyma, an olal Paul ar Iddewiaeth.

Duwladdiad

> Pan welodd Pilat nad oedd dim yn tycio ond yn hytrach bod cynnwrf yn codi, cymerodd ddŵr a golchodd ei ddwylo o flaen y dyrfa a dweud, 'Yr wyf fi'n ddieuog o waed y dyn hwn'. Ac atebodd yr holl bobl, 'Boed ei waed arnom ni ac ar ein plant'. (Mathew 27 :24-25)

Yr ydym wedi sylwi eisoes pa mor andwyol i'r Iddew fu'r cyhuddiad iddo ladd Duw. O'r ail ganrif hyd y ganrif bresennol bu Cristnogion yn barod iawn i gollfarnu Iddewon pob cyfnod am iddynt 'yn eu rhieni', a dyfynnu Awstin, groeshoelio Crist. Er nad yw'r Testament Newydd yn defnyddio'r gair 'duwladdiad' fel y cyfryw i ddisgrifio'r Croeshoeliad, ni fu'r Eglwys fawr o dro yn darganfod testunau addas i gefnogi eu cyhuddiad. Un ohonynt oedd Mathew 27 : 24-25. Y mae cymal olaf yr adran hon wedi llesteirio'r berthynas rhwng Iddew a Christion o'r dechrau. Yn ôl pob tebyg, fe gyfrannodd fwy at wrth-Iddewiaeth nag unrhyw destun beiblaidd arall, gan ei fod beunydd ar wefus y Cristion fel prawf, nid yn unig fod Iddewon y ganrif gyntaf wedi croeshoelio Crist, ond hefyd fod eu disgynyddion yn haeddu cosb am

185

drosedd y tadau. Y mae esboniad Origen arno yn yr ail ganrif yn ategu hyn: 'Yr oedd gwaed Crist nid yn unig ar y rhai a oedd yno ar y pryd, ond hefyd ar bob cenhedlaeth o Iddewon hyd ddiwedd y byd'.[14] Os dyma'r esboniad cywir, y mae Mathew yn gyfrifol am ganrifoedd o erlid Iddewon yn enw Crist. Ond i fod yn deg â'r efengylydd, rhaid gofyn i ba raddau yr oedd ei ddehonglwyr, yn hytrach nag ef ei hun, yn hybu'r wrth-Iddewiaeth ddiwinyddol a ddatblygodd yn nhreiglad amser yn wrthsemitiaeth. A oes modd esbonio'r cymal hwn mewn dull a'i gwna'n destun llai gofidus i'r Cristion sydd am drafod ei grefydd gyda'r Iddew? A oes lle i wrthod eglurhad traddodiadol yr Eglwys a chynnig un newydd? Y mae'r ystyriaethau a ganlyn yn berthnasol.

Rhown sylw'n gyntaf i'r cwestiwn p'run ai adroddiad hanesyddol ynteu ychwanegiad chwedlonol sydd yn y ddwy adnod uchod. Y mae o leiaf dair ystyriaeth sy'n peri amau a ydyw'r adnodau hyn yn croniclo digwyddiadau penodol. Yn gyntaf, maent yn unigryw i Fathew. Er i'r efengylau eraill bwysleisio diniweidrwydd Pilat ac euogrwydd yr Iddewon, nid oes un ohonynt yn sôn am olchi dwylo nac am gri y dyrfa. Wrth gwrs, nid yw hyn, ohono'i hun, yn profi mai ffrwyth dychymyg yr efengylydd sydd yma. Ond yng nghyd-destun naws wrth-Iddewig yr efengyl gyfan, hawdd gweld pam y cafodd yr adnodau eu cyfrif yn ychwanegiad gan Fathew at Hanes y Dioddefaint yn ei ffurf wreiddiol. Yn ail, er y gallai Pilat fod wedi golchi ei ddwylo fel symbol o'i ddiniweidrwydd, prin y byddai wedi gwneud hynny'n gyhoeddus. Buasai gwrthod ystyried yr achos o'i flaen, a throsglwyddo'r carcharor i dyrfa elyniaethus o Iddewon, gyfystyr â chyfaddef fod yr Ymerodraeth Rufeinig yn analluog i ddistewi gwrthryfel. Beth bynnag oedd ei wendidau, yr oedd Pilat yn rhy hirben i wneud y fath gamgymeriad. Yn olaf, anodd yw credu y buasai'r dorf wedi derbyn y cyfrifoldeb am groeshoelio Iesu trwy adrodd geiriau melltith yn ei herbyn ei hun ac yn erbyn cenedlaethau o ddisgynyddion diniwed. Felly, ar sail y cynnwys a'r cyd-destun, cred llawer nad adroddiad ffeithiol a geir gan Fathew, ond

[14] Fe'i dyfynnir gan P. Winter, *On the Trial of Jesus* (Berlin 1961), t. 1.

186

hanes dychmygol a gafodd le yn y stori ain reswm arbennig. Pan mae Paul Winter, yn ei lyfr enwog *On the Trial of Jesus*, yn disgrifio'r adnodau hyn, gan ddyfynnu Bultmann, fel 'legendary accretions', y mae'n cynrychioli safbwynt llawer o esbonwyr cyfoes.[15]

O safbwynt geirfa, y mae dau air yn haeddu sylw arbennig, sef 'pobl' a 'phlant'. Yn adnod 24, o flaen y 'dyrfa' (Groeg: *ochlos*) y golchodd Pilat ei ddwylo, ond yn yr adnod ganlynol y 'bobl' (Groeg: *laos*) sy'n galw melltith arnynt eu hunain. Yn Marc a Luc ystyr *laos* yw tyrfa neu gynulliad o unigolion, megis yn Luc 9:13, 'Meddai ef wrthynt, "Rhowch chwi rywbeth i'w fwyta iddynt". Meddent hwy, "Nid oes gennym ddim ond pum torth a dau bysgodyn, heb inni fynd a phrynu bwyd i'r holl bobl hyn" '. Ond yn Mathew ystyr cenhedlig sydd i *laos* fynychaf, fel yn y cymal 'henuriaid y bobl' (21:23; 26:3), lle y cyfeiria at y genedl Iddewig. Dyma hefyd ei ystyr yn y Deg a Thrigain, sef y cyfieithiad Groeg o'i Beibl Hebraeg. Arweiniodd hyn anhonwyr Cristnogol i'r casgliad mai'r genedl Iddewig yn ei chrynswth oedd 'yr holl bobl'. Ond nid dyna'r unig esboniad. Gallai'r cymal olygu 'pawb a safai o flaen Pilat y diwrnod hwnnw'. (Am *laos* yn yr ystyr cyfyngedig yma gweler Mathew 4:23 a 9:35.) O esbonio'r geiriau 'yr holl bobl' fel hyn, ni ellir eu defnyddio i gyhuddo'r Iddewon fel cenedl o dduwladdiad; nid oedd y dyrfa'n siarad yn enw'r genedl gyfan.

Yn ôl Mathew, bydd dewis tyngedfennol y dyrfa yn effeithio ar eu plant (Groeg: *tekna*) hefyd. Yma ceir adlais o egwyddor sy'n ymddangos droeon yn y Beibl Hebraeg, lle y mae cosb am lofruddiaeth yn aros ar ddisgynyddion y sawl sy'n euog 'yn dragywydd' (1 Bren. 2:33). Ond yn y cymal o dan sylw, beth yn union yw ystyr *tekna*? A yw'n golygu plant yn yr ystyr o 'un genhedlaeth', fel yn Mathew 15:26, 'Nid yw'n deg cymryd bara'r plant a'i daflu i'r cŵn', ynteu a yw'n golygu 'disgynyddion', yn yr ystyr o epil corfforol neu ysbrydol, fel yn y datganiad am Dduw yn codi 'plant i Abraham' o gerrig (Mt. 3:9)? Dengys Origen, yn y dyfyniad uchod, i'r

[15] *Op.cit.*, t. 55. Gw. hefyd N. A. Beck, *op.cit.*, t. 159; G. M. Smiga, *Pain and Polemic: Anti-Judaism in the Gospels* (New York 1992), t. 60.

traddodiad Cristnogol dderbyn mai'r olaf yw'r esboniad cywir, oherwydd gwelai ef yn yr adnod gyfeiriad at bob cenhedlaeth o Iddewon o'r ganrif gyntaf ymlaen. Ond gallai'r cymal gyfeirio hefyd at y cenedlaethau rhwng y Croeshoeliad a chwymp y deml. Hynny yw, dim ond hyd 70 O.C. y parhâi'r felltith waed. Tybed a yw'n arwyddocaol nad yw Mathew'n ychwanegu'r geiriau 'yn dragwyddol' yn y cyswllt hwn? Os cwblhawyd yr efengyl yn wythdegau'r ganrif gyntaf, yna gallai'r awdur 'ddarogan' i sicrwydd y dioddefai'r plant am bechodau'r tadau, oherwydd yn y meddwl Cristnogol cynnar, cosb haeddiannol am groeshoelio Crist oedd dinistr Jerwsalem. Nid annhebyg fod Mathew'n proffwydo wedi'r digwydd ac yn cyfyngu'r gosb i ddwy genhedlaeth o drigolion Jerwsalem. Haws credu hyn na chredu bod tyrfa o Iddewon yn y ganrif gyntaf wedi bwriadu i bob Iddew o hynny ymlaen gael ei gyfrif yn euog o ladd Duw.

Os yw'r dehongliad hwn o'r 'holl bobl', sef y ddwy genhedlaeth gyntaf wedi'r Croeshoeliad, yn annerbyniol, a diau ei fod felly gan rai, ystyriwn oblygiadau diwinyddol yr adnodau trwy ofyn pam y bu i'r efengylydd newid 'y dyrfa' i 'y bobl' yn adnod 25, a pham y mae'n cynnwys y gair 'holl'? Ai'r bwriad oedd dangos nad y dyrfa yn Jerwsalem ond yr Iddewon fel y cyfryw oedd yn gyfrifol am y Croeshoeliad? Dibynna'r ateb ar ein hamgyffred o natur a diben Efengyl Mathew. Y farn gyffredin yw mai dadl sydd yn yr efengyl rhwng dwy garfan Iddewig, sef Iddewon Cristnogol a gwir Iddewon. Fel Iddew Cristnogol y mae Mathew yn ceisio dangos i'w ddarllenwyr pam y mae'r Cenhedloedd yn etifeddu teyrnas Dduw yn lle'r Iddewon. Daw hyn i'r amlwg yn nameg y Winllan, pan esbonia Iesu weithred y perchennog yn difetha'i denantiaid, trwy ddweud wrth ei wrandawyr, 'Cymerir teyrnas Dduw oddi wrthych chwi, ac fe'i rhoddir i genedl sy'n dwyn ei ffrwythau hi' (Mt. 21:43). Wrth ymgodymu â'r gred fod y Cenhedloedd wedi cymryd lle Israel fel pobl Dduw, nid yw Mathew yn cynnig damcaniaeth astrus ar batrwm Paul yn y Llythyr at y Rhufeiniaid. Yn hytrach, fe ddefnyddia ddywediadau o eiddo Iesu, a storïau amdano, i ddangos sut y gwrthododd ei bobl ei hun ef. Uchafbwynt y gwrthod yw i'r 'holl bobl' (*laos* yn yr ystyr cenhedlig), nid 'y dyrfa', roi eu hunain o dan felltith trwy alw am ddienyddio'r Crist.

Daw amcan diwinyddol yr efengylydd yn fwy amlwg o ystyried yr adnodau ymhellach. Y mae gciriau a gweithred Pilat yn adleisio'r ddefod o olchi dwylo yn Deuteronomium 21 : 1-9. Yn ôl cyfraith Israel, pe deuid o hyd i gorff dyn mewn tir agored, a'r llofrudd yn anhysbys, cyfrifid trigolion y pentref agosaf yn euog o'r anfadwaith. Er mwyn dileu'r cyfrifoldeb, yr oedd henuriaid y pentref i ladd anner yn lle y sawl a lofruddiwyd a golchi eu dwylo uwch ei phen gan ddweud, 'Nid ein dwylo ni a dywalltodd y gwaed hwn, ac ni welodd ein llygaid mo'r weithred. Derbyn gymod dros dy bobl Israel, y rhai a waredaist, O ARGLWYDD; paid â gosod arnynt hwy gyfrifoldeb am waed y dieuog'. Dyma, bron yn sicr, y cefndir i weithred honedig Pilat. Yr oedd Mathew am ddangos mewn dull dramatig fod y llywodraethwr yn ddieuog, yng ngolwg Duw, o waed Crist, ac mai ar yr Iddewon yr oedd y bai am y Croeshoeliad. Tra oedd Pilat yn golchi ei ddwylo, derbyniodd y dyrfa'r cyfrifoldeb am y trosedd trwy ddefnyddio gciriau sy'n dynodi fod y gymdeithas gyfan, ac nid unigolyn yn unig, yn euog o lofruddiaeth. (Gw. 2 Sam. 1 : 16; Jer. 26 : 15) Trwy ddweud mai'r 'bobl' yn hytrach na'r 'dorf' a groeshoeliodd Grist, y mae Mathew yn dangos pam y gwrthododd Duw ei genedl etholedig. Diwinyddiaeth, nid hanes, yw prif ddiddordeb Mathew. Ffrae deuluol, rhwng dwy garfan o Iddewon, sy tu cefn i wrth-Iddewiaeth yr efengyl, a dyma sy'n cyfrif fod rhai o'r datganiadau mor llym — onid rhyfel cartref fydd y rhyfel mwyaf gwaedlyd? Ond er gwaethaf natur ddadleuol y cynnwys, nid oes lle i dybio am funud fod yr awdur yn bwriadu i'w wrthwynebwyr ddioddef erlid a damnedigaeth dragwyddol.

Nid yw'r syniad mai brwydr deuluol yw cefndir Efengyl Mathew yn dderbyniol gan bawb. Yn ystod y chwedegau, wedi astudiaeth fanwl o natur a diben yr efengyl, daeth rhai ysgolheigion i gasgliad tra gwahanol. Er fod gogwydd Iddewig yr awdur yn ymddangos yn ei ddiddordeb yn llinach Iesu, ei amryw ddyfyniadau o'r Hen Destament, ei bwyslais ar ddefodau'r Iddewon ac yn rhaniadau'r gwaith ar batrwm Pumllyfr Moses, damcaniaethir mai Cenedl-ddyn ydoedd, yn ysgrifennu ar gyfer Cristnogion o blith y Cenhedloedd. Os felly, rhaid ystyried yr wrth-Iddewiaeth yn arwydd cynnen rhwng Cenedl-ddyn ac Iddew, yn hytrach na rhwng dwy garfan o Iddewon. Ymateb Eglwys y Cenhedloedd i fygythiad y Synagog i'r hawddfyd, a hyd yn oed ei bodolaeth, yw collfarniad Mathew o'r grefydd Iddewig. Yn aml iawn, arwydd o ymgais lleiafrif i'w amddiffyn ei hun yn wyneb erledigaeth fydd iaith ddadleuol.

Y mae'n amlwg fod amryw o ystyriaethau'n berthnasol wrth ymdrin â thestun mor gymhleth. Ond pa ddamcaniaeth bynnag a dderbyniwn ynglŷn â chefndir, natur a diben Efengyl Mathew, y mae un peth yn sicr: ni ellir defnyddio'r adnodau hyn i ddadlau fod y genedl Iddewig gyfan yn gyfrifol am y Croeshoeliad, a bod pob cenhedlaeth o Iddewon yn haeddu cosb am drosedd y tadau.

Yr Iddew crwydrol

'Ond pan welwch Jerwsalem wedi ei hamgylchynu gan fyddinoedd, yna byddwch yn gwybod fod awr ei diffeithio wedi dod yn agos. Y pryd hwnnw, ffoed y rhai sydd yn Jwdea i'r mynyddoedd. Pob un sydd yng nghanol y ddinas, aed allan ohoni; a phob un sydd yn y wlad, peidied â mynd i mewn iddi. Oherwydd dyddiau dial fydd y rhain, pan fydd pob peth sy'n ysgrifenedig yn cael ei gyflawni. . . . Daw cyfyngder dirfawr ar y wlad, a digofaint ar y bobl hon. Byddant yn cwympo dan fin y cleddyf, ac fe'u dygir yn garcharorion i'r holl genhedloedd. Caiff Jerwsalem ei mathru dan draed estroniaid nes cyflawni eu hamserau hwy'. (Luc 21:20-24).

Pan apeliodd Theodor Herzl at y pab am gefnogaeth Eglwys Rhufain i'w freuddwyd o sefydlu cartref i'r Iddewon ym Mhalesteina, cofiwn mai negyddol oedd ymateb *La Civiltà Cattolica*, un o gyfnodolion mwyaf dylanwadol y Fatican, i'w gais.[16] Seiliwyd sylwadau brathog y papur ar y gred mai crwydro'r byd am byth oedd tynged yr Iddew, er mwyn cyflawni proffwydoliaeth Iesu am gwymp Jerwsalem a dioddefaint parhaol y genedl. Yr oedd y testun sylfaenol i'w gael yn Efengyl Luc 21:20-24.

[16] Gw. uchod t. 130.

Yn ei lyfr, *The Making of Luke-Acts,* y mae H. J. Cadbury yn nodi diddordeb yr awdur ym mywyd trefol ei gyfnod. Yn ôl y cyfrif, enwir Jerwsalem yn amlach yn yr efengyl hon nag yn yr un o'r lleill. Yn Luc, y ddinas yw cefndir y rhan fwyaf o weinidogaeth Iesu. Ac eto, cyfeirir at ei dinistr dair gwaith mewn pum pennod, sef yn 19 : 44, 21 : 24 a 23 : 28. Aralleiriad yw'r adran uchod, fel ei chymar yn Mathew 24 : 15-21, o Marc 13 : 14-19. Ond er gwaethaf y cysylltiad rhyngddi a'r adroddiad gwreiddiol, y mae manylion o bwys sy'n unigryw i Luc. Sylwer mai dim ond yma y mae Iesu'n darogan yr amgylchynir Jerwsalem gan fyddinoedd, ac y caiff yr Iddewon, y 'bobl hon', eu halltudio i blith y Cenhedloedd a chwympo dan fin y cleddyf. Arwydd yw'r dinistr a'r erlid o farn Duw ar ei genedl etholedig, oherwydd dyma pryd y caiff yr Ysgrythur sy'n proffwydo dial ei chyflawni.

Y mae adroddiad Luc o broffwydoliaeth Iesu yn awgrymu fod yr awdur yn gyfarwydd â'r hyn a ddigwyddodd i Jerwsalem yn 70 O.C.; y mae hefyd yn gwneud canlyniad y dinistr yn fwy trychinebus i'r Iddewon fel cenedl. Nid rhyfedd i'r Eglwys Fore ystyried yr adran hon, yn enwedig adnod 24, yn destun allweddol yn eu dadl bleidgar yn erbyn yr Iddewon. Er mwyn profi fod Duw wedi gwrthod ei bobl ac wedi eu halltudio am byth, y mae amryw o'r Tadau cynnar yn nodi gyda boddhad i ymgais yr Iddewon dair gwaith i ailgodi'r deml, sef o dan Hadrian, Cystennin a Jwlianus, gael ei rhwystro. Ni allai'r ymdrech i adennill statws freintiedig Iddewiaeth ond methu, oherwydd oni phroffwydodd Iesu y sethrid Jerwsalem dan draed estroniaid 'nes cyflawni eu hamserau hwy', cymal a esbonnir gan Chrysostom fel cyfeiriad at ddiwedd y byd?[17] Ni allai Luc erioed fod wedi coleddu'r syniad y byddai Iddewiaeth yn cael ei hadfer a'r Iddewon yn dychwelyd adref mewn edifeirwch. Yn ôl y traddodiad Cristnogol yr oedd dioddefaint yr Iddew i barhau am byth.

Nid y Tadau cynnar yn unig sydd o'r farn fod Luc yn fwriadus wrth-Iddewig wrth gyflwyno'r Efengyl; y mae amryw o ysgolheigion cyfoes yn cytuno â hwy. Nodwn ddwy enghraifft.

[17] *John Chrysostom: Discourses against Judaizing Christians* (Washington 1979), V: 1.6, t. 99.

Yn ôl Samuel Sandmel, 'There is to be found in Luke a frequent, subtle, genteel anti-Semitism', ac yn marn J. T. Sanders y mae Luc yn argyhoeddedig fod yr Iddewon yn gynhenid analluog i ddeall eu hysgrythurau eu hunain ac yn elyniaethus wrth reddf i fwriad Duw.[18] Ystyria'r ddau fod agwedd yr enfengylydd yn wrth-Iddewig drwyddi draw, agwedd a fynegir yn eglur yn rhai o'r damhegion (e.e. 10:29-37; 14:1-24; 15:11-32) ac yn Hanes y Dioddefaint, lle y mae'r Iddewon yn cael y bai i gyd am y Croeshoeliad a Philat yn cael ei wyngalchu.

Os dyma agwedd Luc, beth sydd i gyfrif amdani? Un ateb yw mai bwriad yr efengylydd oedd amddiffyn buddiannau'r Eglwys. Beiodd Luc yr Iddewon am farwolaeth Iesu er mwyn ennill ffafr Rhufain, a phrofi i'r Ymerodraeth na ellid fyth gyhuddo Cristnogion o wrthryfel. Ateb arall yw fod yr awdur yn talu'r pwyth yn ôl i'r Iddewon am iddynt erlid Cristnogion — yr erlid y sonia Paul amdano yn ei lythyr at y Thesaloniaid. Ni all yr un o'r ddau esboniad ddileu naws wrth-Iddewig yr efengyl, ond o leiaf eglurant agwedd negyddol Luc trwy osod ei waith mewn cyd-destun hanesyddol.

Ond y mae un esboniad pellach sy'n haeddu sylw. Cysylltir hwn â'r llyfr *Luke and the People of God,* lle y mae'r awdur, Jacob Jervell, yn gwrthod y syniad fod Luc yn collfarnu'r Iddewon am wrthod Crist, ac yn gwadu ei fod yn ystyried yr Eglwys fel yr Israel Newydd, a ddisodlodd yr hen. Er fod yr efengyl yn olrhain hanes Cristnogaeth o Jerwsalem i Rufain, ac yn dangos sut y datblygodd Cristnogaeth allan o Iddewiaeth, ym marn Jervell nid yw hyn o angenrheidrwydd yn golygu fod Duw wedi cefnu ar yr Iddewon am byth. Y mae Luc, yn hytrach, yn awyddus i weld Israel yn cael ei hadfer a'i hachub. Cofier i'r pregethwyr cynnar fynd at yr Iddewon *yn gyntaf;* dim ond ar ôl cwblhau'r genhadaeth honno yr aed â'r Efengyl i'r Cenhedloedd. Seilia Jervell ei ddamcaniaeth ar araith Iago yn Actau 15:13-21, gan ystyried mai'r Israel adferedig oedd yr Iddewon Cristnogol cyntaf, megis Barnabas, Timotheus a Silas.

---

[18] Sandmel, *op.cit.,* t. 73; Sanders, *The Jews in Luke-Acts* (Philadelphia 1987), t. 303.

Er fod A. W. Wainwright yn cytuno i raddau helaeth â Jervell, ni chafodd ei argyhoeddi fod Israel *eisoes* wedi ei hadfer yn yr Iddewon Cristnogol hynny a ffurfiodd gnewyllyn yr Eglwys. Yn ei farn ef, yr oedd adfer Israel, i Luc, yn golygu adfer Jerwsalem hefyd. Meddai, gan gyfeirio at y testun sy'n sôn am ddinistr y ddinas yn 21 : 24 :

> In spite of its brevity, this saying, which is found only in Luke's gospel, provides an important clue to Luke's theological presuppositions. Jerusalem is not to be trodden down indefinitely, but only until the times of the Gentiles are fulfilled. 'The times of the Gentiles' probably refers to the period when the Gospel is being preached to the Gentiles. It was a widely accepted belief that until this activity had been completed the End would not come. Alternatively the phrase 'the times of the Gentiles' may refer to the period when the Gentiles rule over the actual territory of Israel. Whichever of these two interpretations of the phrase is accepted, the words of Luke 21 24 leave the way open for a restoration of Jerusalem in the future.[19]

Y mae'n amlwg fod modd esbonio'r testun astrus hwn mewn dwy ffordd wahanol. Ar y naill law gellir ei gymryd fel proffwydoliaeth y caiff Israel ei gwaredu ac yr adferir Jerwsalem ryw ddydd. Ar y llaw arall gellir ei ystyried yn destun melltith, fel y gwnaeth y Tadau cynnar a *La Civiltà Cattolica,* ac yn esiampl o wrth-Iddewiaeth Luc. Ond hyd yn oed os yr ail esboniad sy'n gywir, ein dyletswydd yw gosod yr adnodau yn y cyswllt priodol. Ni fu'r hyn a oedd yn berthnasol i fywyd yr Eglwys yn y ganrif gyntaf o anghenraid yn berthnasol iddo byth oddi ar hynny.

Epil Satan

> Yna dywedodd Iesu wrth yr Iddewon oedd wedi credu ynddo, . . . 'Plant ydych chwi i'ch tad, y diafol, ac yr ydych â'ch bryd ar gyflawni dymuniadau eich tad. Lladdwr dynion oedd ef o'r cychwyn; nid yw'n sefyll yn y gwirionedd, oherwydd nid oes dim gwirionedd ynddo'. (Ioan 8 : 31, 44)

---

[19] 'Luke and the Restoration of the Kingdom to Israel', *ET* 89 (1977-78), t. 77.

193

Er i'r syniad mai plentyn y Fall yw'r Iddew ymddangos yn gyson ym mhropaganda gwrthsemitaidd Hitler, nid cynnyrch y Natsïaid mohono. Yr ydym wedi sylwi eisoes fod iddo le amlwg yn nysgeidiaeth Gristnogol yr Oesoedd Canol, a bod Martin Luther yn barod iawn i ailadrodd camgyhuddiadau enllibus ei ragflaenwyr am berthynas yr Iddew â Satan. Ond fel llawer cyhuddiad arall yn erbyn Iddewon, y mae hwn hefyd yn tarddu o'r Beibl. Daw'r testun mwyaf adnabyddus o Efengyl Ioan.

Un gwahaniaeth amlwg rhwng y Bedwaredd Efengyl a'r Efengylau Cyfolwg (Mathew, Marc a Luc) yw dull Ioan o gyfeirio at elynion Crist. Tra bo'r Efengylau Cyfolwg yn gwahaniaethu rhwng yr amryw garfanau ymysg yr Iddewon ac yn dynodi ei wrthwynebwyr yn eu tro fel Phariseaid, Sadwceaid, Ysrgifenyddion, Herodianiaid, a weithiau fel 'y dyrfa', y mae Ioan yn anwybyddu pob gwahaniaeth ac yn defnyddio'r enw cyffredinol 'yr Iddewon' yn lle termau cyfyngedig ei ffynonellau. Dim ond pymtheg gwaith rhyngddynt y cyfeiria'r efengylau eraill at 'yr Iddewon', ond defnyddia Ioan yr ymadrodd saith deg o weithiau mewn un bennod ar hugain. Y mae ymron hanner y cyfeiriadau yn Ioan yn sarhaus ac yn tystio i anghydfod dwfn rhwng Iesu a'i gyfoedion. Y mae'r Iddewon yn ei erlid (5 : 16), yn grwgnach amdano (6 : 41) ac yn y diwedd yn ceisio'i ladd (7 : 1). Gwnânt hyn am eu bod yn ddall i'w ddysgeidiaeth (7 : 35 a 36) ac yn bechadurus yn eu hanghrediniaeth (8 : 24), ond uwchlaw popeth am eu bod yn epil Satan (8 : 44). Ym mhob enghraifft, y mae agwedd elyniaethus Ioan at yr Iddewon i'w chanfod yn y cyd-destun yn ogystal ag yn y berfau a ddefnyddir.

Y portread negyddol hwn o'r Iddewon sy'n peri bod nifer o esbonwyr o'r farn fod Efengyl Ioan yn destun cwbl anaddas i'w ystyried yn y drafodaeth gyfoes rhwng Iddew a Christion. Mewn arolwg o'r elfen wrth-Iddewig yn y Testament Newydd, meddai E. J. Epp wrth gyfeirio at wahanol adrannau ynddo :

All are deplorable for their misleading character and their pernicious consequences, but clearly the baleful Fourth Gospel must be accounted more heavily responsible for those consequences than either of the two other major segments of New Testament literature, for both the Synoptic Gospels and the letters of Paul have certain redeeming characteristics when their attitudes towards the Jews and Judaism are assessed.[20]

Disgrifia Rabbi Kaufmann Koehler yntau Efengyl Ioan fel 'the gospel of Christian love and Jewish hatred'.[21] Ond ym marn eraill, nid yw Ioan mor elyniaethus tuag at Iddewon ag y tybir. Gwrthodant hwy'r cyhuddiad o wrthsemitiaeth trwy fynnu na ddylid cymryd yr ymadrodd 'yr Iddewon' yn ôl y lythyren. Awgrymant amryw o wahanol ystyron, pob un ohonynt yn cyfyngu ar yr ystyr llythrennol. Gallai 'yr Iddewon' gyfeirio at bobl Jwdea (7:1), neu at yr awdurdodau crefyddol yn Jerwsalem (7:13). Gallai fod yn ffordd o wahaniaethu rhwng un garfan o drigolion Palesteina ac un arall (4:9), o ddisgrifio arferion a oedd yn ddieithr i'r Cenhedloedd (7:2), neu fel ymadrodd dirgel i ddynodi pawb, boed Iddew neu Genedl-ddyn, nad oedd yn credu yng Nghrist (8:22-25).

Y mae'r esboniadau hyn, trwy osod y cyfeiriadau negyddol at yr Iddewon mewn goleuni newydd, yn lleihau atgasedd Ioan yn sylweddol. Ond er mwyn cyfyngu ymhellach, ac efallai'n fwy effeithiol, ar botensial gwrthsemitaidd yr efengyl, dylid ystyried ymgais ddiweddar ysgolheigion i'w gosod yn ei chyd-destun priodol. Ystyria'r mwyafrif o arbenigwyr mai'r degawd rhwng 80 a 90 O.C. oedd cyfnod tebygol ysgrifennu'r efengyl, cyfnod pan oedd Iddewon a Christnogion yn ymbellhau oddi wrth ei gilydd ac yn dechrau dangos yr atgasedd a nodweddai'r berthynas rhyngddynt yn y ganrif ganlynol. Am fod nifer cynyddol o Iddewon yn derbyn Iesu fel y Meseia, ac eto'n dymuno aros y tu fewn i Iddewiaeth, gorfodwyd y gymuned Iddewig i warchod ei buddiannau yn wyneb cenhadaeth Gristnogol. Maes o law, bwriwyd y Cristnogion cudd allan o'r synagogau i'w herlid gan y Rhufeiniaid. Cyfeiria Ioan at y gynnen dair gwaith. Er enghraifft, wrth drafod anghrediniaeth yr Iddewon, meddai Iesu wrth ei ddisgyblion,

[20] 'Antisemitism and the Popularity of the Fourth Gospel in Christianity', *CCARJ* 22 (1975), t. 49.
[21] Erthygl 'New Testament' yn *The Jewish Encyclopaedia* (1905), Cyfr. 9, t. 251.

'Fe'ch torrant chwi allan o'r synagogau; yn wir y mae'r amser yn dod pan fydd pawb fydd yn eich lladd chwi yn meddwl ei fod yn offrymu gwasanaeth i Dduw. Fe wnânt hyn am nad ydynt wedi adnabod na'r Tad na myfi' (16 : 2-3. Cym. 9 : 22, 12 : 42). Dull Ioan o gael ei faen i'r wal oedd gosod yr ymrafael mewn cyfnod cynharach a'i gysylltu â Iesu. Anodd yw credu fod yr anghydfod wedi datblygu i'r fath raddau yn nechrau'r ganrif, ond erbyn ei diwedd gwyddom i sicrwydd fod yr elyniaeth rhwng Iddew a Christion yn tyfu'n gyflym. Am i'r poenydio gael effaith andwyol ar Gristnogion, adweithiodd yr efengylydd trwy ymosod yn llym ar yr Iddewon. Ond er gwaethaf y ffyrnigrwydd, cofier mai collfarnu'r rheini o *blith ei bobl ei hun* a wrthododd Iesu y mae Ioan. Ymryson y tu fewn i Iddewiaeth a geir yma, fel o bosibl yn Efengyl Mathew, lle y mae un Iddew yn pardduo'r llall.

Y mae dirnad cefndir yr efengyl yn hanfodol, nid yn unig er mwyn esbonio agwedd Ioan at yr Iddewon, ond hefyd er mwyn dangos pam na ellir defnyddio'i eiriau i gyfiawnhau erledigaeth gan Gristnogion. Yn y lle cyntaf, y mae amgyffred y cyd-destun yn lliniaru, i raddau, gasineb yr efengylydd tuag at ei wrthwynebwyr. Pan gofiwn fod enbydrwydd y cyfnod ac argyfwng y ddwy gymuned yn lliwio'i ymateb, 'rydym yn llai parod i'w gollfarnu. Efallai nad yw ei rethreg yn apelio atom, ond o leiaf y mae ei safbwynt yn ddealladwy. Yn yr ail le, y mae'r cefndir yn ein hatgoffa fod rhagfarn Ioan yn erbyn Iddewon yn perthyn i'w ardal a'i gyfnod ei hun. Nid gwrth-Iddewiaeth fyd-eang, yn cynnwys cyhuddiadau yn erbyn pob Iddew ym mhob man, a geir yma, ond cwyn yn erbyn y gymuned Iddewig yn Effesus, cartref honedig Ioan. Gan fod yr awdur yn ymateb i sefyllfa neilltuol, nid oes gyfiawnhad dros rwygo'i eiriau o'u cyd-destun a'u cymhwyso at Iddewon yn gyffredinol. Yn olaf, y mae deall y cefndir yn arwain y darllenydd i amgyffred nad yw'r efengyl hon, o angen-rheidrwydd, yn cynnwys union eiriau Iesu, ond yn hytrach geiriau disgybl ffyddlon yn myfyrio ar y traddodiad Cristnogol cynnar ac yn ceisio'i addasu i'w oes a'i gymdeithas ei hun. Nid yw'r agwedd at Iddewiaeth a geir yma yn cynrychioli agwedd Iesu at ei gyd-Iddewon mewn cyfnod cynharach, ac ni ellir honni, ar sail Efengyl Ioan, fod Iesu'n ystyried ei genedl ei hun yn epil Satan.

Pe bai esbonwyr Cristnogol dros y canrifoedd wedi cadw un llygad ar ystyriaethau o'r math yma wrth ddarllen Ioan 8 : 44, fe fyddai tynged yr Iddewon wedi bod yn dra gwahanol.

Yr Ateb: Rhai Awgrymiadau

Nid oes brinder tystiolaeth fod awduron y Testament Newydd yn barod iawn i ddadlau'n ffyrnig yn erbyn Iddewiaeth. P'run ai gwrthsemitiaeth ynteu gwrth-Iddewiaeth y'i gelwir, y mae casineb awduron yr Ysgrythur at yr Iddewon, neu o leiaf at rai carfanau ohonynt, wedi cael cryn ddylanwad ar yr Eglwys Gristnogol. Arhosodd y darlun negyddol a geir yn y Beibl ym meddwl y Cristion am ganrifoedd : am i'r Iddewon, sydd yng ngwasanaeth Satan, ladd Crist, oawbant eu gwrthod gan Dduw a'u disodli gan yr Eglwys.

Er fod y testunau hyn yn dramgwydd i'r Iddew mewn trafodaeth grefyddol â Christnogion, yn y pen draw cyfrifoldeb y Cristion yw ymgodymu â hwy. Fodd bynnag, ni fydd achos y tramgwydd yn amlwg ond i'r Cristnogion hynny sy'n ystyried yr Holocost yn ddigwyddiad o bwys iddynt hwythau yn ogystal ag i'r Iddewon. Ni chyfrifir y testunau'n ddyrys ond gan y sawl sy'n sylweddoli i ba raddau y defnyddiwyd yr Ysgrythur i gyfreithloni gwrth-Iddewiaeth yr oesoedd, a chan y sawl sy, fel J-B. Metz, yn drwgdybio unrhyw ddiwinyddiaeth sy'n ddigyfnewid wedi Auschwitz. Iddynt hwy, yr angen pennaf yw dileu potensial gwrthsemitaidd testunau o'r fath. Sut y mae darllen y Beibl ac addasu ei neges heb bardduo'r Iddewon? Nodwn rai awgrymiadau a wnaed yn y blynyddoedd diwethaf mewn ymgais i ateb y cwestiwn hwn.

Aralleiriad

Y dull mwyaf uniongyrchol o ddirymu gwrth-Iddewiaeth yr Ysgrythur fyddai gwneud cyfieithiad newydd. Dyma awgrym N. A. Beck sut i drin testunau sy'n rhan o ganon awdurdodedig y Beibl, ond sydd ar yr un pryd yn andwyol i Iddewon ac heb fod o ddim mantais i Gristnogaeth.[22] Wedi penderfynu ar y testunau annerbyniol, gwaith y cyfieithydd fyddai newid eu harwyddocâd i'r darllenwyr. Er enghraifft, ar sail y dybiaeth mai llaw ddiweddarach nag eiddo Paul oedd yn gyfrifol am 1 Thesaloniaid 2 : 13-16, gellid tynnu'r adnodau hyn o'r testun beiblaidd a'u gosod mewn troednodyn. Yn yr un modd gellid cyfieithu *hoi Ioudaioi* (yr Iddewon) yn Efengyl Ioan ac yn Llyfr yr Actau fel 'arweinwyr yr Iddewon' heb wneud unrhyw anghyfiawnder â'r gwreiddiol. Gallai cyfieithydd a fyddai'n ymglywed â'r anawsterau, ac yn dehongli yn hytrach nag yn rhoi ystyr llythrennol gair, ddiddymu grym llawer o'r adnodau sy'n difrïo Iddewon.

Ond fel y gŵyr Beck, y mae'r ateb hwn yn rhy eithafol gan y mwyafrif o Gristnogion. A bwrw ei fod yn apelio atynt o gwbl, yn ei farn ef cymerai o leiaf ganrif i gael ei dderbyn. Y mae modd esbonio adwaith hwyrfrydig y Cristion at y syniad o aralleirio trwy ofyn y cwestiynau canlynol : a oes gan Gristnogion cyfoes hawl i ailysgrifennu'r Beibl ? A ddylai diddordebau oes arbennig, megis diwinyddiaeth ryddhad neu hawliau benywod, benderfynu'n hagwedd at yr Ysgrythur ? Oni fyddai dileu pob awgrym o wrth-Iddewiaeth o'r Beibl yn annog Cristnogion y dyfodol i anwybyddu'r posibilrwydd mai'r Testament Newydd yw prif wreiddyn gwrthsemitiaeth ac i ganolbwyntio ar y Tadau cynnar yn unig ?

Os yw'r cwestiynau hyn, o roi ateb nacaol i'r ddau gyntaf ac ateb cadarnhaol i'r trydydd, yn awgrymu na ellir newid y testun beiblaidd a ddefnyddia'r Eglwys yn ei haddoliad, nid ydynt, er hynny, yn berthnasol wrth ystyried y defnydd a wneir o'r Ysgrythur mewn dulliau eraill o ledu'r Efengyl. A bwrw bod rhaid i wrth-Iddewiaeth y ganrif gyntaf aros yn ein haddoliad, nid oes unrhyw reswm pam y dylai ymddangos yn ein dysgu a'n pregethu. Os yw aralleiriad allan o'r cwestiwn, dichon fod lle i'r hyn a eilw Beck yn 'interpretative circumlocutions' pan elwir arnom i ddehongli adnodau pleidgar.

[22] *Op.cit.*, t. 13.

Y cefndir hanesyddol

Pwysleisia beirniaid llenyddol fod y Testament Newydd wedi ei gyflyru gan y cyfnod yr ysgrifennwyd ef ynddo. Y mae gwybodaeth o gefndir hanesyddol yr ysgrifeniadau o gymorth i esbonio, ond nid i esgusodi, eu naws wrth-Iddewig, yn ogystal â phob nodwedd arall sy'n perthyn iddynt. Cawn enghraifft dda o hyn wrth ystyried y tyndra a amlygir rhwng y Cristnogion cynnar a Rhufain ar y naill law a'r Iddewon ar y llall. Pan wrthryfelodd trigolion Jwdea yn erbyn y Rhufeiniaid yn 66 O.C., ofnai'r Cristnogion y cosbid hwythau ynghyd â'r drwgweithredwyr cyn gynted ag y deuai milwyr yr Ymerodraeth ar eu gwarthaf. Nid oeddent yn hyderus y gwahaniaethai Rhufain rhwng Iddewon a Chenedl-ddynion wrth ddidoli'r troseddwyr. O'r herwydd ymbellhasant oddi wrth yr Iddewon, gan eu beio hwy yn hytrach na'r Rhufeiniaid am y Croeshoeliad. Dewisodd yr Eglwys ochri Rhufain ymhun amuar, cynllyrchodd yr anghydfod lên bleidgar ac iddi elfen gref o wrth-Iddewiaeth. Erbyn cyfnod Ioan, yr oedd y rhod wedi troi a'r Cristnogion Iddewig yn cael eu hymlid o'r synagogau am gyffesu eu cred mai Iesu oedd y Meseia. Y mae lle i dybio fod y Bedwaredd Efengyl wedi ei hysgrifennu yng nghysgod y fath erlid, a bod yr awdur, neu'r golygydd terfynol, wedi mynd ati'n fwriadol i gystwyo'r Iddewon am eu creulondeb. Wrth geisio dadansoddi atgasedd Ioan at yr Iddewon, rhaid felly ystyried yr elyniaeth amlwg a oedd rhwng y Synagog a'r Eglwys ar ddiwedd y ganrif gyntaf.

Y mae gwybodaeth o'r cefndir hanesyddol yn gymorth nid yn unig i esbonio'r elfen wrth-Iddewig yn yr efengylau, ond hefyd i ddangos fod yr awduron yn gosod yn amser Iesu ymrafaelion eu cyfnod hwy eu hunain, tua deugain mlynedd yn ddiweddarach, pan oedd yr Eglwys a'r Synagog yn ymwahanu. Mewn cyfeiriad at y Croeshoeliad, meddai J. K. Elliot :

> The Gospel writers, spurred on by apologetic motives, distorted the original events. The anti-Jewish slant of the New Testament does not therefore represent the situation at the time of Jesus' ministry. Christians should separate the historical events leading up to the crucifixion from the church

tradition that reported them. . . . The anti-Jewish bias in the New Testament can thus be removed from the life of Jesus.[23]

Y mae lle i gredu nad oedd Iesu hanner mor elyniaethus tuag at ei gyd-Iddewon ag yr awgryma'r efengylwyr.

Ystyriaethau cymdeithasol

Dadl a ddefnyddir yn aml wrth wadu fod y Testament Newydd yn collfarnu'r genedl Iddewig yn ei chrynswth, a hyd yn oed gwadu fod gwrth-Iddewiaeth i'w chanfod yn yr Ysgrythur, yw mai ffrae deuluol sy tu cefn i'r casineb. Gan mai rhwng un garfan o Iddewon ac un arall yr oedd yr ymryson, ni ellir disgrifio'r canlyniad fel gwrthsemitiaeth neu wrth-Iddewiaeth. Er gwaethaf ei feirniadaeth lem ar Israel yr wythfed ganrif, ni chyfrifir y proffwyd Amos yn wrth-Iddewig. Ac ni chyhuddir awduron Sgroliau'r Môr Marw o wrthsemitiaeth, er eu bod yn barod iawn i gollfarnu agweddau ar Iddewiaeth a oedd yn annerbyniol ganddynt hwy. Yr oedd absenoldeb unffurfiaeth yn nodweddu Iddewiaeth yn y ganrif gyntaf O.C. Nid oedd Iddewiaeth Rabbinaidd, sef yr enw a roddwyd i Iddewiaeth swyddogol y canrifoedd canlynol, wedi datblygu hyd yma. Yr oedd y prif garfanau, megis y Sadwceaid, y Phariseaid a'r Eseniaid, i raddau helaeth, yn annibynnol ar ei gilydd ac yn dehongli'r Gyfraith yn eu ffordd eu hunain. Carfan arall oedd yr Iddewon Cristnogol, oherwydd fel y dengys Llyfr Actau'r Apostolion, yr oedd Cristnogaeth mewn byr amser wedi denu miloedd o Iddewon. (Gw. Ac. 2 :41; 4 :4; 5 :14; 6 :7; 21 :20.) Felly, fel ffrae deuluol y bydd amryw o esbonwyr yn gweld ymosodiad yr Iddewon Cristnogol ar eu cyd-Iddewon — Iddewon meseianaidd yn erbyn y gweddill. Os felly, nid oes gennym hawl i ystyried eu casineb yn wrthsemitiaeth, gan mai Semitiaid yw'r ddwy ochr.

Ond nid yw pawb o'r un farn. Y mae gwrthwynebiad yr hanesydd David Flusser yn nodweddu adwaith llawer. Mewn rhagair i lyfr gan Clemens Thoma ar agwedd y Cristion at

---

[23] 'Separating Jesus from the Gospels' Anti-Jewish Bias', *CG* 1 (1993), t. 7.

Iddewiaeth, y mae Flusser yn gwrthod y fath ddamcaniaeth yn gwbl ddiseremoni:

Do not tell me that such statements and ideas [y dadleuon] are merely inner-Jewish disputes or prophetic scoldings. All of them sound Greek and not Hebrew, that is, they emerged among Gentile Christians, even though one or other redactor may have been a Christian of Jewish descent.[24]

Gan fod awduron rhannau helaeth o'r Testament Newydd yn ysgrifennu ymhell wedi marw Iesu, y mae Flusser yn argyhoeddedig eu bod yn bleidiol i'r Eglwys. Y rhagfarn hon, meddai, sy'n egluro'r darlun a geir yn Llyfr yr Actau o lwyddiant cenhadol y Cristnogion cyntaf yn fuan wedi'r Atgyfodiad, darlun sydd, yn ôl llawer o esbonwyr, wedi ei orliwio. Argraff dra gwahanol a roir gan Paul, a ddechreuodd ysgrifennu ei lythyrau tua deugain mlynedd cyn i Actau weld golau dydd. Yn ei ail lythyr at y Corinthiaid, mynega'i blum ynglŷn â diffyg ymateb yr Iddewon i neges Crist. Y mae'n cwyno am eu dallineb ysbrydol, sy'n parhau 'hyd y dydd hwn' (2 Cor. 3:14. Cf. Rhuf. 11:8; 1 Thes. 2:15). Os Paul yw'r awdurdod terfynol, ymddengys fod y Cenhedloedd yn fwy parod o lawer na'r Iddewon i ymateb i bregethu'r cenhadon cynnar.

Er i'r gwrthwynebiad hwn gael ei farnu yn ei dro am honni fod Iddewiaeth a Christnogaeth eisoes yn cerdded dau lwybr gwahanol erbyn ysgrifennu'r Testament Newydd, dengys nad yw'r ddamcaniaeth o ffrae deuluol mor gadarn ag y tybiwyd unwaith. Ond hyd yn oed os na ellir defnyddio'r syniad o wrthdaro rhwng Iddew ac Iddew i ryddhau'r awduron beiblaidd o fai am wrth-Iddewiaeth, y mae o leiaf yn tystio mai grwpiau lleol o Iddewon oedd yn dadlau â'i gilydd. Ac o'r herwydd, ni ddylai'r Cristion fyth fod wedi defnyddio dadleuon ysgrythurol i erlid y genedl Iddewig yn gyffredinol. Yn yr ystyr yma, y mae'r ddamcaniaeth o ffrae deuluol yn dirymu peth o botensial gwrthsemitaidd yr Ysgrythur.

[24] C. Thoma, *A Christian Theology of Judaism* (New York 1980), t. 17.

Pwnc arall sy'n berthnasol wrth ystyried gwrth-Iddewiaeth yn y Testament Newydd, fel ag yng ngweithiau Melito a Chrysostom, yw arddull enllibus yr awduron. Gan fod enllib, bron yn ddieithriad, y tu cefn i bob agwedd negyddol, y mae deall cefndir rhethreg faleisus yn hollbwysig. Wrth ddisgrifio datblygiad malais gwrth-Iddewig y Cristnogion cynnar, rhaid cofio mai lleiafrif bychan iawn oedd yr Iddewon hynny a dderbyniodd Iesu fel y Meseia yn ystod y ganrif gyntaf. Yr oeddent ar ymylon cymdeithas ac yn dioddef erlid di-baid o bob cyfeiriad. Er i'r Rhufeiniaid fod yn flaenllaw yn yr erledigaeth, cymunedau lleol o Iddewon a gafodd y bai gan Gristnogion am eu hadfyd, fel y dengys 1 Thesaloniaid 2 : 14-16. Oherwydd y creulondeb a ddioddefent, canolbwyntiodd y Cristnogion ar oroesi fel carfan arbennig ar wahân i'r Iddewon. Arweiniodd hyn i ddadlau brwd rhwng y ddwy ochr, dadlau a nodweddid gan rethreg sarhad.

Yr ydym wedi sylwi eisoes, wrth ystyried Chrysostom, fod dadleuon maleisus o'r math hwn yn gyffredin mewn cymdeithas baganaidd. Gwnâi 'ysgolion' a 'phleidiau athronyddol' yr hen fyd ddefnydd helaeth o enllib a malais wrth amddiffyn eu cred. Mewn dadl gyhoeddus, cyfeiriai'r siaradwr at ei wrthwynebwyr fel sebonwyr, twyllwyr, halogwyr, ac ati. Er mai dyma'r dull cydnabyddedig o drin gwrthwynebwyr, codi calon ysgol neu garfan yr amddiffynnydd, yn hytrach na difrïo'r gelyn, oedd prif bwrpas y fath ormodiaith. Canfyddir yr un dechneg yng ngweithiau Iddewig y cyfnod pan fo'r awduron yn amddiffyn eu cred. Y mae Joseffus, hanesydd Iddewig o'r ganrif gyntaf O.C., yn gwarchod ei genedl trwy gyfeirio at y rhai gelyniaethus ymysg y Cenhedloedd fel pobl 'ofer, anwybodus, fradwrus, gelwyddog a llawn cenfigen', iaith sy'n nodweddiadol o arddull ddadleuol yr oes. Ond nid y Cenhedloedd yn unig yw gwrthrych malais Joseffus; caiff y cyd-Iddewon hynny sy'n tanio'i ddicter yr un driniaeth yn union. Er enghraifft, y mae'n cyhuddo'r Selotiaid o wawdio a gwadu geiriau'r proffwydi, o halogi'r deml ac o ladd a threisio'u cyd-Iddewon. Dyma wehilion cymdeithas yn ei farn ef. Y mae'r un ormodiaith i'w chael mewn ffynonellau Iddewig eraill yng nghyfnod y Testament Newydd. Cyfeiria awduron Sgroliau'r Môr Marw at bawb nad oedd yn perthyn i'w carfan hwy o Iddewiaeth fel 'meibion y pwll' a 'gweision Satan' sydd dan ddylanwad angel y tywyllwch. Y mae awduron Salmau Solomon a Phedwerydd Llyfr Esdras hefyd yn galw'u cyd-Iddewon yn 'bechaduriaid', 'dynion anghyfiawn' a 'rhagrithwyr'.

Gan fod rhethreg sarhad yn elfen gydnabyddedig yn nadleuon yr hen fyd, nid syn iddi ymddangos yn y Testament Newydd hefyd. A oedd awduron yr Ysgrythur yn gwneud mwy na dilyn confensiwn eu hoes wrth gyhuddo'u gwrthwynebwyr o fod yn llawn anghyfraith, a chyfeirio atynt fel 'seirff' ac 'epil gwiberod,' meibion i'r 'rhai a lofruddiodd y proffwydi'? Os nad oeddent, yna gellir dadlau fod rhethreg wrth-Iddewig y Testament Newydd yn nodweddiadol o'r cyfnod, a chyn belled â'i bod yn perthyn i bob carfan, nid oedd yn amhriodol. Ni ddylid cymryd yr atgasedd yn llythrennol, ond fel arwydd fod y sawl a gyferchir yn wrthwynebwr na ellid dweud digon o bethau atgas amdano. O ddarllen Ioan 8:44 a Mathew 23 fel hyn, byddai'r darlun o'r Iddew fel epil Satan, a'r Phariseaid fel arweinwyr dall, yn colli ei rym dinistriol.

Dadl ddiwinyddol

Er fod malais y Testament Newydd tuag at Iddewon yn gofidio'r mwyafrif o Gristnogion, y mae'n peri llai o anhawster iddynt na diwinyddiaeth ddisodli. Mewn un ystyr, y mae dysgeidiaeth Efengyl Ioan a'r Llythyr at yr Hebreaid, fod Cristnogaeth yn rhagori ar Iddewiaeth, yn fwy o dramgwydd i drafodaeth rhwng Iddew a Christion nag ymosodiadau dicllon Mathew a Luc. Tra gellir egluro'r awydd i gollfarnu Iddewon y ganrif gyntaf am ragrith, ystyfnigrwydd a llforuddiaeth, yn nhermau hanes, cymdeithaseg a rhethreg (er na ddichon yr un esboniad fodloni pawb), ni ellir egluro'r syniad o ddisodli yn yr un modd. Y rheswm am hyn yw fod diwinyddiaeth ddisodli yn anwybyddu Iddewiaeth yn gyfan gwbl, gan ei chyfrif yn grefydd farw a mynnu nad yw gweddi Iddew yn cyrraedd clustiau Duw.

Fodd bynnag, er gwaethaf pwysau traddodiad, y mae llawer o ddiwinyddion Cristnogol yn anfodlon ar y gred hon ac yn awyddus i'w hailystyried. Y mae Marcus Braybrooke yn

203

esbonio pam y mae'r farn fod Duw wedi torri ei gyfamod â'i genedl etholedig yn anfoddhaol trwy ddweud :

> It calls in question God's trustworthiness and faithfulness to his promises. It ignores the continuing spiritual fecundity of Israel and the faithfulness of the Jewish people. It is based on a misreading of Jesus' attitude to the Torah and perhaps also on a misunderstanding of the teaching of Paul.[25]

Y mae'r rhai sy'n cymryd y dadleuon hyn o ddifrif ac yn mynnu gwrthod y ddiwinyddiaeth ddisodli sydd mor amlwg yn nysgeidiaeth y Llythyr at yr Hebreaid, wrth i'r awdur ddatgan rhagorfreintiau'r cyfamod newydd yng Nghrist (Heb. 8:6-13), yn cynnig dau ateb gwahanol i'r anawsterau. Y cyntaf yw mai dim ond un cyfamod sydd i'w gael yn y Beibl, ac y mae hwnnw'n cofleidio Iddewon a Christnogion. Y mae'n oblygedig yn hyn na chafodd cyfamod Sinai, a adnewyddwyd yn ystod y Gaethglud ym Mabilon yn ôl Jeremeia 31:31-34, ei ddiddymu gan gyfamod Calfaria, ond yn hytrach ei *ymestyn,* trwy aberth Crist, i gynnwys y Cenhedloedd hefyd. Y mae gan Iddewiaeth, felly, le parhaol o fewn yr un cyfamod. Yr ail yw fod yna ddau gyfamod cyfartal. Pwysleisia'r ddamcaniaeth hon fod gwahaniaethau gwirioneddol rhwng y ddwy grefydd, ond ystyrir bod y naill grefydd yn *cyflenwi'r* llall yn hytrach na'u bod yn gwrth-ddweud ei gilydd. Fel y gwelsom eisoes, myn James Parkes, un o brif ladmeryddion y ddamcaniaeth, fod cyfamod Sinai, yn y bôn, yn gyfamod sy'n ymwneud â'r gymuned, tra bo cyfamod Calfaria'n ymwneud â'r unigolyn. Yma eto, nid yw'r ail gyfamod yn cymryd lle'r cyntaf; y mae'r ddau'n gydradd, heb fod y naill yn rhagori ar y llall. Yng ngeiriau John Pawlikowski, 'The Revelation at Sinai stands on an equal footing with the revelation in Jesus'.[26]

'Crist yn erbyn yr Ysgrythur'

Cyn gorffen, nodwn un dull arall o gyfyngu ar botensial gwrth-semitaidd y Testament Newydd. Rhyfedd, o gofio atgasedd Martin Luther at Iddewon ac Iddewiaeth, mai ag ef y cysylltir

[25] *Time to Meet* (London 1990), t. 74.
[26] *Christ in the Light of Jewish-Christian Dialogue* (New York 1982), p. 122. Am syniadau Parkes gw. uchod, tt. 158 ym.

y dull hwn. Y mae ymadrodd adnabyddus o eiddo Luther yn crynhoi mewn byr eiriau ei agwedd at y Beibl, sef 'Arwain at Grist, yn unig, y mae'r Ysgrythur'. Dylid dehongli'r ysgrythurau 'o blaid Crist ac nid yn ei erbyn. Am hynny, un ai maent o reidrwydd yn cyfeirio at Grist, neu rhaid gwadu eu bod yn wir ysgrythurau'.[27] Nid yn y testun beiblaidd fel y cyfryw y mae awdurdod y Beibl i'w ganfod, ond yn yr Efengyl a ddiogelir gan y testun hwnnw. Y Newyddion Da yw calon y Beibl, a hwy yw'r allwedd sy'n datgloi ei gyfrinach ac yn datgelu ei neges. Gwasanaethu Gair Duw y mae geiriau'r Beibl. Gan fod Iesu Grist, ym meddwl Luther, yn 'Frenin yr Ysgrythur', y mae ei Efengyl ef yn llys apêl uwchlaw'r Beibl. Rhaid rhoi y flaenoriaeth i Efengyl Crist ac nid i'r Ysgrythur. Os yw ei elynion yn 'annog yr Ysgrythur yn erbyn Crist', meddai Luther, 'yr ydym ni yn cymell Crist yn erbyn yr Ysgrythur'. (*Urgemus Christum contra Scripturam*)[28]

Er mwyn egluro'r egwyddor o arddel awdurdod uwch na'r Beibl, y mae Schubert Ogden yn cymharu awdurdod yr Ysgrythur ag awdurdod barnwr mewn llys. 'Both the judge and the accused, who is subject to the judge's authority, stand under the same laws and rules of justice, which are as binding on the judge's verdict as they are on the actions of the accused'.[29] Y mae'r gyfraith sy'n berthnasol i'r amddiffynnydd yr un mor berthnasol i'r barnwr; os yw'r barnwr yn dilyn ei fympwy, y mae hawl gan yr amddiffynnydd i apelio at awdurdod uwch. Yn yr un modd y mae awdurdod y Beibl yn deillio o awdurdod uwch, sef Efengyl Crist. O safbwynt yr Efengyl, y mae'r Ysgrythur a'r sawl sydd dan awdurdod yr Ysgrythur ar yr un lefel.

Mewn perthynas â'r drafodaeth rhwng Iddew a Christion, golyga hyn mai yng ngoleuni'r Efengyl y dylid esbonio adnodau o'r Testament Newydd sy'n difrïo Iddewon, oherwydd yn y pen draw y mae'r Ysgrythur o dan ei hawdurdod hi. Os nad yw'r adnodau'n 'cyfeirio at Grist', os nad ydynt yn amlygu

[27] 'Sylwadau ar Ffydd a Chyfraith' yn *Luther's Works* (Philadelphia 1960), Cyfr. 34, t. 112.
[28] *Ibid.*
[29] 'The Authority of Scripture for Theology', *Interpretation* 30 (1976), t. 246.

cariad diamodol Duw trugaredd tuag at bawb, os nad ydynt yn
hyrwyddo barn a chyfiawnder mewn cymdeithas, mewn gair,
os ydynt yn gwrth-ddweud y 'newydd da' am Dduw mewn
cnawd, onid oes gyfiawnhad dros eu diarddel?
O na bai Luther wedi byw ei broffes yn ei agwedd at yr
Iddewon!

Casgliadau

Ymysg diddordebau ysgolheigion beiblaidd ein cyfnod ni, y
mae dau bwnc yn cael blaenoriaeth : cefndir Iddewig Iesu a
chyd-destun ysgrifeniadau'r Testament Newydd. Nid ar
ddamwain y daeth y pynciau hyn i'r brig yng nghysgod
Auschwitz, oherwydd y mae'r ddau yn dra pherthnasol i'r
drafodaeth ynglŷn â dylanwad yr Ysgrythur ar agwedd wrth-
Iddewig yr Eglwys.
    Wrth ymdrin â gweinidogaeth Iesu, pwysleisia'r arbenigwyr
ei berthynas agos ag Iddewiaeth. Yn ôl yr ymchwil diweddaraf,
yr oedd Iesu yn nes o lawer at ddysgeidiaeth y Phariseaid nag
y tybid unwaith. Er iddo anghytuno â hwy ynglŷn â rhai
pethau, nid anghytundeb sylfaenol mohono. Meddai E. P.
Sanders, ar ôl astudiaeth fanwl o'r efengylau, 'We know of no
substantial dispute about the Law, nor of any substantial conflict
with the Pharisees'.[30] Y mae'r pwyslais hwn ar wreiddiau
Iddewig Iesu wedi agor y drws i drafodaeth ystyrlon rhwng
Iddew a Christion ar gynnwys yr efengylau, a hefyd wedi esgor
ar agwedd newydd, fwy cadarnhaol, ymysg Cristnogion tuag
at Iddewiaeth. O gofio fod Iesu wedi byw a marw fel Iddew
a barchai ei dreftadaeth, dylai'r Cristion fod yn llai parod i
ddyfynnu ei eiriau er mwyn collfarnu Iddewiaeth.
    Er mwyn dirymu ymhellach botensial gwrthsemitaidd
rhannau o'r Testament Newydd, y mae ysgolheigion wedi ceisio
gosod yr Ysgrythur yn ei chyd-destun priodol trwy ymchwilio
i'w chefndir a'i chyfnod. Cawn ein hatgoffa ganddynt fod
amgylchiadau arbennig — ofn yr Ymerodraeth Rufeinig,
ymryson rhwng pleidiau, dadleuon diwinyddol — yn cyfyngu

---

[30] *Jesus and Judaism* (London 1985), t. 292.

ar neges y Testament Newydd. Daeth Gair Duw i'n plith yng ngeiriau dynion, geiriau a fynegir yn fynych yn arddull rethregol yr oes. Dyletswydd y Cristion yw cymryd hyn i ystyriaeth cyn mynd i chwilio'r ysgrythurau am gyfiawnhad dros ddifrïo Iddewon.[31]

[31] Gw. ymhellach G. Lloyd Jones, *Hard Sayings: Difficult New Testament Texts for Jewish-Christian Dialogue* (CCJ: London 1993).